MW00834868

Entusiasmo

Movimientos de plantación de iglesias

por David Garrison

...un libro extraordinario que está abriendo surcos. Desde ahora en adelante no será posible hablar de evangelismo y misiones sin considerar la descripción de Garrison de un movimiento de plantación de iglesias. Con toda seguridad, cada uno que lea este libro deseará profundamente ver cómo surge un movimiento de plantación de iglesias en su propia comunidad.

Dr. Robert Garrett
Profesor de Misiología
Seminario Teológico Bautista del Sudoeste

¡Necesitamos este libro en el día de hoy! Tanto los laicos como los misioneros cosecharán las riquezas de este nuevo recurso sobre las mejores prácticas de los movimientos de plantación de iglesias. ¡Disfrútenlo todos los defensores de este movimiento!

Dr. Michael Barnett
Cátedra de Plantación Misionera de Iglesias
Universidad Internacional de Columbia

El libro "Los movimientos de plantación de iglesias" de David Garrison es una estrategia nueva y poderosa que muestra cómo Dios está obrando en el mundo hoy, y cómo quiere seguir haciéndolo.

Dr. Steve Wilkes
Profesor de Misiones
Seminario Teológico Bautista Mid-America

Este libro informativo e inspirador llegará hasta el alma y capturará la mente de laicos, pastores, misioneros y educadores.

Dr. Daniel Sánchez
Director del Instituto Scarborough de Crecimiento de Iglesias
Seminario Teológico Bautista del Sudoeste

Movimientos de plantación de iglesias

Cómo Dios está redimiendo al mundo perdido

David Garrison

Traducido por
Mirta Vázquez

Editorial Mundo Hispano
Apartado 4256, El Paso, Texas 79914, EE. UU. de A.
www.editorialmh.org

Movimientos de plantación de iglesias. Cómo Dios está redimiendo al mundo perdido. © Copyright 2005, Editorial Mundo Hispano. 7000 Alabama St., El Paso, Texas 79904, Estados Unidos de América. Traducido y publicado con permiso. Todos los derechos reservados. Prohibida su reproducción o transmisión total o parcial, por cualquier medio, sin el permiso escrito de los publicadores.

Publicado originalmente en inglés por WIGTake Resources, Midlothian, Virginia, bajo el título *Church Planting Movements. How God is Redeeming a Lost World,* © copyright 2004 por David Garrison.

Las citas bíblicas han sido tomadas de la Santa Biblia: Nueva Versión Internacional, © copyright Sociedad Bíblica Internacional.

Editores: Alicia y Rubén Zorzoli

Diseño de la portada: Zia en www.grafixetc.com y Carlos Santiesteban

Diseño de páginas: Rubén Zorzoli

Primera edición: 2005
Clasificación Decimal Dewey: 254.1
Tema: Misiones—Plantación de iglesias

ISBN: 0-311-29013-2
EMH Núm. 29013

3 M 4 05

Impreso en EE. UU. de A.
Printed in U.S.A.

Contenido

Reconocimientos

Muchos rostros espiaban por encima de mi hombro al terminar este libro. Gracias a Sonia, Jeremías, Séneca, Amanda y Marcos, mi amada familia que se unió conmigo para descubrir los movimientos de plantación de iglesias de Dios, mucho más allá de nuestra zona de comodidad aquí en los Estados Unidos de América.

Durante la última década me he convertido en un investigador incansable de las prácticas más eficientes en los movimientos de plantación de iglesias alrededor del mundo. Algunos individuos en particular han sido de mucha ayuda proveyéndome valiosa información. Bill y Susan Smith, Curtis Sergeant, Bruce Carlton, el hermano Ying, el doctor Choudhrie, el hermano Shahadat, David Watson y Jim Slack. Michael Barnett, Karen Simons, Vance Worten, Zia van der Veen, Scott Holste, Avery Willis, Larry Cox y Jerry Rankin han aportado también su valiosa contribución y apoyo a esta obra.

También estoy en deuda con mis compañeros líderes regionales de la Junta de Misiones Internacionales de los Bautistas del Sur, que me orientaron con su conocimiento de la actividad misionera de Dios alrededor del mundo. Particularmente agradezco a Bill Fudge, Don Dent y John Brady de quienes he aprendido continuamente.

También recibí palabras de estímulo muy apreciadas de Rick Warren y Bruce Wilkinson. Bruce simplemente me dijo: *Sí, mi amigo, tú eres escritor.* Y mi gratitud más profunda va para mi profesor y amigo Martín Marty, cuyas palabras *los escritores escriben* todavía me persiguen y me inspiran.

Sin el amplio y entusiasta apoyo del mundo evangélico hacia el librito *Los movimientos de plantación de iglesias*, quizá este tomo más extenso nunca hubiera visto la luz del día. Por lo tanto, ofrezco mi agradecimiento a cada traductor, editor y distribuidor del librito y paradigma *Los movimientos de plantación de iglesias*.

Y para mis amados colegas en el sur de Asia: no hay gozo mayor en la vida que estar en misión con Dios rodeado de hermanas y hermanos tan dedicados y talentosos. Gracias a todos.

Finalmente, a mi padre y a mi madre Vernon y Etheleen Garrison, que no contaron el regalar a su hijo, nuera y nietos al campo misionero como un gran sacrificio que hacían por el Señor, y a los padres de Sonia, Vernon y Patsy Hutchins, que gozosamente hicieron lo mismo, gracias.

David Garrison
India, 2003

Prefacio

Hace algunos años, mientras viajaba por el sudeste de Asia, encontré a un talentoso joven misionero que había inventado un sistema de purificación de agua con una batería de auto y una lámpara ultravioleta; luego lo vi diseñar un refrigerador que funcionaba con energía solar, alimentado por el sol tropical. Maravillado por su inventiva, le pregunté cuál era su ocupación antes de venir al campo misionero.

—Yo era un ingeniero especializado en revertir procesos —me contestó. Viendo la incógnita dibujada en mi cara, continuó explicándome:

—Yo trabajaba para una gran corporación que estaba involucrada en muchos y diferentes campos de producción. Mi trabajo era monitorear a la competencia y, cuando sacaban un nuevo producto, a mí me correspondía revertir el proceso de ingeniería, desarmando el producto y analizando cuidadosamente cómo había sido construido y cómo funcionaba. Luego presentaba a mis superiores un informe detallando mis conclusiones, lo que determinaría si podríamos desarrollar o no nuestra propia versión del mismo producto.

En los años que siguieron, creo que nunca más volví a pensar en el concepto de *ingeniería de reversión*, hasta que alguien observó que mi investigación de los movimientos de plantación de iglesias era una forma de ingeniería de reversión. Mirando hacia atrás, creo que es verdad.

Este libro encara un asunto complejo; en este caso un fenómeno producido de una manera divina, y que llamamos movimientos de plantación de iglesias. Pretende comprender estos movimientos comenzando por el final, con un movimiento de plantación de iglesias real. Luego revierte el movimiento, desmantelando sus partes, analizando cómo fue elaborado y cómo funciona. Hecho con propiedad, este sistema de revertir un proceso puede revelar muchísimo sobre el diseño, deseos y método de operación del Creador.

En los movimientos de plantación de iglesias es fácil ver a Dios obrando y transformando cientos de miles de personas. ¿Pero *cómo* trabaja Dios, y cómo quiere que nosotros participemos? Estas son las preguntas que demandan una exhaustiva investigación y nos impulsan por el camino de la ingeniería de reversión.

Comenzando por el final, con el movimiento de plantación de iglesias real, procederemos a analizar cuidadosamente cada una de las partes que lo componen. Si tenemos éxito, por la gracia de Dios, llegaremos a comprender la mente de su Creador y cómo *él* quiere que participemos en estas obras milagrosas.

Primera parte

En el principio

1

Cómo comenzó todo

¡Miren a las naciones! ¡Contémplenlas y quédense asombrados! Estoy por hacer en estos días cosas tan sorprendentes que no las creerán aunque alguien se las explique. (Habacuc 1:5)

En el otoño de 1994 este versículo cobró vida en mí de una manera que yo nunca habría soñado. Era la época del año cuando los misioneros envían sus informes anuales a las oficinas centrales. Los misioneros son personas muy ocupadas que raramente se sienten entusiasmadas cuando tienen que parar en el camino lo suficiente como para contar a otros cuántos nuevos creyentes fueron bautizados, cuántas nuevas iglesias se comenzaron o a cuántos nuevos grupos étnicos no alcanzados se les ha presentado el evangelio. Cada año estos informes muestran típicamente un modesto crecimiento en cada una de estas áreas clave.

Pero este año era diferente. El informe de los misioneros David y Jan Watson, que servían en la India, presentaba una declaración increíble. Había una lista de casi cien ciudades, pueblos y aldeas con nuevas iglesias, y miles de nuevos creyentes.

En las oficinas centrales de la misión hubo escepticismo.

—No puede ser —dijeron—. O ustedes malinterpretaron la pregunta, o no nos están diciendo la verdad.

Las palabras sonaban hirientes, pero David se contuvo.

—Vengan y vean —respondió.

Un poco más adelante, ese mismo año, un equipo encabezado por el supervisor de Watson llegó a la India para investigar. Visitaron

Lucknow, Patna, Delhi, Varanasi y los numerosos pequeños pueblos y aldeas que David había incluido en su informe. El supervisor comentaría más tarde:

—Yo personalmente llegué allí con muchas dudas, pero comprendí que estábamos equivocados. En cualquier lugar donde llegábamos nos encontrábamos exactamente con lo que Watson había informado. Dios estaba haciendo allí algo asombroso.

Asombroso... difícil de creer. Fue alrededor de esa época que las palabras de Habacuc cobraron un nuevo significado. "¡Miren a las naciones! ¡Contémplenlas y quédense asombrados! Estoy por hacer en estos días cosas tan sorprendentes que no las creerán aunque alguien se las explique" (Habacuc 1:5).

Un año más tarde, un informe llegado del sudeste de Asia describía una erupción similar de nuevas iglesias. Al año siguiente, misioneros que servían en América Latina fueron testigos de la misma clase de multiplicación espontánea de cientos de nuevas iglesias. Ese mismo año, dos informes similares llegaron desde la China. Fue entonces cuando comenzamos a referirnos a este increíble fenómeno como *movimientos de plantación de iglesias.*

Los informes seguían llegando. Como lo había prometido, Dios está haciendo algo extraordinario *en nuestros días*. Mientras él atrae hacia sí mismo a un mundo perdido, los movimientos de plantación de iglesias parecen ser el *camino* a través del cual lo está logrando. Lo que comenzó reportando pequeñas gotas hace algunos años, hoy ya se ha convertido en una corriente continua de grupos de personas, hasta ese momento inalcanzables, que están entrando al reino de Dios.

En el este de Asia, un misionero escribió: "Yo lancé mi plan de tres años en noviembre de 2000. Mi visión era comenzar 200 nuevas iglesias dentro de mi grupo étnico en los próximos 3 años. Pero cuatro meses más tarde ya habíamos alcanzado la meta. ¡Después de solamente tres meses, ya teníamos 360 iglesias nuevas establecidas y más de 10.000 nuevos creyentes bautizados! Ahora le estoy pidiendo a Dios que amplíe mi visión".

Durante la década de 1990, los cristianos de un país latinoamericano soportaron la continua persecución del gobierno, y crecieron de 235 iglesias a más de 4.000, con más de 30.000 nuevos creyentes esperando ser bautizados.

Un pastor de Europa occidental escribió: "El año pasado mi esposa y yo comenzamos 15 nuevas iglesias en las casas. Al viajar por seis meses para nuestra asignación en los Estados Unidos, nos preguntábamos qué encontraríamos al regresar. ¡Fue tremendo! Por lo menos podemos verificar 30 iglesias en este momento, pero yo creo que puede haber dos o tres veces más que eso".

Un estratega misionero de África informó: "Nos llevó 30 años plantar cuatro iglesias en este país. Sin embargo, ya establecimos 65 nuevas iglesias en los últimos nueve meses".

En el sudeste de Asia, otro estratega en misiones comenzó a trabajar, en 1993, con tres pequeñas iglesias en diferentes casas, que sumaban un total de 85 miembros. Sólo siete años más tarde, la membresía había crecido a más de 90.000 creyentes bautizados, que adoraban al Señor en 920 nuevas iglesias.

Un estratega en misiones asignado a un pueblo en el norte de la India encontró sólo 28 iglesias entre ellos en 1989. Para el año 2000, un movimiento de plantación de iglesias había catapultado el número a más de 4.500 iglesias, con un estimado de 300.000 creyentes bautizados.

Durante la década pasada, literalmente millones de nuevos creyentes han entrado al reino de Dios a través de los movimientos de plantación de iglesias. Este libro tiene como meta ayudarle a comprender esos movimientos. En las páginas siguientes, usted verá no solamente *lo que* Dios está haciendo, sino también *cómo* lo está haciendo.

En primer lugar, vamos a describir lo que está pasando en estos movimientos. A continuación, trataremos de discernir las lecciones y principios que podemos aprender de estos movimientos. Luego evaluaremos lo que hemos visto a la luz de la Palabra de Dios. Finalmente, someteremos todo lo que hemos aprendido al señorío de Cristo, preguntando: "En vista de lo que nos has mostrado, Señor, ¿qué debemos hacer ahora?".

En este libro encontrará referencias a una clase de misionero especial que figura prominentemente en muchos movimientos de plantación de iglesias. Son los llamados *coordinadores de estrategia*. Un coordinador de estrategia es un misionero que toma la responsabilidad de desarrollar e implementar una estrategia coherente —una que estará asociada con todo el cuerpo de Cristo— para atraer hacia Jesús a un grupo étnico[1]. Este nuevo paradigma de los misioneros del siglo XXI está dando también nueva forma al mundo de las misiones, contribuyendo inmensurablemente a la multiplicación de los movimientos de plantación de iglesias.

En agosto de 1998, cerca de una docena de coordinadores de estrategia e investigadores misioneros que habían experimentado estos movimientos de plantación de iglesias se reunieron en Rockville, Virginia. Antes de que terminara el año, un segundo grupo se reunió en Singapur. El propósito de ambas reuniones era exactamente el mismo: *entender los movimientos de plantación de iglesias*. Juntos, los integrantes de estos grupos elaboraron una definición de trabajo de un movimiento de plantación de iglesias. Luego comenzaron a enunciar una lista de las características presentes en cada uno de los movimientos que habían visto.

El debate fue entusiasta y la energía se mantuvo a alto nivel, mientras los estrategas e investigadores se movían entre tres o cuatro pizarras analizando las diferentes listas de cualidades, características y obstáculos.

Examinar lo que Dios estaba haciendo fue una experiencia magnífica. Dios los sorprendió mostrándoles que muchos elementos que hasta entonces habían mantenido como esenciales estaban totalmente ausentes de *su* movimiento de plantación de iglesias, mientras otros claramente presentes eran tan obvios que habían sido pasados por alto.

Todas estas intensas sesiones con verdaderos practicantes del movimiento de plantación de iglesias dieron como resultado un librito de 57 páginas publicado en enero de 2000, bajo el título *Los*

---

[1]Usted encontrará frecuentes referencias a grupos étnicos en este libro. Un grupo étnico se refiere a una agrupación social que comparte un mismo lenguaje y un mismo sentido de identidad étnica, a veces referida como grupo etnolingüístico. Pueblo no alcanzado es aquel que nunca ha sido expuesto al evangelio de Jesucristo.

movimientos de plantación de iglesias. Durante el primer año, este librito se diseminó rápidamente alrededor del mundo y fue traducido localmente a más de 20 idiomas. Todavía continúan surgiendo nuevas traducciones con diferencia de meses[2]. Hoy, muchos evangélicos usan esta publicación como guía para comprender cómo está obrando el Señor y cómo pueden asociarse con él.

Ya han pasado más de tres años. Muchas cosas han ocurrido desde que ese librito fue escrito. A diferencia de los primeros días, cuando la mayoría de los movimientos de plantación de iglesias parecían confinados a Asia, hoy están surgiendo en todos los rincones del globo. Los investigadores están observando más de treinta lugares alrededor del mundo donde pueden verse distintas versiones de estos movimientos. Es dentro de ese contexto que nosotros estamos ofreciendo una comprensión más amplia de los movimientos de plantación de iglesias alrededor del mundo.

Este libro ha sido escrito para cualquier cristiano que desee comprender cómo Dios está redimiendo a un mundo perdido, pero está destinado especialmente a aquellos que quieren ser parte de su misión, compartiendo la historia de su gran salvación.

En las páginas siguientes, examinaremos algunos movimientos de plantación de iglesias y aquellos que *casi* se convierten en movimientos alrededor del mundo. Describiremos cuidadosamente los elementos únicos y las características en común que vemos en estos movimientos. Más aún, trataremos de contestar algunas de las preguntas que se hacen frecuentemente con respecto a los movimientos de plantación de iglesias. Luego, siguiendo el ejemplo de nuestros antepasados en Berea, escudriñaremos "todos los días... las Escrituras para ver si era verdad lo que se les anunciaba"[3]. Finalmente, pediremos a Dios que nos muestre cómo podemos involucrarnos. Dios siempre llama a su pueblo a la acción, y allí es donde la aventura realmente comienza.

---

[2]Entre las traducciones encontramos: *japonés, ruso, español, shona, portugués, árabe, chino, serbio, hausa, turco, hindi, francés, tailandés, coreano, noruego, kazako, guyarati, bangla, hebreo, albano y muchos más.*

[3]Hechos 17:11.

2

¿Qué son los movimientos de plantación de iglesias?

Antes de adentrarnos en los movimientos de plantación de iglesias, necesitamos adoptar una definición de trabajo para asegurarnos que los reconoceremos al verlos. Un movimiento de plantación de iglesias es *una multiplicación rápida de iglesias nativas plantando otras iglesias, que se extiende a través de un grupo étnico o un segmento de la población*. Hay muchas cosas más que podríamos agregar a la definición, pero esta es la que captura su esencia.

Usted notará que esta definición describe lo que *está* pasando en los movimientos de plantación de iglesias, en lugar de *pres*cribir lo que *podría* o *debería* pasar. A través de este libro trataremos de permanecer fieles a lo que Dios ya está haciendo en estos movimientos, evitando la tentación de prescribir o predecir cómo debería estar trabajando. Aferrándonos a un método descriptivo, estamos admitiendo humildemente que la obra no es nuestra; pertenece a Dios. Entonces, en lugar de acomodarlo a él dentro de nuestras predicciones o prescripciones equivocadas, vamos a permitir que Dios sea Dios, y vamos a alterar nuestra comprensión y comportamiento para participar de la misión junto con él.

No es fácil mantenerse en una posición descriptiva. Cada uno de nosotros viene a la mesa con nociones preconcebidas sobre la obra poderosa de Dios. Los movimientos de plantación de iglesias no son inmunes a estas tendencias que causan tantos malentendidos. Comencemos entonces desenvolviendo cuidadosamente nuestra definición para examinar cada una de sus cinco partes.

En primer lugar, un movimiento de plantación de iglesias se **reproduce rápidamente**. En un tiempo muy corto, las nuevas iglesias plantadas están comenzando nuevas iglesias que siguen el mismo patrón de reproducción rápida.

Usted puede preguntarse: "¿Cuán rápido es rápido?". Quizá la mejor respuesta es: "Más rápido de lo que usted cree posible". Aunque los números varían de lugar en lugar, los movimientos de plantación de iglesias siempre sobrepasan el crecimiento de la población al extenderse para alcanzar a todo el grupo étnico. Una vez que examinemos algunos de los casos de estudio, usted comenzará a tener una idea de lo que estamos hablando.

La segunda palabra clave en nuestra definición de los movimientos de plantación de iglesias es **multiplicación**. Los movimientos de plantación de iglesias no agregan simplemente nuevas iglesias, sino que las multiplican. Las encuestas de los movimientos de plantación de iglesias indican que virtualmente cada iglesia está ocupada en comenzar muchas nuevas iglesias. Los movimientos de plantación de iglesias multiplican iglesias y creyentes de la misma manera que Jesús multiplicó los panes y los peces.

Quizá esta es la razón por la que los movimientos de plantación de iglesias no tienen como meta comenzar diez o veinte iglesias más en un país o en una ciudad. Por el contrario, estas iglesias sólo se satisfacen con la visión de alcanzar a todo un grupo étnico o ciudad, ¡y finalmente el mundo entero! Cuando cada iglesia comprende que tiene la capacidad y la responsabilidad de reproducirse, los números comienzan a convertirse en un exponente elevado a la máxima potencia.

La tercera palabra es **nativa**. La palabra "nativa" significa literalmente *generado desde adentro*, en contraste con algo que comienza desde afuera. En los movimientos de plantación de iglesias, la primera o primeras iglesias pueden ser comenzadas por los de afuera, pero rápidamente este ímpetu debe cambiar desde los de afuera hacia los de adentro. Como consecuencia, en un breve espacio de tiempo, los nuevos creyentes que vienen a Cristo en los movimientos de plantación de iglesias ni siquiera sabrán que un extranjero estuvo alguna vez involucrado en el trabajo. Ante sus ojos, el movimiento tiene la apariencia, actúa y se siente como algo propio.

La cuarta parte de nuestra definición es **iglesias plantando iglesias**. Aunque los plantadores de iglesias pueden comenzar las primeras, llega el momento en que las iglesias entran en acción. Cuando las iglesias comienzan a plantar iglesias, alcanzan un punto en que se produce un gran vuelco, y así se lanza el movimiento.

Ese punto llega cuando la iniciación de nuevas iglesias alcanza un volumen crítico y, como piezas de un dominó que van cayendo unas tras otras, se precipita un proceso incontrolable que va de una iglesia a otra, y a otra, y a otra. Hay algunos que *casi* llegan a ser movimientos de plantación de iglesias, pero fallan en este punto clave, porque los plantadores de iglesias luchan por controlar a las iglesias que se están reproduciendo. Cuando el momento apropiado para la reproducción de iglesias desborda la habilidad de los plantadores para controlarlo, el movimiento está en marcha.

Finalmente, los movimientos de plantación de iglesias ocurren dentro de **grupos étnicos o segmentos de la población interrelacionados**. Como los movimientos de plantación de iglesias incluyen la comunicación del mensaje del evangelio, naturalmente ocurren dentro de límites compartidos de etnicidad y lenguaje. Sin embargo, raramente se detienen allí. Cuando el evangelio comienza a obrar con su poder cambiando la vida de los nuevos creyentes, los impulsa a llevar ese mismo mensaje de esperanza a otros grupos.

Ahora que hemos clarificado las cinco diferentes partes de nuestra definición, vamos a usar nuestro entendimiento para eliminar algunos de los otros hechos de Dios que pueden confundirse con los movimientos de plantación de iglesias.

Los movimientos de plantación de iglesias no son simplemente un avivamiento o despertar espiritual. A diferencia de los grandes avivamientos o despertamientos espirituales que periódicamente ocurren entre los cristianos, los movimientos de plantación de iglesias están centrados dentro de los grupos étnicos no alcanzados o concentraciones de personas sin Cristo. Los perdidos no están meramente dormitando en Cristo —necesitando un avivamiento— sino que están *muertos en sus pecados y transgresiones* hasta que Cristo les dé vida.

Los movimientos de plantación de iglesias no son sólo métodos de evangelismo en masa. Todos hemos conocido evangelistas dinámicos cuya proclamación del evangelio ha llevado cientos de miles a los pies del Señor. ¿Pero qué pasa cuando el estadio queda vacío y el evangelista se va a otra ciudad? Con demasiada frecuencia, el compromiso con Cristo termina con una reunión masiva.

Eso no es lo que sucede con los movimientos de plantación de iglesias. Los movimientos de plantación de iglesias son movimientos de multiplicación de iglesias. Si bien es cierto que los movimientos de plantación de iglesias incluyen la proclamación masiva del evangelio, avanzan también una segunda milla y tienen como resultado iglesias donde el discipulado, la adoración y el desarrollo espiritual continúa. En los movimientos de plantación de iglesias la evangelización en masa produce una multiplicación rápida de nuevas iglesias.

Los movimientos de plantación de iglesias no son solamente movimientos entre las personas. Más allá del evangelismo en masa está la conversión en masa donde grandes grupos de inconversos responden al evangelio. Estos a menudo son llamados "movimientos de personas" que no deben confundirse con los movimientos de plantación de iglesias. En varios lugares alrededor del mundo estos movimientos de personas están ocurriendo hoy, pero no siempre llevan a la multiplicación de iglesias.

Miles de musulmanes que llegan a Cristo en Azerbaijan, Argelia y otros lugares nos muestran que el Espíritu Santo está haciendo su obra, atrayendo a los perdidos a la fe en Jesucristo. Lo que distingue esas conversiones en masa de los movimientos de plantación de iglesias es la ausencia inquietante de nuevas iglesias.

Por muchas razones, muchas de estas conversiones en masa no están produciendo el número de iglesias necesario para asimilar a los nuevos convertidos. Cuando esta disparidad se presenta, se corre el riesgo de que las conversiones en masa se conviertan simplemente en un *fogonazo*, similar a un relámpago de luz que se disipa inmediatamente. La conversión en masa es parte de los movimientos de plantación de iglesias, pero en éstos los nuevos creyentes se reúnen para reproducir rápidamente nuevas iglesias.

Los movimientos de plantación de iglesias no son el movimiento de crecimiento de iglesias. Este movimiento se refiere a una escuela de misiones y crecimiento de iglesias que comenzó a mediados de la década de 1960 con el doctor Donald McGavran en el Seminario Teológico Fuller, de Pasadena, California. A riesgo de perder algunos lectores no misioneros, usemos un poco de tiempo para señalar algunas diferencias significativas entre el movimiento de crecimiento de iglesias y los movimientos de plantación de iglesias.

Hay por lo menos tres áreas donde el movimiento de crecimiento de iglesias difiere significativamente de los movimientos de plantación de iglesias. En primer lugar, el movimiento de crecimiento de iglesias ha llegado a asociar el concepto de iglesias más grandes con iglesias mejores. Establecer megaiglesias se ha convertido en una práctica común que va en aumento en el escenario evangélico. Los movimientos de plantación de iglesias, por otra parte, se adhieren al principio *cuanto más pequeño, mejor*. La intimidad de las iglesias en las casas está en el corazón de cada movimiento de plantación de iglesias.

En segundo lugar, el movimiento de crecimiento de iglesias ha dirigido a muchos misioneros a concentrarse en los considerados "campos listos para la siega" o "campos productivos", dejando de lado los que nunca han sido alcanzados o que parecen no producir respuesta. En contraste, nuestro análisis descriptivo revela que Dios ha escogido lanzar la mayoría de los movimientos de plantación de iglesias entre los candidatos menos factibles, grupos étnicos que todavía no han sido alcanzados y que a menudo han sido descartados por aquellos que buscan campos de cosecha más productivos.

En tercer lugar, el movimiento de crecimiento de iglesias prefiere poner sus recursos (particularmente misioneros) en los campos de cosecha que responden. El razonamiento es que los obreros son limitados, y debemos protegerlos de áreas difíciles e invertirlos en grupos étnicos que ya han demostrado apertura para responder al evangelio.

Una vez más, como verá en los casos de estudio a continuación, el enfoque de poner más y más recursos en el campo de cosecha es en realidad *contrario* a lo que Dios está haciendo en los movimientos de plantación de iglesias. En ellos, el rol del misionero o persona de afuera es más intenso en el principio. Una vez que el grupo étnico comienza a responder, es de vital importancia que los de afuera (por ejemplo misioneros) se transformen en obreros menos dominantes, mientras los nuevos creyentes se convierten en los cosechadores principales y en líderes del movimiento.

Mantener estas distinciones en mente nos ayudará a evitar que miremos a los movimientos de plantación de iglesias a través de los lentes del movimiento de crecimiento de iglesias, para sentirnos libres de ver lo que Dios está haciendo y cómo está obrando.

Los movimientos de plantación de iglesias no son solamente un milagro divino. Los que participan de estos movimientos han sido muy rápidos en señalar que la gloria de este movimiento pertenece a Dios, de tal manera, en realidad, que muchos describen estos movimientos como simplemente un acto de Dios. "No podríamos detenerlo aunque quisiéramos", comentó alguien. Su humildad era admirable, pero confusa. Reducir el movimiento de plantación de iglesias a un milagro divino únicamente tiene el efecto de descartar el rol de la responsabilidad humana. Si solamente Dios produce los movimientos de plantación de iglesias, entonces solamente Dios es el culpable cuando no hay más movimientos de plantación de iglesias.

La verdad es que Dios ha dado a los cristianos roles vitales para desempeñar en el éxito o fracaso de estos movimientos. Durante los últimos años, hemos aprendido que hay muchas maneras en las que podemos obstruir y aún detener los movimientos de plantación de iglesias. En muchas instancias, actividades bien intencionadas que están fuera del plan de Dios han servido para retrasar y aún sofocar un movimiento. Estos movimientos son milagrosos en la manera en que transforman personas, pero también son muy vulnerables al maltrato humano.

Los movimientos de plantación de iglesias no son un invento occidental. En enero de 2001, este autor se dirigió a un grupo de líderes de las iglesias del norte de África, reunidos para discutir el tema de los movimientos de plantación de iglesias. Justo antes de comenzar la sesión alguien me advirtió: "Estos hermanos y hermanas no están buscando los últimos métodos más novedosos de plantar iglesias en los Estados Unidos. Si eso es lo que usted ha traído de Norteamérica, está perdiendo su tiempo y el de ellos".

Con esta admonición en mente, comencé con una honesta confesión: "Los movimientos de plantación de iglesias *no son* un fenómeno de los Estados Unidos. En realidad, como yo crecí en los Estados Unidos, casi me pierdo algo tan asombroso como lo que Dios está haciendo entre los perdidos en todo el mundo".

Los movimientos de plantación de iglesias no se originaron en el mundo occidental, aunque han ocurrido allí como en otras partes del mundo. Los movimientos de plantación de iglesias son una descripción de lo que Dios está haciendo en muchos países, pero no están limitados a un tipo de cultura más que a otro.

Con respecto a los líderes de las iglesias del norte de África, todo lo que realmente querían saber era que esto era algo que Dios estaba haciendo. Desde ese momento en adelante abrazaron con entusiasmo este poderoso instrumento para la salvación que Dios nos ofrece.

Finalmente, un movimiento de plantación de iglesias no es un fin en sí mismo, sino un *medio* para llegar a un fin. Aquellos que investigan los movimientos de plantación de iglesias a veces cometen el error de la exuberancia. Se entusiasman tanto con los movimientos de plantación de iglesias que virtualmente venden sus almas por el movimiento. Cuando esto pasa, es que han permitido que el movimiento pasara a desempeñar el "rol de Dios" y los resultados son desastrosos tanto para el movimiento como para el individuo.

Los movimientos de plantación de iglesias son simplemente una manera en que Dios está llevando masivamente a las personas perdidas a una comunión redentora con él mismo. Esa relación de salvación —mucho más que cualquier movimiento o método— es lo que toca la visión final, la gloria de Dios que tanto deseamos.

Esto nos lleva a una importante pregunta final mientras nos preparamos para investigar aún más los movimientos de plantación de iglesias. ¿Por qué son tan importantes? ¿Por qué necesitamos estudiarlos y comprenderlos? Hay varias razones.

Primera, los movimientos de plantación de iglesias son importantes porque Dios está trabajando en ellos de una manera poderosa. Cada participante de un movimiento de plantación de iglesias llega a la misma humilde conclusión: Dios está haciendo algo maravilloso en medio de ellos. Las personas pueden planear y soñar, pero sólo Dios puede cambiar el corazón de los inconversos y atraerlos hacia él.

Si no hubiera otra razón que ésta, sería suficiente. Si queremos estar en una misión con Dios, y no perseguir simplemente nuestra propia agenda, entonces *debemos* prestar atención a la manera en que él está usando los movimientos de plantación de iglesias para atraer hacia sí mismo a grupos étnicos completos.

Segunda, necesitamos aprender todo lo que podemos sobre los movimientos de plantación de iglesias por el rol fundamental que Dios ha reservado para nosotros. La diferencia entre los movimientos de plantación de iglesias y los que *casi* llegan a ser movimientos de plantación de iglesias es a menudo la diferencia entre el pueblo de Dios que se alinea detrás de lo que él está haciendo y aquellos que no lo hacen.

Algunos aspectos de los movimientos de plantación de iglesias son lógicos e intuitivos, pero muchos no lo son. Aquellos que ignoran este punto pueden encontrarse como el apóstol Pablo antes de convertirse, *dando coces contra el aguijón*. Un aguijón era una herramienta que se usaba con el ganado durante el primer siglo, con la que el arriero indicaba dónde quería que fueran. Cuando nosotros actuamos como resultado de nuestro propio razonamiento en lugar de alinearnos con el camino de Dios, somos como la cabra obstinada que se cruza con los deseos y la voluntad de su amo. Si queremos estar en misión con Dios simplemente *debemos* hacer una pausa lo suficientemente larga como para comprender *de qué manera* Dios está llevando a cabo esa misión. Sólo entonces podremos conocer con cierto grado de certidumbre que estamos alineados como sus herramientas, y no desalineados como sus obstáculos.

La tercera razón por la que los movimientos de plantación de iglesias son tan importantes es por lo que logran. Podemos decir sin exageración que *los movimientos de plantación de iglesias son los medios más efectivos en el mundo hoy para atraer a millones de perdidos a los pies de Jesús, estableciendo relaciones de salvación y discipulado con él.* Quizá esto pueda parecer una afirmación muy ambiciosa, pero es correcta, y es también una descripción honesta de cómo Dios está ganando a un mundo perdido.

Finalmente, los movimientos de plantación de iglesias son importantes porque multiplican la gloria de Dios. El profeta Habacuc establece un ideal para nosotros con la visión de un tiempo en que "...así como las aguas cubren los mares, así también se llenará la tierra del conocimiento de la gloria del Señor"[1]. La gloria del Señor es nada menos que la clara revelación de Dios mismo. Por eso vino Jesús, para revelarnos la gloria de Dios. "Y hemos contemplado su gloria, la gloria que corresponde al Hijo unigénito del Padre, lleno de gracia y de verdad"[2].

La meta final de todo cristiano debe ser glorificar a Dios. Nosotros glorificamos a Dios cuando lo revelamos en su totalidad. Los cristianos encuentran la plenitud de Dios en su Hijo. Experimentan esa totalidad cuando su Hijo viene a morar en su corazón y en su vida.

En su gracia, Cristo ofrece esta misma gloria a todos aquellos que lo invitan como Salvador y Señor. Para aquellos que permiten que él reine en su vida, Cristo los llena con su gloria, que es la gloria de Dios. Por eso Pablo puede decir confiadamente: "Cristo en ustedes, la esperanza de gloria"[3]. Por eso también Jesús dijo a sus discípulos: "Mi padre es glorificado cuando ustedes dan mucho fruto y muestran así que son mis discípulos"[4].

La humanidad sin Jesucristo puede llevar la imagen de Dios, pero no su gloria. En los movimientos de plantación de iglesias, la gloria del Señor se extiende de una persona a otra, de un grupo étnico a

---

[1]Habacuc 2:14.
[2]Juan 1:14.
[3]Colosenses 1:27.
[4]Juan 15:8.

otro, como un río que comienza a desbordarse hasta cubrir toda *la tierra, como las aguas cubren los mares.*

Ninguna otra avenida multiplica tan rápida y efectivamente la gloria de Dios en el corazón de tanta gente. Ningún otro medio ha atraído a tantos nuevos creyentes a las comunidades de fe donde pueden continuar creciendo para parecerse más y más a Cristo. Por eso los movimientos de plantación de iglesias son tan importantes.

Ya hemos clarificado nuestra definición. Hemos identificado los sospechosos normales en una línea de malentendidos y hemos explicado de qué manera los movimientos de plantación de iglesias son algo único. El escenario ya está preparado. El resto del libro se dedicará a perfilar los movimientos de plantación de iglesias para aprender lo más que podamos sobre ellos.

Segunda parte

Alrededor del mundo

Segunda parte

Movimientos de plantación de iglesias alrededor del mundo

Al revisar los movimientos de plantación de iglesias alrededor del mundo encontraremos algunos que son verdaderos ejemplos de estudio y aprendizaje. Pero veremos otros que casi fracasaron, algunos que *fueron* movimientos de plantación de iglesias, y unos pocos que aún pueden convertirse en movimientos de plantación de iglesias. Mantenga esto en mente al leer cada uno de estos casos de estudio. Use nuestra definición descriptiva para ver cuáles son los verdaderos movimientos de plantación de iglesias, y cuáles se han quedado en el camino. Luego veremos qué lecciones podemos aprender de esos ejemplos, y quizá aún diagnosticar las razones por las que algunos no llegaron a desarrollarse plenamente.

Nuestro viaje comenzará con los dos gigantes de Asia, India y China, y luego nos extenderemos al resto del continente asiático. Más adelante visitaremos el mundo musulmán, donde decenas de miles se han entregado a Cristo durante la década pasada. Cruzaremos el Atlántico para ver lo que Dios está haciendo en América Latina, y finalmente regresaremos al mundo occidental para examinar los movimientos de plantación de iglesias en Europa y los Estados Unidos.

Al realizar este viaje alrededor del mundo, trataremos de resistir la tentación de quedarnos mucho tiempo en un lugar. Reservaremos los comentarios y muchos de los detalles para la tercera parte: Lecciones aprendidas.

Algunos se preguntarán por qué casi la mitad de nuestros ejemplos vienen de Asia. En realidad, Dios ha reservado casi la mitad de sus milagros para la mitad de la población del mundo. Las naciones de India y China solas constituyen casi el cuarenta por ciento de la población mundial. De manera que es natural que comencemos nuestra investigación allí.

3

India

En la década de 1990, casi 1.000 nuevas iglesias son plantadas en Orissa, junto a otros 1.000 nuevos centros de alcance. Para el año 2001, se comienza una nueva iglesia cada 24 horas.

Un movimiento de plantación de iglesias entre los pueblos de habla Bhojpuri resulta en más de 4.000 nuevas iglesias y 300.000 nuevos creyentes.

Con más de mil millones de ciudadanos, la India es un mundo dentro del gran mundo. Es una tierra de grandes contrastes: urbana y rural, rica y pobre, educada y analfabeta, montañosa y fluvial, fértil y desierta. Sumado a esto, está el contraste entre los perdidos y los movimientos de plantación de iglesias.

La enormidad de la India nos invita a compararla con su vecina asiática, China. Como China, la India tiene cerca de un 17 por ciento de la población mundial, pero también se diferencia en muchas cosas importantes. Mientras China converge y comparte la civilización china llamada *han*, la India es un prisma de cientos de pueblos e idiomas diversos.

Debajo de sus innumerables idiomas y dialectos, la India se divide más aún con límites invisibles de religión, casta, nivel económico, educación y origen racial. Durante siglos, oleadas de inmigrantes han invadido este subcontinente, dejando cada una su residuo de idioma y etnicidad, desde los primeros inmigrantes, los grupos conocidos como negritos y australoides, hasta los dravidianos, burde idioma y etnicidad, desde los primeros inmigrantes, los grupos conocidos como negritos y australoides, hasta los dravidianos, burmanos-tibetanos y finalmente los conquistadores arios[1].

India presenta un prisma de religiones. Una delgada capa de hinduismo, islamismo, budismo, cristianismo, jainismo, sijismo o animismo cubre una amplia gama de creencias tan individuales como el pueblo mismo. Quizá la descripción más acertada de las religiones en la India viene de un refrán hindú, que se jacta de que "la India es el hogar de 330 millones de dioses".

Dentro de este espectro humano tan enorme, Dios está obrando. En las próximas páginas veremos su mano entre los múltiples grupos de Madhya Pradesh, Orissa, Bihar y Uttar Pradesh.

Encerrado en el centro de la India, el estado de Madhya Pradesh tiene una población de más de 70 millones de personas compactadas en un área un poco más grande que el estado de California. El hinduismo es la religión principal en ese estado, pero también hay un importante número de musulmanes y animistas. Existen 77 grupos étnicos principales en Madhya Pradesh cada uno con más de 100.000 personas. Los cristianos evangélicos componen menos del uno por ciento de la población, aunque esto está cambiando rápidamente.

En 1993, el doctor Víctor Choudhrie, en esos días un prominente cirujano especializado en cáncer, respondió al llamado del Señor para evangelizar y plantar iglesias entre el pueblo de Madhya Pradesh. Durante los ocho años siguientes, Dios bendijo su ministerio. Hoy hay más de 4.000 iglesias en el estado, con más de 50.000 creyentes.

¿Cuál es la naturaleza de este movimiento de plantación de iglesias? Para Choudhrie comienza restaurando el concepto de la iglesia del Nuevo Testamento, en oposición a la visión contemporánea de la iglesia como edificio. Él nos explica:

---

[1]Paul Hockings, editor *Encyclopedia of World Cultures*, tomo III: *South Asia* (Boston: G.K. Hall and Co., 1992), p. xxiii.

India vive en aldeas. Hay seiscientas mil aldeas. Sumado a esto, la mayoría de nuestras ciudades son una conglomeración de aldeas. Hoy en día, necesitamos por lo menos un millón de Iglesias. Muchas aldeas son grandes y tienen también muchas castas viviendo dentro de ellas. Por lo tanto, el número correcto es sustancialmente más elevado. Ninguno, ni siquiera el Tío Sam, tiene la capacidad de edificar ese número de edificios para las iglesias. Ni tampoco nosotros tenemos la capacidad de mantenerlos, aunque alguien nos los regalara. Realmente no los necesitamos, ya que todas las casas que necesitamos están disponibles para nosotros en las aldeas y en las casas. Como esposa de Cristo, la iglesia que está en los hogares se multiplica tan rápidamente que no necesitamos grandes casas[2].

Choudhrie ha dado forma al movimiento en Madhya Pradesh con una potente combinación de enseñanza bíblica, liderazgo laico y casas para acomodar iglesias, manteniéndose así a distancia de la dependencia de finanzas extranjeras. Él nos explica: "Las finanzas no son un problema porque la mayoría de las iglesias en las casas se manejan con un presupuesto muy 'bajo' o 'inexistente'. Es que simplemente no hay que pagar mantenimiento ni salarios. En consecuencia, en lugar de predicar sermones frecuentes sobre la mayordomía y el diezmo, los líderes pueden enfocarse en completar la tarea de la Gran Comisión de hacer discípulos a todas las naciones"[3].

Para aquellos que cuestionan si las iglesias en las casas pueden pasar la prueba del tiempo, Choudhrie señala la alternativa. "Los edificios de las grandes catedrales vacías de Europa son testigos silenciosos de la esterilidad de la iglesia. ¿Por qué continuar imitando un modelo que ha fracasado?"[4].

Un iniciador de iglesias laico que se unió a Choudhrie compartió su testimonio revelador: "Yo conocí a Jesús a finales de la década de 1980. Poco tiempo después participé de una gran cruzada evangelística en la ciudad. Impresionado, regresé a mi aldea y organicé

---

[2]Victor Choudhrie, "House Church: A Bible Study," *House2House*, marzo 2001: 1. Disponible: www.house2house.tv [marzo 2001].

[3]Ibíd.

[4]Ibíd.

cruzadas similares allí y en las aldeas que nos rodeaban por muchos años. Miles participaron, y todos quedaron muy contentos. Las cruzadas tuvieron tanto éxito que aún los paralíticos volvieron a caminar, y siguieron caminando, sin regresar nunca más; los ciegos pudieron ver, y nunca miraron hacia atrás"[5].

Frustrado con los frutos escurridizos del evangelismo en masa, este iniciador de iglesias en la aldea buscó ayuda. "En 1994, asistí a un seminario sobre plantación de iglesias en las casas que cambió completamente mi manera de pensar. Abandoné los costos y dificultades que traía la organización de las cruzadas, y comencé a plantar iglesias en las casas con un agresivo celo evangelístico. El resultado fue casi 500 iglesias en las casas que comenzaron en los distritos vecinos. Nosotros no plantamos solamente una iglesia en cada aldea, porque hay grupos de personas que requieren sus propias iglesias en las casas. Yo espero que el número de iglesias en las casas se duplique en los próximos doce meses"[6].

La historia de este iniciador de iglesias no es algo raro. Él vive en un rincón remoto del estado, en medio de la jungla y entre tribus que forman las aldeas de Madhya Pradesh. Como Choudhrie, él se concentra en grupos étnicos y está comprometido a multiplicar las iglesias en las casas.

¿Cómo puede levantar uno los miles de líderes de iglesias necesarios para pastorear este movimiento tan explosivo? Choudhrie ve la respuesta en el movimiento mismo. "Necesitamos cientos de miles de pastores para las iglesias que no pueden producirse en seminarios, pero pueden fácilmente ser equipados por las iglesias que funcionan en las casas".

Él continúa diciendo: "Los seminarios equipan a los pastores para una sola congregación, mientras las iglesias en las casas siguen la fórmula 222 (2 Timoteo 2:2). Ellas equipan a los discípulos para plantar iglesias multiplicadoras, multiplicando también el liderazgo"[7].

---

[5]Victor Choudhrie, "India: 3,000 House Churches Planted in Madhya Pradesh Since 1944." Disponible: www.youtharise.com/newa/14feb2000 [mayo 2001].

[6]Ibíd.

[7]Choudhrie adaptó el principio del entrenador misionero Bruce Carlton (ver capítulo 5).

Choudhrie estima que se necesitarán 30.000 iglesias para alcanzar a los habitantes de Madhya Pradesh, pero algunos especulan que se necesitarán más de 100.000 iglesias. "Lo que sea necesario hacer", dice Choudhrie, "deberá hacerse".

Al sudeste de Madhya Pradesh encontramos el estado de Orissa, donde 40 millones de habitantes tienen un índice de alfabetización de no más del 35 por ciento entre los hombres y muchísimo menor entre las mujeres. La población dominante en Orissa son los hindúes que hablan el idioma oriya, de origen indoeuropeo. Pero el estado es también el hogar de un gran número de musulmanes y animistas de extracción dravidiana. Una de estas tribus, que reside en las colinas Khond del sur de Orissa, es conocida como *kui*.

Los kui son un pueblo agricultor que se replegó a las colinas Khond en un intento por mantener su identidad étnica frente al creciente número de colonos de habla *oriya*. Los kui tienen predominantemente una cultura oral, sin literatura propia, aunque la mayoría de los hombres se han convertido en bilingües, agregando el idioma oriya a su lengua natal. Por siglos, la mayoría hindú que habla oriya ha considerado a las tribus kui como descastadas, sin un lugar dentro de la sociedad.

Los primeros misioneros llegaron a Orissa en 1822, pero pasaron por alto a los kui, que permanecieron ocultos en las colinas. Durante el siglo siguiente, sin embargo, el evangelio pudo introducirse y se comenzaron algunas iglesias entre el pueblo kui. Después de las dos guerras mundiales y la gran depresión, el mundo exterior perdió contacto con las remotas tribus de las colinas Khond, en Orissa.

Cuando los misioneros itinerantes retornaron a la región a mediados de la década de 1980 encontraron 100 iglesias kui esparcidas por las colinas. Inmediatamente animaron a estas jóvenes iglesias a crecer y multiplicarse. Con energía renovada, las iglesias kui comenzaron a extenderse. Durante los cinco años siguientes el número de iglesias kui casi se duplicó. Luego, durante la década de 1990, aumentaron a más de 1.200, con otras mil en formación. Para el 2001, Orissa vio la iniciación de una iglesia cada 24 horas.

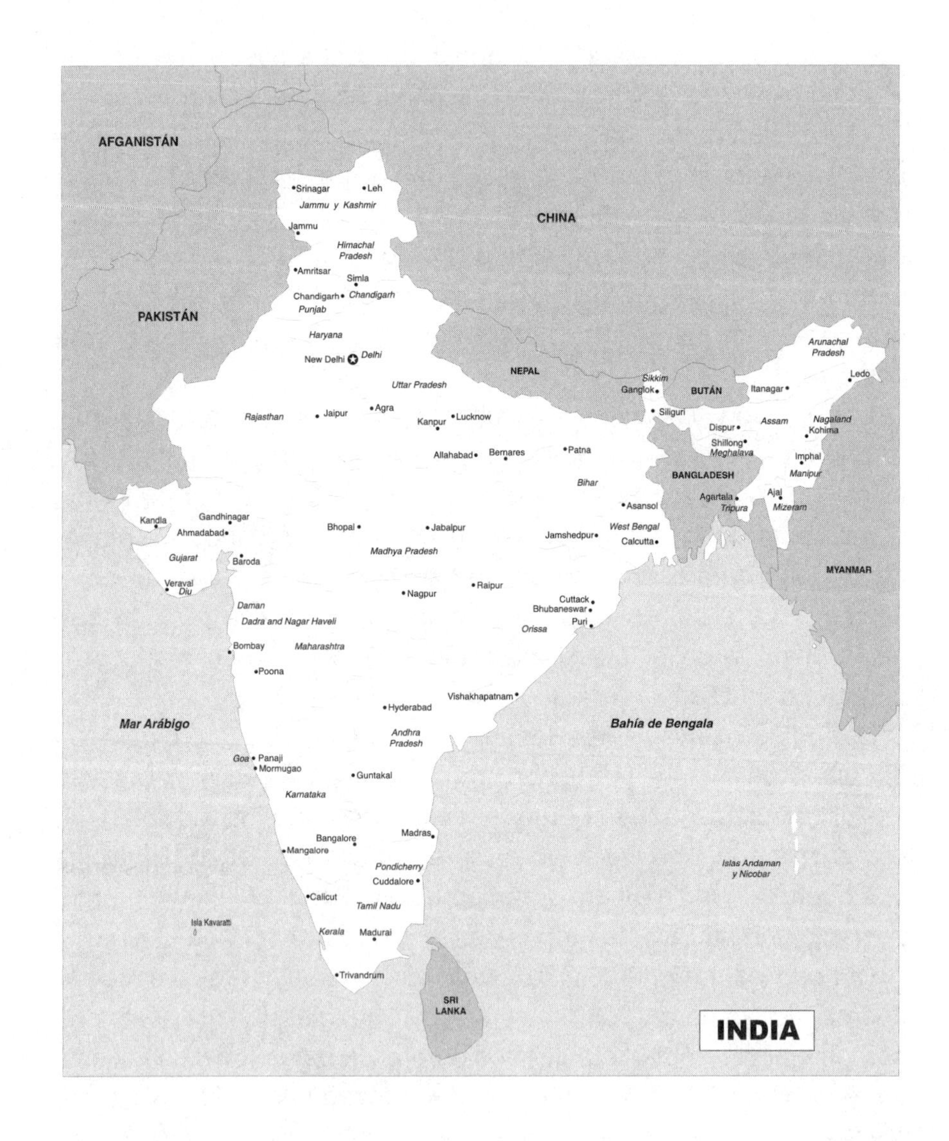
AFGANISTÁN
PAKISTÁN
CHINA
NEPAL
BUTÁN
BANGLADESH
MYANMAR
SRI LANKA
INDIA
Mar Arábigo
Bahía de Bengala
Islas Andaman y Nicobar
Isla Kavaratti
Srinagar
Leh
Jammu y Kashmir
Jammu
Himachal Pradesh
Amritsar
Simla
Chandigarh
Chandigarh
Punjab
Haryana
New Delhi
Delhi
Uttar Pradesh
Rajasthan
Jaipur
Agra
Kanpur
Lucknow
Allahabad
Bernares
Patna
Bihar
Sikkim
Ganglok
Siliguri
Itanagar
Arunachal Pradesh
Ledo
Assam
Dispur
Nagaland
Kohima
Shillong
Meghalaya
Imphal
Manipur
Agartala
Tripura
Ajal
Mizeram
Asansol
West Bengal
Jamshedpur
Calcutta
Kandla
Gandhinagar
Ahmadabad
Gujarat
Baroda
Veraval
Diu
Bhopal
Jabalpur
Madhya Pradesh
Raipur
Nagpur
Cuttack
Bhubaneswar
Puri
Orissa
Daman
Dadra and Nagar Haveli
Bombay
Maharashtra
Poona
Vishakhapatnam
Hyderabad
Andhra Pradesh
Goa
Panaji
Mormugao
Guntakal
Karnataka
Bangalore
Madras
Mangalore
Pondicherry
Cuddalore
Calicut
Tamil Nadu
Kerala
Madurai
Trivandrum

La resurgencia moderna del movimiento kui puede remontarse al nombramiento del misionero agricultor John Langston, a mediados de la década de 1980. El trabajo agricultor de Langston le valió la simpatía del gobierno, porque respondía a las necesidades de combatir el hambre que el pueblo tenía, pero el amor de John por el pueblo kui se extendía mucho más allá de sus necesidades físicas.

En los años que siguieron, Calvin y Margaret Fox se unieron a Langston. Juntos investigaron qué se necesitaría para alcanzar a todo el pueblo kui con el evangelio. Reconociendo que la fuente más importante para ganar a los perdidos eran los mismos cristianos kui, los misioneros se concentraron en entrenar a los miembros de las iglesias, en lugar de concentrarse en el clero profesional, para convertirlos en evangelistas e iniciadores de iglesias de primera línea.

Sin la autorización para establecer un seminario teológico, los misioneros optaron por un método no institucional, ofreciendo segmentos de entrenamiento que se extendían desde un par de semanas a un par de meses a la vez. El entrenamiento a menudo acoplaba la educación sanitaria rural y agrícola con mensajes bíblicos de evangelismo y plantación de iglesias. Los kui a veces tenían que viajar a un lugar central para el entrenamiento, pero a menudo el entrenamiento venía a su propia aldea.

Con el objetivo de acelerar la extensión del evangelio hacia el interior, los misioneros y los creyentes del pueblo kui se unieron para producir un programa radial que comunicara información sobre salud pública y agricultura en el idioma oriya, seguida por historias del evangelio en el idioma kui. En lugar de tirar al viento las semillas del evangelio, los misioneros descubrieron sistemas para reunir a aquellos que respondían iniciando nuevas iglesias. Pudieron hacer esto entrenando a los cristianos kui a reunirse con grupos de no creyentes para escuchar el programa de radio, y luego conversar sobre el mensaje que habían oído. Estos “grupos de oyentes” se convirtieron en semilleros para desarrollar nuevas iglesias.

En 1997 solamente, había por lo menos 450 grupos de oyentes que seguían con atención los dos programas semanales en su idioma natal. Para el año 2000, ya había más de 1.000 grupos de oyentes. Muy pronto el ministerio de la radio fue suplementado con audiocasetes. Distintos evangelistas agrícolas viajeros pasaban algunos días en la aldea enseñando técnicas agrícolas durante el día, pero ofreciendo por las noches una verdad mucho más profunda.

Un evangelista explicó: "Todo los que teníamos que hacer era sentarnos frente a nuestra choza para escuchar un casete con historias del evangelio narradas en el idioma kui. Entonces una multitud de oyentes se reunía, para convertirse luego en los grupos que formaban nuevas iglesias".

Para un pueblo cuyo lenguaje y cultura fueron marginados por tanto tiempo, la oportunidad de escuchar el evangelio —o cualquier otra cosa— en su lengua natal era un regalo tan precioso como la agricultura o la medicina. Una anciana kui escuchó con asombro el programa antes de exclamar: "¿De dónde sacaron esa caja que habla mi idioma?".

Aunque los misioneros jugaron un rol muy importante en el movimiento de plantación de iglesias del pueblo kui, el crecimiento real vino cuando el pueblo mismo comenzó a impulsar ese avance.

En junio de 1997, un par de hombres kui visitaron el lugar destinado al proyecto misionero agrícola, y dijeron al misionero:

—Nosotros hemos iniciado 20 iglesias—, y comenzaron a mostrarle en el mapa dónde estaban ubicadas. Todas se localizaban en un área donde no existían ni iglesias ni contactos misioneros de ningún tipo.

El misionero creyó que había malinterpretado lo que estos dos hombres estaban diciendo.

—¿Quieren decir veinte familias? —les preguntó.

—No —contestaron—. Tenemos veinte iglesias.

—Bueno. ¿Cuántas familias hay en cada iglesia? —continuó el misionero.

Los hombres kui le respondieron:

—Cada iglesia tiene alrededor de cien familias[8].

---

[8]Esta historia fue impresa en el informe de la Junta de Misiones Internacionales de los Bautistas del Sur: Mark Snowden, ed., *Toward Church Planting Movements*, p. 37. Con una familia promedio de ocho personas, se indica una membresía de 16.000 en 20 iglesias.

Hoy, tanto los Langston como los Fox ya no están en Orissa, pero el impulso nativo sigue manteniendo el movimiento de plantación de iglesias entre el pueblo kui. Sumado a la pasión por el evangelismo y la plantación de iglesias aprendido de los misioneros, los creyentes del pueblo kui también han comenzado a exhibir un celo especial por las misiones transculturales. El pueblo kui ha identificado varios grupos étnicos que todavía no han sido evangelizados en las colinas Khond, y han comenzado a usar los talentos multiculturales que aprendieron de los misioneros para compartir el tesoro del evangelio.

En los estados norteños de Bihar y Uttar Pradesh, en la India, encontraremos unos 90 millones de personas diseminadas en comunidades étnicas, todas hablando el idioma bhojpuri. Este autor perfiló este movimiento en 1999, en el librito *Los movimientos de plantación de iglesias*, bajo el seudónimo "Los bholdari de la India"[9]. Mientras este librito estaba en la imprenta, el movimiento bhojpuri estaba alcanzando tal magnitud en tamaño y extensión, que aquellos involucrados en el trabajo sintieron que podían describirlo abiertamente sin hacer peligrar el trabajo. A continuación citaremos algunos párrafos para repasar el perfil bhojpuri antes de actualizar el increíble crecimiento que se ha producido en los últimos pocos años.

Las personas de habla bhojpuri están diseminadas a través de 170.000 aldeas en la India y Nepal. Esta población incluye cada una de las cuatro castas mayores, junto con millones de descastados *intocables* o *dalits*. El corazón de la tierra de los bhojpuri es el microcosmos de todo este subcontinente. La mayoría de los grupos son extremadamente pobres y analfabetos, mientras que una pequeña minoría controla muchas de las riquezas y recursos de la región.

Más del 85 por ciento de la población bhojpuri es hindú, y el remanente musulmán o animista, con algunos pocos budistas. Hace

---

[9]David Garrison, *Church Planting Movements* (Richmond: Junta de Misiones Internacionales, 1999), pp. 21-26.

muchos años, los misioneros jesuitas alcanzaron un considerable número de intocables para la iglesia católica, pero su membresía todavía se cuenta en un décimo del uno por ciento de la población total que habla el bhojpuri.

En 1947, los Bautistas contaban con 28 pequeñas iglesias entre los bhojpuri, un número que quedó estancado hasta la década de 1990. En 1989, las decadentes congregaciones Bautistas todavía se aferraban a sus edificios y sus tierras, pero su membresía estaba envejeciendo y perdiendo poco a poco su vitalidad.

Ese mismo año, los Bautistas del Sur nombraron a David y Jan Watson como coordinadores de estrategia entre el pueblo de habla bhojpuri. Después de un año de estudiar el idioma y la cultura, los Watson lanzaron un agresivo plan de evangelismo y plantación de iglesias. Los primeros esfuerzos requerían evangelistas y plantadores de iglesias del sur de la India que predicaran el evangelio en las aldeas. Este método había sido muy exitoso en el sur del país, aunque no se había usado tanto en el norte.

Ante el horror de los Watson, los primeros seis evangelistas indios fueron brutalmente asesinados en diferentes eventos, todos dentro del término de un año. David estaba tan devastado que quiso dejar al pueblo bhojpuri, pero Dios no se lo permitió.

Lo que siguió fue una época de evaluación y de profunda búsqueda espiritual. Abandonando su estrategia anterior, Watson decidió adoptar el método que Jesús había usado cuando envió a los 72 discípulos de dos en dos. La estrategia se describe en el capítulo 10 de Lucas: "Cuando entren en una casa, digan primero: 'Paz a esta casa'. Si hay allí alguien digno de paz, gozará de ella; y si no, la bendición no se cumplirá. Quédense en esa casa... No anden de casa en casa". Y las instrucciones continúan: "Cuando entren en un pueblo, y los reciban, coman lo que les sirvan. Sanen a los enfermos que encuentren allí y díganles: 'El reino de Dios ya está cerca de ustedes' "[10].

Los dos años siguientes, los valientes evangelistas indios volvieron a salir, esta vez buscando a alguien *digno de paz*. Cuando en-

[10]Lucas 10:5-9.

contraban a ese hombre de paz que Dios les había puesto, se acercaban a él y lo disciplinaban en la fe cristiana. Ese hombre de paz se convertía luego en el líder de la iglesia en su casa y en su comunidad.

Este era un método sorprendentemente sencillo, pero sociológicamente profundo. Las personas que llegaban a la villa desde afuera necesitaban respaldo, y lo encontraban en el hombre de paz. Los primeros evangelistas que fueron martirizados habían sido efectivos, hasta el punto de bautizar a algunos nuevos creyentes. Algunos informes indicaron que fue precisamente el bautismo de las mujeres y los jóvenes lo que gatilló la hostilidad local. Esta vez, fue un bhojpuri mismo —un hombre de paz— el que bautizaba, comenzando con su propia familia.

En 1993, el número de iglesias bhojpuri creció de 28 a 36, el primer crecimiento registrado en más de tres décadas. Watson rápidamente elaboró un programa de entrenamiento para asegurar que una corriente continua de evangelismo y plantación de iglesias estuviera siempre disponible. Durante los años siguientes, el número de iglesias escaló dramáticamente, de 78 en 1994 a 220 en 1995. En los dos años que siguieron, los números crecieron mucho más que la habilidad de Watson de registrarlos. Su cálculo fue que unas 700 nuevas iglesias se comenzaron en 1997, y por lo menos 800 al año siguiente.

En 1998, durante una entrevista, Watson fue muy cauto: “Yo no quiero exagerar”, dijo, “pero por lo menos debe haber unos 55.000 bhojpuri que se han entregado al Señor en los últimos siete años”. Después nos enteramos que sus comentarios habían estado muy lejos de la exageración.

La cautela de Watson tenía varias razones. Era muy difícil para cualquier persona de afuera tener una idea clara de lo que estaba pasando entre el pueblo bhojpuri. Plagado de crimen y enfermedades, y conocido como la tumba de los misioneros, Bihar es uno de los estados más pobres y volátiles de la India. Bihar y el este de Uttar Pradesh son también el corazón del nacionalismo hindú y de la oposición a cualquier actividad misionera foránea. Estos factores conspiraron para mantener alejados a los extranjeros al frente del movimiento, haciendo que muchos cuestionaran la verdadera existencia del llamado movimiento de plantación de iglesias bhojpuri.

En octubre de 2000, en un esfuerzo por esclarecer lo que estaba pasando entre los bhojpuri, la Junta de Misiones Internacionales de los Bautistas del Sur envió un equipo de investigadores a Bihar para evaluar este movimiento. Lo que ellos descubrieron sirvió para disipar toda duda sobre el milagro bhojpuri.

Sus investigaciones descubrieron que el movimiento se había diseminado en toda la extensión del territorio bhojpuri. Extrayendo múltiples ejemplos en varios puntos de referencia, los investigadores esbozaron cautelosamente tres proyecciones separadas del crecimiento: bajo, moderado y alto.

La proyección **más baja** estimaba 3.277 iglesias entre los bhojpuri, con casi 250.000 miembros. El estimado bajo calculó los bautismos anuales en casi 50.000 con otros 10.600 nuevos grupos de alcance (iniciación de iglesias embrionarias) que ya estaban en proceso.

La estimación **moderada** colocaba el número total de iglesias en más de 4.300 con casi 300.000 miembros bautizados, más de 66.000 de los cuales lo habían hecho durante los doce meses pasados. Esto se complementaba con más de 14.000 nuevos grupos de alcance que también estaban en proceso.

La estimación **alta** en octubre de 2000 colocaba el número de creyentes en 374.500, que adoraban regularmente en más de 5.400 iglesias, con otros 17.600 nuevos grupos de alcance en proceso. En esta estimación, casi 83.000 bhojpuri habían sido bautizados durante los últimos doce meses.

Bajos, medianos o altos, los resultados revelaron que Dios había estado muy ocupado entre los predicadores bhojpuri en el norte de la India, y tenía grandes lecciones para enseñarnos.

El estudio reveló también que la mayoría de las iglesias estaban lideradas por un pastor laico local, y un copastor reclutado y entrenado por el pastor. El tamaño promedio de las iglesias era de 85 miembros. Los bhojpuri adoran en su propio idioma, enfatizando la oración y los cantos sacados del himnario bhojpuri, publicado en octubre de 2000.

El alto grado de analfabetismo entre los bhojpuri ha hecho que el discipulado se convierta en un desafío. Los cristianos bhojpuri que no saben leer escuchan grabaciones de las Escrituras y aprenden también la pregunta que les enseñará a controlar las decisiones que tomen en su vida: "¿Cómo puedo obedecer a Cristo en esta situación?".

Para los bhojpuri, la oración es ferviente, frecuente y contestada con fidelidad. El clima de persecución, los brotes rutinarios de enfermedad y las experiencias comunes de asaltos demoníacos han mantenido a los bhojpuri de rodillas, donde descubrieron que Dios estaba esperando para levantarlos. Un observador extranjero entre los bhojpuri comentó: "Esta gente viene para conocer a Jesús en primer lugar como sanador, y luego se quedan con él, para conocerlo como Salvador". Entre los creyentes, existe el sentimiento de que Dios los ha elegido especialmente para volcar su salvación sobre ellos.

Una atmósfera de seguridad y poder divino acompaña ahora esta convicción del favor de Dios, pero no siempre ha sido así. El pastor bhojpuri de una de las viejas iglesias bautistas en Bihar nos confesó: "Yo prediqué por más de 20 años en esta región con muy pocos resultados, pero ahora si testifico frente a diez hindúes, siete aceptarán a Cristo. Yo no sé qué ha pasado, pero espero que nada lo pare"[11].

Los bhojpuri se unen a la lista creciente de grupos étnicos que están experimentando los movimientos de plantación de iglesias por toda la India. Si los millones de perdidos del subcontinente van a escuchar el evangelio serán necesarios muchos más movimientos de plantación de iglesias.

Quizá el único país que en la actualidad reporta más movimientos de plantación de iglesias que la India es también el único país más grande que ella. Vamos ahora a concentrar nuestra atención en China.

---

[11]Entrevista preparada por el equipo de investigación de la Junta de Misiones Internacionales en octubre de 2000.

China

En China, más de 30.000 creyentes son bautizados cada día.

Un movimiento de plantación de iglesias en el norte de China muestra 20.000 nuevos cristianos y 500 nuevas iglesias en menos de cinco años.

En la provincia de Henan el cristianismo se extiende de menos de un millón a más de cinco millones en sólo ocho años.

Los cristianos del condado de Qing'an, en la provincia china de Heilongjiang, inician 236 nuevas iglesias en solamente un mes.

En el sur de China, un movimiento de plantación de iglesias produce más de 90.000 creyentes bautizados en 920 iglesias en las casas, durante un período de ocho años.

En 2001, un nuevo movimiento de plantación de iglesias tiene como resultado 48.000 nuevos creyentes y 1.700 nuevas iglesias en un año.

El panorama cultural de Asia siempre ha girado alrededor de China. Los chinos se refieren a su país como el "Reino Central", o, para ser más acertados, *el centro del mundo*. Ciertamente esto es verdad con respecto a la población, pero también en términos de cultura e influencia.

China fue el primer campo para las agencias misioneras protestantes. Es alentador ver que hoy alberga el crecimiento de iglesias más rápido y la mayoría de los movimientos de plantación de iglesias del mundo. Hace sólo dos décadas, pocos hubiesen presagiado este increíble desarrollo.

Luego de los turbulentos años de la Segunda Guerra Mundial, los misioneros regresaron para encontrarse con una China desgarrada por la guerra civil entre el ejército nacionalista y los rebeldes comunistas. En 1949, los comunistas prevalecieron, forzando a las fuerzas nacionalistas al exilio y expulsando a los misioneros fuera del país. Aquellos que se resistieron fueron encarcelados o asesinados[1].

En esa crítica encrucijada en la vida de la iglesia china había menos de un millón de cristianos protestantes en un país cuya población excedía los 500 millones. Este parecía ser un punto bajo en la historia del cristianismo en China, pero palidecía al compararlo con lo que les esperaba más adelante.

En 1955, Mao Tse Tung inició su *Gran salto hacia delante*, una agresiva campaña de desarrollo y exportación agrícola que duró cinco años y llevó al país al borde de la ruina. Sólo recientemente los observadores en China confirmaron lo que muchos sospechaban y temían: el programa fue un espejismo de prosperidad que llevó a que aproximadamente 10 millones de chinos murieran de hambre y de enfermedades relacionadas con la mala nutrición.

Esta calamidad cayó especialmente entre los cristianos. Catalogados como seguidores de doctrinas extranjeras, muchos cristianos fueron enviados a los campos para reeducarlos y apartarlos de los centros de influencia urbanos. Estos mismos campos fueron severamente impactados por el *Gran salto hacia adelante*. Probablemente nunca sabremos cuántos cristianos murieron durante ese período.

A pesar de la devastación que produjo, el *Gran salto hacia adelante* no fue sin embargo el punto más bajo de la historia del cristianismo en China comunista. Esta distinción se la lleva la Revolu-

---

[1]Ver el ejemplo del doctor misionero Bill Wallace en el libro escrito por Jesse Fletcher, *Bill Wallace of China* (Nashville: Broadman Press, 1963), 155 pp.

ción cultural (1966-1976), una orgía de terror patrocinada por el gobierno que tuvo como resultado la persecución y el tormento para millones de personas. Cualquier cosa que pareciera extranjera o culturalmente inconsistente con la ideología de Mao era blanco de ataques. Pandillas de jóvenes destruían las iglesias, confiscando y quemando Biblias.

Los pastores eran golpeados y obligados a desfilar por las calles con sombreros de ignorantes o burros. Las familias cristianas fueron obligadas también a separarse y a trasladarse a campos de reeducación.

En 1989 yo visité una remota provincia de la China donde me presentaron a dos líderes cristianos. Sólo después de pasar bastante tiempo tomado té juntos confiaron en mí. Uno de ellos había pasado 21 años en la prisión. El otro no había visto a su esposa ni a dos de sus hijos desde que la Guardia Roja la había obligado a divorciarse de él, para luego exiliarlo en uno de los campos durante la Revolución Cultural.

Cuando murió Mao, en 1976, la iglesia china había quedado completamente aislada del mundo exterior, bajo continuos ataques por casi tres décadas. Cuando China volvió a abrirse a occidente en 1982, los visitantes extranjeros pudieron ver cómo la mayoría de los viejos edificios de las iglesias y las instituciones cristianas habían sido convertidos en establecimientos seculares. Muy poco quedaba de la iglesia china que tiempo atrás había sido tan vital. Sin embargo, bajo la superficie, Dios estaba obrando.

En los años que siguieron a la muerte de Mao, hubo poca evidencia de un avivamiento presente en la iglesia de China. En 1982, la *World Christian Encyclopedia* (Enciclopedia cristiana mundial) fue acusada de ser demasiado optimista cuando mencionó que en China había 1.300.000 cristianos. Cuando se publicó la segunda edición 18 años más tarde, el número estimado de cristianos había subido a 90 millones. Durante las décadas intermedias, algo realmente increíble había pasado.

Los estudiosos de la resurrección del cristianismo en China están divididos con respecto al tamaño de la población cristiana en China hoy, pero hay un consenso creciente de que en ningún otro lugar del mundo hay tantas personas que se están entregando a Jesucristo. Durante las dos últimas décadas, decenas de millones de chinos y minorías étnicas se han convertido en seguidores de Cristo.

Una importante ventana en la vida religiosa de China se abrió en 1999 con la publicación de *China's Christian Millions: the costly revival* (Millones de cristianos en China: el avivamiento costoso), escrito por Tony Lambert[2]. Lambert, un ex diplomático británico ante Beijing y Tokio, y en la actualidad director de Investigación de China para el Compañerismo Misionero Foráneo, investigó fuentes a lo largo y ancho de China para poder pintar un cuadro de lo que Dios está haciendo allí.

Por razones de seguridad, Lambert se mostró reacio a especular números reales de iglesias subterráneas o clandestinas, pero sus cálculos de las iglesias registradas abiertamente son realmente asombrosos, sobre todo porque fueron sacados de fuentes oficiales chinas que han sido publicadas, o de la extensa red de cristianos a través de China con las que tiene contacto el compañerismo misionero.

---

[2]Tony Lambert, *China's Christian Millions, the costly revival* (Singapur: OMF, 1999).

Si un dibujo vale más que mil palabras, entonces consideremos el notable crecimiento que revelan estos gráficos. Lo que realmente sorprende es cuánto del crecimiento ha ocurrido durante las últimas dos décadas, ¡y todavía continúa!

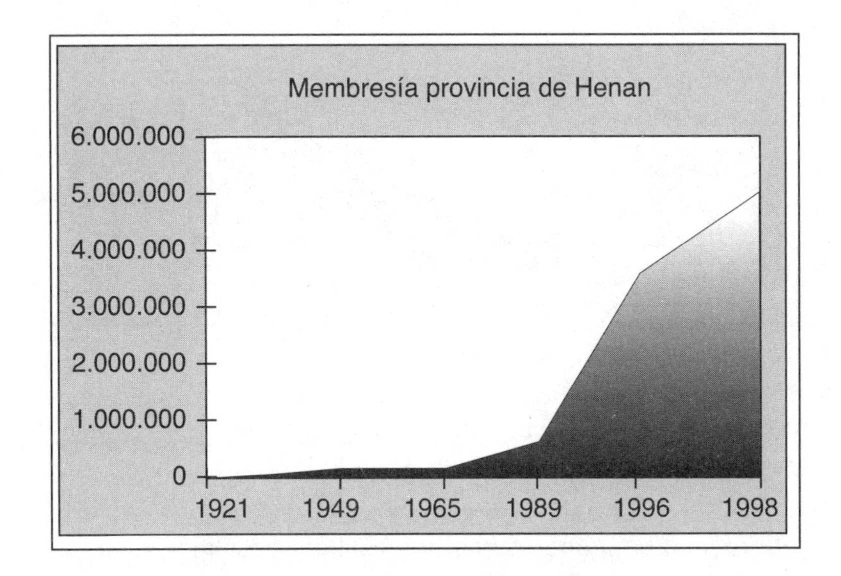

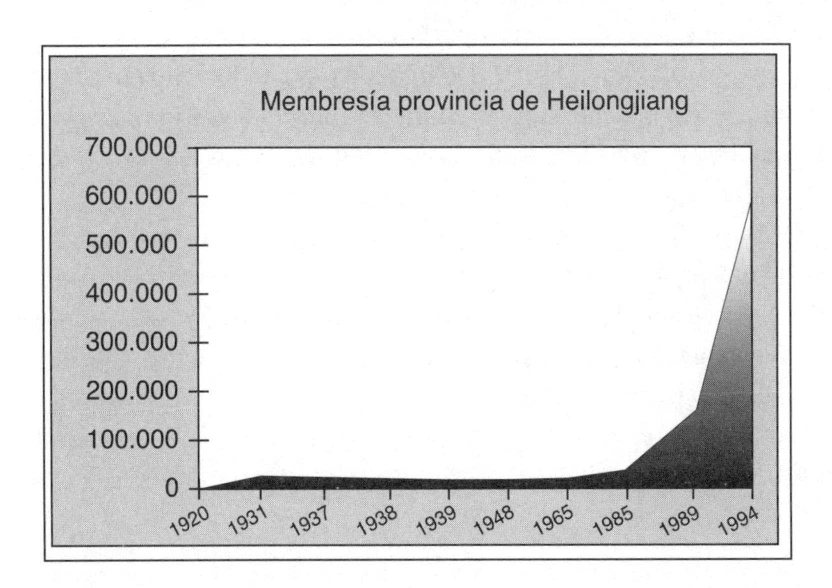

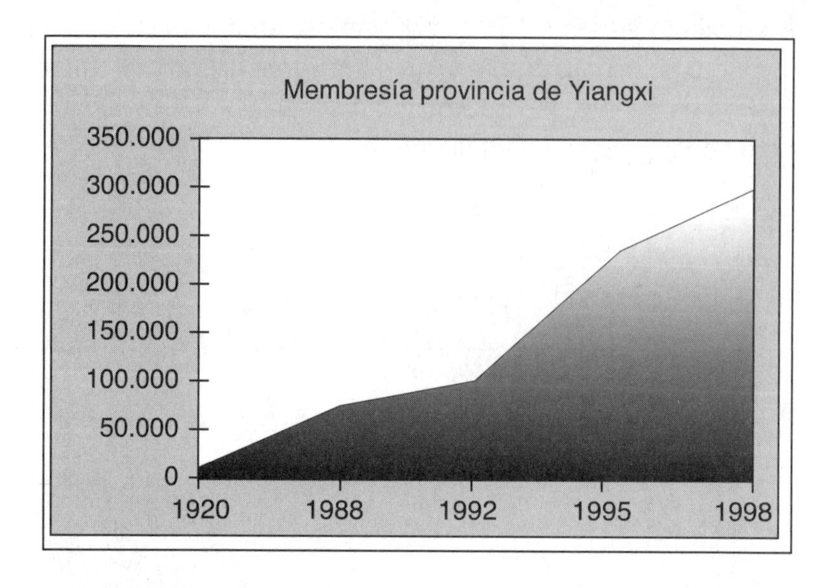

Aunque los datos que Lambert nos da son impresionantes, otras fuentes indican que las condiciones de la iglesia en China, particularmente de las iglesias subterráneas que están en las casas, son todavía mucho más impresionantes. El líder prominente de una de estas iglesias clandestinas estima que unas 30.000 personas son bautizadas cada día a través de China[3]. Los oficiales del gobierno admiten que las figuras son probablemente más altas que las que ellos proporcionan. Mirar de cerca dos de estos movimientos de plantación de iglesias nos ayudará a tener una visión más clara de la manera en que Dios está obrando en este país.

Un típico movimiento de plantación de iglesias chino puede encontrarse en la ciudad que nosotros llamaremos *Beishan*. En 1991, un veterano del trabajo misionero en Taiwán recibió la asignación de trabajar en la provincia de Beishan en el norte de la China. Allí comenzó su tarea con tres oraciones específicas: 1) que Dios hiciera algo tan sobrenatural que pudiera explicarse solamente porque Dios lo había hecho; 2) que ese trabajo durara, y 3) que la

[3]Fuente anónima obtenida de una entrevista con Avery Willis, ex vicepresidente de operaciones foráneas en la Junta de Misiones Internacionales.

continuación no dependiera de él. Dios le concedió estos tres pedidos.

En marzo de 1993, Dios acercó a este misionero la amistad estrecha con una mujer pastora llamada Siu Lam[4], que estaba a cargo de una de las iglesias no registradas de Beishan[4]. Dios usó esta relación de amistad con la pastora Lam para lanzar un movimiento de plantación de iglesias en el área que rodeaba la ciudad.

En 1986, Siu Lam se graduó de un seminario registrado y volvió a Beishan, su ciudad natal, con planes de comenzar o pastorear una iglesia.

Siu Lam se sentía descontenta con la iglesia registrada local, pues sentía que no era lo suficientemente agresiva evangelizando a la comunidad. En 1987 comenzó una pequeña iglesia con 14 miembros que trajo de distintos lugares. Seis años más tarde, la iglesia había crecido a más de 1.000 personas que adoraban en diferentes cultos durante la semana.

En diciembre de 1992, la iglesia de Siu Lam preparó una dramatización de Navidad como medio para alcanzar y proclamar el evangelio a la comunidad. Cada noche 300 personas llenaban el templo en toda su capacidad, mientras otras 300 se reunían afuera en el patio. La primera representación creó tanto revuelo que llamó la atención del alcalde de Beishan y del director local del Oficina Comunista de Asuntos Religiosos.

Justo antes de comenzar el programa la segunda noche, el alcalde de la ciudad y el director de la oficina comunista confrontaron a Siu Lam con el problema del control de la multitud. Insistieron en que ella buscara un lugar para que ellos se sentaran y presenciaran la representación. Ella se negó. "El lugar está nivelado a los pies de la cruz", les dijo. "El que llega primero se sienta. Si ustedes quieren asientos, tendrán que pedirles a las personas que se vayan. Yo no voy a hacerlo". Y se fue.

Al día siguiente los oficiales enviaron representantes lo suficientemente temprano como para guardar algunos asientos en primera

---

[4]Ambos nombres, *Siu Lam* y *Beishan*, son ficticios y fueron cambiados por razones de seguridad, pero todos los demás detalles son reales y acertados.

fila. Durante las próximas semanas, asistieron también a los cultos de la iglesia para observar cómo enseñaba Siu Lam.

A fines del mes de febrero, el alcalde de la ciudad y el director de la Oficina Comunista de Asuntos Religiosos contactaron a Siu Lam. "Hemos estado observándola", le dijeron. "Usted no parece tener ninguna agenda política y enseña solamente lo que está en la Biblia". Ella estuvo de acuerdo con eso. Entonces le hablaron también del fanatismo religioso (conocido también como "oposición al estado") que prevalecía en el interior, particularmente entre los campesinos.

A raíz de su singular compromiso con la Biblia, sin ninguna otra actividad o inclinación política, le pidieron que fuera a las villas "para disciplinarlos, y para que no se conviertan en enemigos del estado". Ella se negó diplomáticamente, alegando falta de tiempo y las fuertes demandas de su propia congregación, que era ya muy grande.

Durante las semanas que siguieron, ellos continuaban presionando a Siu Lam pidiéndole ayuda, y ella continuaba declinando la oferta. Cuando llegó la tercera invitación, dejaron bien claro que Siu Lam no tenía opción. "Vigile que todo esto se haga", le dijeron simplemente.

Alrededor de esa fecha fue cuando ella conoció al misionero coordinador de estrategias. Le contó la historia y le pidió consejo. El coordinador la animó a separar un par de semanas para ayunar y orar, buscando ver lo que Dios quería mostrarles. Él le dijo que quizá Dios había hecho que estos líderes del gobierno le dieran a ella la libertad para hacer lo que normalmente estaba prohibido: evangelizar ampliamente y entrenar a las personas en toda la región.

Un par de semanas más tarde los dos volvieron a reunirse, esta vez convencidos de que Dios los había guiado a aprovechar esta oportunidad. Con apremios de tiempo, viajes y finanzas como factores mitigantes, el coordinador de estrategia sugirió que sería más fácil entrenar a las personas en locales centrales en lugar de hacerlo en las ciudades y aldeas.

Siu Lam y sus colegas en la iglesia estuvieron de acuerdo y comenzaron un ministerio con el Centro de Entrenamiento de Discipulado. Las dos partes hicieron un pacto. Siu Lam y los líderes de su iglesia contactarían a los líderes de las iglesias en las casas en toda esa región, mientras el coordinador de estrategia prepararía los planes y materiales para el programa de entrenamiento.

Sumado a los materiales, el coordinador de estrategia organizaría el apoyo de oración. Él y su esposa formaron una red de oración que abarcaba diez países. La pareja también comenzó a movilizar a los cristianos chinos de otros países que hablaban mandarín, para que ayudaran a enseñar este ministerio de discipulado.

Poco tiempo después, Siu Lam posibilitó que el coordinador de estrategia se reuniera con el alcalde de la ciudad y con el director de la Oficina Comunista de Asuntos Religiosos, para hablar sobre el proyecto. En esa reunión, el oficial de mayor rango invitó a este norteamericano a ayudar a la iglesia no registrada de Siu Lam a enseñar a toda la provincia la Palabra de Dios. El misionero Bautista llegó a una conclusión: "Sólo Dios pudo haber hecho algo así".

El primer currículo del entrenamiento de discipulado incluye:

1) **Génesis 1:10:** *¿Quién es Dios?: la creación y la relación de Dios con el hombre.*
2) **La vida de Cristo:** *un estudio a través de los Evangelios y la historia completa de la redención.*
3) **El libro de Romanos:** *un estudio para enseñar la naturaleza pecadora del hombre y la provisión de Dios a través de Jesucristo.*
4) **El libro de Jonás:** *un estudio del propósito redentor de Dios para toda la humanidad y el rol del creyente dentro de ese plan.*
5) **El libro de Efesios:** *un estudio de la naturaleza de la iglesia.*
6) **Cómo estudiar la Biblia.**
7) **Cómo enseñar la Biblia.**
8) **Entrenamiento de evangelismo personal.**

Las clases del primer Centro de Entrenamiento de Discipulado comenzaron a fines de junio de 1993, en medio de circunstancias muy lejos de ser perfectas. En la primera reunión participaron 103 líderes de iglesias de las aldeas; 70 de ellos no tenían una Biblia. Eran pobres y estaban sucios. No tenían un lugar para dormir ni dinero para comida. Por lo tanto, durmieron en los bancos y en el suelo del edificio de la iglesia. Los miembros de las iglesias locales les proveían un tazón de arroz y vegetales por día.

El coordinador de estrategia pudo ofrecerles lápices y hojas de papel, mientras que Siu Lam y los maestros de entrenamiento enseñaban directamente de la Biblia. Las sesiones duraban de 10-14 horas por día, seis días por semana, durante 20 días. Aún bajo estas condiciones, la respuesta fue increíble. Los participantes rogaron a los líderes que continuaran 10 días más. Exhaustos pero gozosos y entusiasmados, ellos estuvieron de acuerdo.

Siu Lam y el coordinador de estrategia tomaron pasos cuidadosos para asegurar que podrían seguir el progreso de los participantes y evaluar el efecto causado por el entrenamiento. Después de tres meses, ambos se reunieron con el resto de los líderes del discipulado para analizar los resultados.

Durante tres meses, desde agosto hasta octubre, los que participaron en la primera clase fueron responsables por más de 1.300 conversiones, de las cuales se bautizaron 1.200. La mayoría de estos nuevos creyentes fueron asimilados por las iglesias ya existentes, pero otros alumnos comenzaron por lo menos tres nuevas iglesias de 50 miembros cada una.

Al año siguiente, el coordinador de estrategia movilizó su red de oración para poder expandir la capacidad de entrenamiento del Centro de Discipulado. Agrandaron el edificio de la iglesia para que pudiera alojar 1.200 personas. Junto al centro de adoración construyeron un centro de entrenamiento de cuatro pisos. Los pisos tercero y cuarto servían como dormitorio para hombres y mujeres respectivamente. Todo esto pudo realizarse con el apoyo del alcalde de la ciudad y del director de la Oficina Comunista de Asuntos Religiosos.

Un año más tarde la situación comenzó a cambiar. El ministerio del Centro de Entrenamiento de Discipulado había crecido tremendamente, pero la ventana favorable con los oficiales del gobierno local estaba comenzando a cerrarse. El director de la Oficina Comunista de Asuntos Religiosos fue promovido y se mudó.

Resultados del movimiento de Beishan

Después de **tres meses** había
- Más de 1.300 profesiones de fe.
- Más de 1.200 bautismos.
- Comienzo de 3 nuevas iglesias.

Después de **siete meses** había
- Comienzo de 15 nuevas iglesias.

Después de **nueve meses** había
- Comienzo de 25 nuevas iglesias.

Después de **veintisiete meses** había
- Comienzo de 57 nuevas iglesias.

Después de **tres años** había
- Comienzo de más de 450 iglesias esparcidas a lo largo de tres provincias que tenían sus raíces en el entrenamiento de discipulado.
- Más de 18.000 profesiones de fe.
- Más de 500 líderes de iglesias entrenados.
- Más de 1.000 creyentes entrenados.

Su reemplazante tenía una actitud mucho más crítica con respecto al centro de discipulado. La reserva y el sigilo se convirtieron en un método de procedimiento normal en el centro. A los de afuera se les impidió participar, dejando la responsabilidad del entrenamiento sobre los hombros de la pastora y sus líderes. La presión política en aumento que comenzó a ejercerse sobre el Centro de Entrenamiento de Discipulado impulsó al liderazgo a llevar parte de ese entrenamiento a las aldeas. Los resultados de esta descentralización fueron prometedores, y produjeron más de 450 nuevas iglesias y 18.000 bautismos en tres años.

El librito de este autor, *Los movimientos de plantación de iglesias*, describía en 1999 un movimiento que se estaba formando en otra provincia de China, a la que llamamos Yanyin[5]. Vamos a

[5]Ver *Los movimientos de plantación de iglesias* de este autor, pp. 16-21.

volver a analizar ese movimiento hoy para ver lo que ha ocurrido desde 1999.

La provincia donde tuvo lugar este movimiento de plantación de iglesias tiene una población de unos 8 a 10 millones de personas. Las iglesias registradas en la provincia presentaban 18 lugares de reunión con 4.000 miembros, de los cuales apenas la mitad asistía a los cultos cada semana. Estas iglesias registradas no habían crecido ni comenzado nuevas obras por muchos años. Por otra parte, seguían cuidadosamente la política del gobierno de oponerse y reportar las actividades de las iglesias subterráneas.

En 1991, un coordinador de estrategias norteamericano fue asignado a Yanyin. Él comenzó investigando las iglesias ya existentes. Los líderes de estas iglesias registradas oficialmente manifestaron que no estaban interesados en el evangelismo más allá de sus propias paredes, y por lo tanto el coordinador de estrategias se volcó a las iglesias no registradas que funcionaban en las casas. Así encontró tres casas con 85 miembros. La membresía era de edad avanzada y había estado declinando por años, sin mucha visión de crecimiento.

Consciente de las enormes barreras lingüísticas y culturales que lo separaban de la gente a la que quería alcanzar, el coordinador de estrategia comenzó a movilizar a los chinos étnicos de otros países para que ayudaran con el evangelismo y la plantación de iglesias.

Durante el primer año estos líderes se unieron a los creyentes de Yanyin para comenzar seis nuevas iglesias en los hogares. Al año siguiente comenzaron 17 más. El próximo año iniciaron 50. Para 1997, el número total de iglesias había saltado de 3 a 195. Fue en esa fecha que el evangelio ya se había diseminado por cada condado de esa provincia; se habían plantado varias iglesias en cada uno de los cinco grupos étnicos del lugar.

En 1998, el coordinador de estrategia dejó su función para responder a otro llamado. En su ausencia, en lugar de declinar, el movimiento aceleró su crecimiento. A fines de 1998 había 550 iglesias en las casas en la provincia de Yanyin, con más de 55.000 creyentes. Durante los próximos dos años, sólo informes esporádicos salen a la superficie en esta provincia, pero cada uno habla de grandes avances en la iglesia.

Durante el verano de 2001, se completó una encuesta cuidadosa que reveló más de 900 iglesias con casi 100.000 creyentes adorando en ellas.

El movimiento Yanyin se caracterizó por un amplio evangelismo personal y en masa. En áreas pioneras, los plantadores de iglesias a veces usan la película *Jesús* o una gran campaña evangelística para identificar personas con interés a las que podrían brindarles seguimiento más adelante ofreciéndoles la enseñanza adecuada. Los plantadores de iglesias dirigieron su mensaje a las cabezas de los hogares. Cuando algunos expresaban cierto interés en el mensaje del evangelio, los plantadores de iglesias trazaban sus líneas familiares, para extender la base de personas con las que podrían tener estudios bíblicos, enviando invitaciones a través de las líneas de relación entre familiares y amigos. Al finalizar varias semanas de testimonio y un sencillo estudio bíblico evangelístico, invitaban a los participantes a entregar la vida a Cristo.

Aquellos que creían eran incorporados inmediatamente a los estudios bíblicos básicos de discipulado por unas semanas más. Al finalizar estos estudios, los nuevos creyentes eran bautizados. Luego los plantadores de iglesias identificaban a los que reunían características de liderazgo, e inmediatamente les entregaban la dirección de las reuniones públicas. Uno de esos plantadores de iglesias se quedaba para convertirse en el mentor de estos líderes enseñándoles las doctrinas y las prácticas que ellos a su vez aplicarían al tener que enseñar en las nuevas iglesias que funcionan en las casas.

En el centro del movimiento Yanyin había una iglesia modelo que combinaba múltiples niveles de desarrollo de liderazgo, rendimiento de cuentas mutuo, autoridad bíblica y reproducción rápida.

El coordinador de estrategia detalló varias características de esta iglesia modelo: participación en el estudio bíblico y adoración, obediencia como señal de éxito en cada creyente y en cada iglesia, liderazgo múltiple y voluntario en cada iglesia, y grupos de células de 10 a 20 creyentes reuniéndose en las casas. Este tipo de iglesias, que se reprodujeron tan rápidamente, sirvieron como motor del movimiento de plantación de iglesias en Yanyin.

En las áreas más establecidas, las iglesias se reproducían cuando alcanzaban un tamaño predeterminado que podría hacer peligrar su seguridad.

En las ciudades o pueblos más grandes, las iglesias en las casas raramente excedían 30 miembros. En las áreas rurales, algunas iglesias crecían mucho más. Cuando una iglesia se dividía, algunos líderes iban con la nueva congregación y rápidamente nombraban un aprendiz local para comenzar a entrenarlo para el momento en que el crecimiento demandara una nueva división y un nuevo comienzo.

Características de la iglesia modelo

Participación en estudio bíblico y adoración.
Obediencia a la Palabra de Dios como señal de éxito para cada creyente y cada iglesia.
Líderes múltiples y voluntarios de las iglesias.
Células de creyentes reuniéndose en los hogares.

La mayoría de las iglesias de Yanyin se reúnen por lo menos dos veces por semana, aunque algunas lo hacen todos los días. En las áreas urbanas un culto típico de domingo tiene un mensaje evangelístico para los visitantes que están interesados. El segundo culto semanal se concentra más en los temas del discipulado y el entrenamiento de los creyentes.

En Yanyin, el desarrollo de líderes se fue edificando como la verdadera estructura de la vida de la iglesia. Al construir una iglesia alrededor del estudio bíblico participativo con múltiples líderes laicos, hubo rendimiento de cuentas mutuo en relación a lo aprendido, y en relación a la capacidad de la iglesia de desarrollarse con éxito y reproducirse con rapidez. El fuerte énfasis en dar el ejemplo también fortaleció el desarrollo del liderazgo, animando a cada creyente a liderar con sus hechos.

Los cristianos visitantes continuaron proveyendo a la nueva iglesia líderes con entrenamiento avanzado. Estos entrenadores de corto plazo eran típicamente chinos étnicos que podían moverse libremente dentro y fuera de la región sin atraer la atención. Después de que los entrenadores enseñaban a un grupo de líderes de las iglesias de Yanyin, estos podían llevar y compartir ese entrenamiento a través de una red de reuniones por toda la provincia.

Tratando de no levantar sospechas entre los oficiales comunistas, las iglesias de Yanyin desarrollaron medios discretos adicionales de desarrollo de liderazgo. Cada mes los creyentes de Yanyin conducían reuniones regulares a nivel de condado, y dos semanas más tarde se reunían a nivel provincial para pasar un día de ayuno, oración y entrenamiento. También crearon un sistema de fecundación para los líderes. En este sistema, se animaba a nuevos líderes en potencia a asistir periódicamente a otras iglesias que funcionaban en las casas, para poder aprender diferentes estilos de adoración, entrenamiento y liderazgo.

El coordinador de estrategia en el movimiento de plantación de iglesias de Yanyin fue de mucha ayuda proveyendo detalles de sus experiencias. Él colocó un fuerte énfasis en el entrenamiento de los líderes de las iglesias en las casas, y en la preparación de evangelistas, plantadores de iglesias y entrenadores chinos.

El coordinador de estrategia señaló también una docena de importantes lecciones[6] que aprendió del movimiento en Yanyin:

1. La oración se convirtió en algo vital, no sólo *por* el pueblo que todavía no había sido alcanzado, sino también *entre* los nuevos creyentes de Yanyin.
2. Todo lo que queremos que las personas hagan, debemos *ejemplificarlo* tanto como enseñarlo.
3. Aprendimos a enfatizar la aplicación más que el conocimiento, porque descubrimos que el conocimiento siempre siguió luego.
4. Siempre tratamos de incluir una red de seguimiento junto con los esfuerzos de evangelismo en masa, para asegurar el crecimiento de los nuevos creyentes.
5. Tratamos de asegurarnos de que todo lo que hicimos en el

---

[6]Estas y otras lecciones fueron publicadas primero en el libro de Snowden, *Toward Church Planting Movements*, pp. 17-22.

área de evangelismo, plantación de iglesias y entrenamiento pudiería ser reproducido por el pueblo de Yanyin.

6. Animamos la producción local de himnos y canciones de alabanza para diseminar la fe.
7. Descubrimos que las expectativas que teníamos de los nuevos convertidos se cumplieron, ¡y elevamos la marca de crecimiento y nuevos frutos!
8. Enseñamos a las nuevas iglesias a asimilar rápidamente a los nuevos convertidos dentro de la vida y el trabajo de la congregación.
9. Descubrimos que el liderazgo múltiple y voluntario mantenía creciendo al movimiento, y al mismo tiempo eliminaba la separación que muchas veces se establece entre el clero y los laicos.
10. Aprendimos a elaborar un sistema de rendimiento de cuentas tanto para los líderes como para los miembros de la congregación, sobre la manera en que ambos grupos trabajan en la iglesia.
11. Aprendimos que reunirse en los hogares, en lugar de hacerlo en edificios especiales, permitía al movimiento mantenerse por debajo del radar del gobierno y diseminarse rápidamente sin llamar la atención.
12. Aprendimos que los nuevos creyentes de Yanyin debían tomar sobre sus hombros la responsabilidad de cumplir con la Gran Comisión.

Aunque el movimiento de plantación de iglesias de Yanyin puede ser único con respecto a una muy bien concebida estructura de desarrollo de iglesia y liderazgo, su rápida reproducción y multiplicación muestra algo muy común a través de toda China. Pero China y la India no son los únicos países asiáticos donde se producen estos movimientos. Vamos a dirigir nuestra atención en este momento hacia otros países de Asia.

5

Otros movimientos asiáticos

Durante la década de 1990, los movimientos de plantación de iglesias en Mongolia Interior y Mongolia Exterior producen más de 60.000 nuevos creyentes.

Un movimiento de plantación de iglesias transforma los campos de la muerte de Cambodia en campos de nueva vida, con más de 60.000 nuevos cristianos y cientos de nuevas iglesias establecidas en los últimos diez años.

A pesar de los intentos del gobierno para eliminar el cristianismo, el movimiento de plantación de iglesias en uno de los países del sudeste de Asia agrega más de 50.000 nuevos creyentes en cinco años.

En diciembre de 1990, la República de Mongolia todavía no se había sacudido completamente el polvo de décadas de sometimiento al comunismo soviético. En los días decadentes de la Unión Soviética, los mongoles se hundieron en la pobreza, el analfabetismo, el crimen, los niños nacidos fuera del matrimonio, el desempleo, y un futuro muy incierto.

Dentro de esta sitaución caótica, Dios comenzó a llamar a misioneros aventureros como Stan Kirk, un exitoso joven farmacéutico de Memphis, Tennessee. Stan y su esposa Laura habían estado orando por el pueblo de Mongolia cuando Dios les mostró claramente que quería que ellos sirvieran como misioneros allí. En 1990 Stan y Laura tomaron a Mary, su hijita de un año, y se mudaron a Ulan Bator.

El primer invierno de la familia Kirk en Mongolia fue brutal. Como el sistema económico comunista había quedado destruido, todavía no había un mercado libre que ocupara su lugar. "A nosotros no nos dieron las tarjetas del gobierno que tenían todos los demás ciudadanos, y que les permitía comprar en las cooperativas del gobierno", nos explicó Stan. "Algunos días nos considerábamos afortunados si teníamos algo para comer", dijo Laura. Stan perdió 11 kg ese año, y Laura, que estaba amamantando a Mary, perdió casi el doble.

Durante su segundo año, el sistema de mercado libre comenzó a funcionar. La familia Kirk se pudo mudar a un pequeño departamento con calefacción y tuvo acceso normal a las tiendas. A medida que las condiciones políticas cambiaban, la familia Kirk también comenzó a ver un crecimiento en la cosecha de creyentes en Mongolia. Un año antes, sólo habían podido encontrar seis cristianos mongoles en todo el país. La mayoría de la gente de Mongolia nunca había visto un cristiano con excepción de algunos rusos, que eran los extranjeros que ocupaban su tierra.

Pero en 1991 ya había dos iglesias reuniéndose en Ulan Bator y algunas adicionales que estaban surgiendo en otros pueblos. Stan pasaba los sábados con un joven pastor mongol. Juntos contestaban las preguntas que habían surgido el domingo anterior y preparaban las lecciones bíblicas para el día siguiente. Cuando comenzaba la reunión de adoración el domingo, Stan se sentaba en silencio en la parte de atrás del lugar donde se reunían.

A medida que la década progresaba, los misioneros comenzaron a llegar de diferentes países. Los misioneros coreanos aprovecharon su relativa proximidad y el lenguaje altaico que compartían, y adoptaron a Mongolia como un campo misionero importante. En 1996 se publicó una versión actualizada del Nuevo Testamento Mongol que avivó aún más el movimiento. Durante el primer mes, se vendió toda la primera edición de 10.000 ejemplares.

En 1997, se recibieron muchos informes desde ese país. "Es como en el primer siglo", decía uno de los misioneros. "Todos los milagros de crecimiento explosivo y desafíos doctrinales que encontramos en el libro de *Hechos* están sucediendo hoy en Mongolia".

En julio de 1998, una conocida publicación misionera [*Mission Frontiers*] compartió la historia del crecimiento fenomenal de la iglesia en Mongolia. El artículo informaba que había más de 10.000 creyentes mongoles[1]. ¿Qué había hecho el Señor para atraer a tantos a sus pies?

En el corazón del movimiento encontramos algunas cualidades que resultan familiares. Sumados a los miles de cristianos que estaban orando por Mongolia, Rick Leatherwood, misionero en ese lugar, identifica los siguientes factores clave de crecimiento:

1. La prioridad de parte de los misioneros de amar al pueblo mongol.
2. Fuertes principios misionológicos que enfatizan entrenar a los líderes nativos.
3. Ejemplificar la autoridad de la Biblia para tomar decisiones.
4. Establecer la iglesia como un movimiento de iglesias célula.
5. Animar a los creyentes de Mongolia a escribir sus propias canciones cristianas.

Cuando este artículo fue publicado, Stan y Laura Kirk estaban de vuelta en Memphis. Problemas familiares de salud los obligaron a regresar a Estados Unidos en 1997, pero el corazón y las oraciones de ellos estaban claramente todavía en Mongolia.

En 1998 un correo electrónico de Stan confirmó los informes de 10.000 creyentes en Mongolia. "Se ha cumplido mi sueño y aspiración más grandes", dijo, "ser parte de lo que Dios ha hecho con el renacimiento de su iglesia en Mongolia".

En los días de Genghis Khan, las hordas de Mongolia tenían tan aterrorizados a los pueblos de Asia que cuando China y Rusia finalmente se recobraron dividieron a los mongoles en dos estados vasallos separados. La población mongol más grande, unos seis millones, ahora vive en la provincia China de Mongolia Interior, que

---

[1]Rick Leatherwood, "Mongolia: As a People Movement to Christ Emerges, What Lessons Can We Learn?" en *Mission Frontiers* (Julio/agosto 1998).

ya está viendo su propio movimiento de plantación de iglesias. Esta vez fue el testimonio de las iglesias chinas en las casas lo que impulsó el movimiento.

En el verano de 2001, los líderes de las iglesias chinas en los hogares informaron 500.000 bautismos en la provincia de Mongolia Interior en un período de doce meses. Las ciudades de Hailar, Yakeshi, Hohot, Zalantum, Ulanhot y Huolin Gol han visto miles agregados a las iglesias. La mayoría de esos nuevos creyentes son chinos étnicos, pero el movimiento también comenzó a penetrar la población mongola. Un panfleto titulado *La Voz de China* informaba: "Por lo menos 50.000 convertidos son mongoles, tanto de la ciudad como nómades que viven en las tiendas de la pradera. Casi todos los nuevos cristianos son personas que nunca antes escucharon el evangelio"[2].

Del otro lado del continente, varios movimientos de plantación de iglesias estaban cobrando auge. Bombardeados por décadas de guerra civil y luchas ideológicas, los pueblos del sudeste de Asia estaban quebrantados y exhaustos. Pero de este campo inerte estaba germinando nueva vida.

Razones de seguridad no nos permiten hacer brillar demasiado la luz que cubre muchas partes del sudeste de Asia. Sin embargo, Camboya ofrece algunas características que son comparables a aquellas que existen en otros lugares. Camboya fue una de las víctimas más grandes de las décadas que duró la larga guerra de Vietnam. Cuando el gobierno de Vietnam del Sur cayó en 1975, Camboya vio elevarse al poder a Pol Pot y su Khmer Rouge asesino.

Los horrores del régimen de Pol Pot han sido raramente igualados en la historia de la humanidad. Antes de 1979, cuando el Khmer Rouge fuera sacado del poder, 3.300.000 de un total de 8 millones de ciudadanos de Camboya fueron asesinados, padecieron hambruna, o los echaron del país.

---

[2]"Revival in Inner Mongolia – 500,000 Saved in Past 12 Months" en *Voice of China, the oficial voice of the house churches in China*, tomo 1, ejemplar 1, edición de verano, 2001, pp. 13, 14.

El Khmer Rouge enfocó su ira sobre cualquiera que tuviera potencial de liderazgo: los adultos, los urbanos y los educados. Su paranoia también los llevó a atacar todo aquello que percibían como foráneo, un juicio que cayó pesadamente sobre el cristianismo. En la década de 1980, la inexperta población evangélica de Camboya, que nunca había excedido los 5.000, fue reducida a menos de 600.

Hoy en día, Camboya está cambiando. En los barrios urbanos de Phnom Penh se escucha el sonido de himnos cristianos que se levantan sobre el clamor urbano. En un apretado salón los cristianos camboyanos se reúnen para cantar alabanzas, estudiar la Biblia y derramar su corazón ante Dios en oración.

Luciendo fuera de lugar en el culto, una anciana inglesa acompañaba los himnos con su violín. Hace muchos años había sido concertista en Inglaterra, antes que Dios dirigiera su vida hacia el sudeste de Asia, donde ha estado sirviendo como misionera desde 1959. Después del culto, dedicó unos minutos para contarnos lo que estaba pasando.

"Pol Pot casi destruye la iglesia", nos dijo. "Pero mientras él gobernaba este país, los cristianos estaban ministrando a los refugiados camboyanos en los campos de la frontera con Tailandia. Yo creo realmente que el ministerio cristiano durante ese tiempo ayudó a prepararles el corazón para lo que está pasando ahora".

Lo que estaba pasando era algo extraordinario. Ella continuó explicando: "Desde 1900 la población cristiana en Camboya ha crecido de 600 a más de 60.000. El grupo mayor es bautista con 10.000 miembros, seguido por una denominación nativa nacida del liderazgo camboyano de la Cruzada Estudiantil para Cristo". En el año 2001 las iglesias bautistas informaron que tenían 220 iglesias con más de 10.000 miembros[3].

Antes de que el movimiento comenzara a declinar, otras denominaciones como la Alianza Cristiana y Misionera, el Compañerismo de Misioneros Foráneos, el Evangelio Cuadrangular y los presbiterianos, todos cosecharon frutos en Camboya. En el año 2000, sin

[3]Publicado con permiso del líder regional del sudeste de Asia y Oceanía de la Junta de Misiones Internacionales.

embargo, el movimiento de plantación de iglesias en Camboya había pasado. Al final sufrió, no de falta de atención misionera, sino de demasiadas intromisiones bien intencionadas que venían del exterior. Dinero foráneo fue destinado a subsidiar a los pastores y plantadores de iglesias que previamente habían hecho el mismo trabajo sin remuneración. Estos salarios fomentaron una clase de ministerio profesional que creó cierta distancia entre los líderes de las iglesias y los laicos comunes. Estos fondos también aceleraron la institucionalización del entrenamiento, ministerio y liderazgo. Junto con los fondos y las instituciones llegaron los conflictos internos dentro de la jerarquía denominacional con respecto a quién controlaría esos recursos.

Vamos a pasar un tiempo examinando estos *venenos del movimiento* en el capítulo 14. Mientras tanto, volvamos a examinar cómo Dios estaba trabajando en las primeras etapas del movimiento, para ver lo que podemos aprender.

Uno de los principales agentes que Dios usó para impulsar el movimiento camboyano fue una joven pareja misionera, Bruce y Gloria Carlton[4]. Los Carlton entraron a Camboya como coordinadores de estrategia en 1990. Aunque Bruce ya era un plantador de iglesias experimentado, él decidió que no plantaría ninguna iglesia en Camboya. En lugar de eso, entrenaría a los camboyanos para lanzar un movimiento.

Bruce comenzó reclutando a un promisorio laico camboyano para que lo ayudara a traducir el libro que estaba escribiendo sobre plantación de iglesias. A medida que el proyecto se desarrollaba, Bruce transfirió su propia visión y habilidades a su hermano traductor. En un año, el aprendiz había reclutado ocho hombres y una mujer, todos camboyanos y ansiosos por aprender cómo plantar iglesias.

Los Carlton enseñaban evangelismo personal, cómo estudiar la Biblia, plantación de iglesias, y liderazgo de la iglesia. El entrenamiento fue intensamente práctico, siempre enfocado más en la aplicación que en la información.

---

[4]Bruce Carlton, *Amazing Grace, lessons on Church Planting Movements from Camboya* (Chennai: Misión Educational Books, 2000), 157 pp.

En 1992, estos plantadores de iglesias habían multiplicado la iglesia original en seis nuevas iglesias. En 1993, el número escaló a 10 y el año siguiente a 20. Durante los tres años que siguieron, el aumento de las iglesias bautistas llegó a 43, luego 78 y finalmente a 123.

En su relato buscando el porqué este movimiento de plantación de iglesias tuvo lugar, Carlton menciona la importancia de la oración. "Durante los últimos seis años", dijo, "ha habido más oración movilizada por la gente de Camboya que en cualquier otro momento de su historia". Las oraciones se concentraban en protección para los plantadores de iglesias y un corazón abierto para la gente khmer que estaba perdida. Dios contestó ambos pedidos.

La oración también se convirtió en parte integral de la vida de los nuevos creyentes en Camboya. Ellos comenzaron a evidenciar un fuerte sentido de la dirección de Dios en su vida. Señales de maravillas, exorcismos, sanidad y otras manifestaciones del poder de Dios se veían por todas partes.

El entrenamiento fue otra de las claves para el éxito del movimiento de plantación de iglesias en Camboya. Carlton estableció el primer programa rural de entrenamiento de liderazgo en el país. Este programa fue realmente vital para el movimiento de plantación de iglesias en Camboya. Más tarde, los misioneros vieron que "donde este programa funcionaba, siempre era seguido por establecimiento de iglesias".

Los programas rurales de entrenamiento de liderazgo consistían en ocho módulos de entrenamiento, cada uno de dos semanas de duración, para que todo el programa pudiera completarse en aproximadamente dos años. Como la mayoría de los líderes de las iglesias eran bivocacionales, los pastores no podían estar fuera de sus hogares por más de dos semanas a la vez. Más aún, la comida para los participantes era provista por las nuevas iglesias iniciadas en esa zona, y si el entrenamiento duraba más de dos semanas los miembros pobres de las iglesias estarían obligados a continuar haciendo ese sacrificio.

Carlton también implementó un sistema de mentoría para toda la vida, que posibilitaba continuar con el entrenamiento de liderazgo.

"Yo lo llamo el principio 222", dijo. "Está basado en 2 Timoteo 2:2, cuando Pablo le dice a Timoteo: 'Lo que me has oído decir en presencia de muchos testigos, encomiéndalo a creyentes dignos de confianza, que a su vez estén capacitados para enseñar a otros' ".

Carlton aplicó el principio 222 como un medio para multiplicar el método de mentoría personal con respecto al desarrollo de los líderes. "Nunca hagan nada solos", les dijo a los plantadores de iglesias, evangelistas y líderes. "Siempre lleven a alguien con ustedes, para que puedan ejemplificar delante de ellos la visión, las habilidades y los valores que dan forma a la vida de cada uno de ustedes".

Cuando partieron en 1996, los esposos Carlton dejaron atrás un pequeño grupo misionero con un apasionado compromiso de servir a las iglesias que estaban creciendo en Camboya. Uno de esos misioneros comentó: "Nosotros queremos convertirnos simplemente en siervos de bajo perfil, y evitar la tentación de ser los que están al frente"[5].

En una provincia remota cerca de la frontera con Vietnam, uno puede ver cómo el programa rural de entrenamiento de liderazgo ha sido instrumental para iniciar más de 40 nuevas iglesias. Caminos polvorientos que zigzaguean entre acres de plantaciones bananeras llevan de una villa a otra, cada una con grupos de creyentes camboyanos que se reúnen en casas con techos de paja.

Cada iglesia de las aldeas contaba una historia similar. Habían sido creyentes por menos de seis años. Se reunían regularmente con 30-50 miembros. Cada una de las iglesias en las casas se había reproducido varias veces el año anterior.

Las iglesias se organizaban alrededor de lo que llamaban "un comité central de siete miembros". Ellos habían adoptado la idea de compartir el liderazgo leyendo la selección de los siete diáconos en el libro de Los Hechos, pero el lenguaje del *comité central* venía de su contexto comunista. Bruce se rió para sus adentros cuando lo

---

[5]Esta y muchas otras características del movimiento de plantación de iglesias de Camboya se encuentran en el librito *The Church Planting Movements,* pp. 26-31.

escuchó. "Esto no vino de parte mía", dijo, "pero suena como una buena idea".

Un hermano camboyano explicó los siete roles que los líderes tenían. "Tenemos un líder de adoración, un maestro de la Biblia, un ministro para los hombres, un ministro para las mujeres, un ministro para los jóvenes, un ministro de alcance y un maestro de alfabetización", explicó. Cada uno de estos roles suple las necesidades de la iglesia camboyana, particularmente en relación con las necesidades especiales de maestros de alfabetización en Camboya. La Guardia Roja de Pol Pot había asesinado a tantas personas educadas del pueblo khmer, que cada aldea necesitaba ahora alguien que enseñara a los sobrevivientes cómo leer y escribir. Estas iglesias estaban reconstruyendo literalmente la sociedad camboyana desde abajo.

En respuesta a la pregunta "¿Cómo comenzar nuevas iglesias?", uno de los líderes sonrió y señaló a una mujer de mediana edad que estaba parada cerca el grupo. Ella era miembro del comité central y tenía el don de comenzar nuevas obras. Es la dueña de un pequeño quiosco en el mercado de la aldea, y cuando alguien de afuera se acercaba para comprar diferentes cosas, le preguntaba: "¿Tienen una iglesia bautista en su aldea?". Si respondía como era de suponer: "¿Qué es una iglesia bautista?", ella le contestaba: "La semana que viene estaremos en su aldea para contarles".

En retrospectiva, parece que esta plantadora de iglesias y vendedora de vegetales siempre se proponía preguntar a sus clientes si tenían una iglesia "bautista" en sus aldeas, no por un ardiente fervor denominacional, sino porque había calculado correctamente que lo más seguro era que no supieran de qué estaba hablando, cosa que aumentaba su oportunidad de recibir una invitación para ir y explicar.

A la semana siguiente, junto con algunos miembros del comité central, llegaba a la aldea y cada uno compartía cómo Jesús había cambiado su vida y cómo ahora ellos estaban dedicado su vida a servir a la comunidad. Al finalizar su presentación, preguntaban: "¿Les gustaría tener una iglesia bautista en esta aldea?". Los oyentes entusiastas daban la bienvenida a la nueva fe, y comenzaban a formar su propio comité central de siete miembros.

En las aldeas de Camboya las casas se construyen elevadas, sobre postes, dejando un amplio espacio entre el piso de tablas y la pesada paja del techo. La casa de una sola habitación de cualquier miembro de la iglesia típicamente servía como santuario para 40 o 50 miembros que se sentaban en el suelo para adorar, llenando el ambiente con sus cantos de alabanza.

Al terminar el culto de adoración, los miembros de la iglesia bajaban lentamente los escalones de la casa y luego desaparecían entre los campos de arroz, detrás de la aldea. A la distancia, uno podía ver las colinas que señalaban la frontera con Vietnam.

Durante la guerra, esa misma frontera había sido parte del infame Camino de Ho Chi Minh, un conducto de contrabando de armas comunistas hacia Vietnam. Los campos se ven pacíficos hoy, pero el escenario todavía está marcado con lagunas llenas de lodo, que quedaron como cicatrices de la guerra. "Esos son los cráteres de las bombas", explicó el hermano camboyano, "hechos por sus aviones norteamericanos durante la guerra". Luego de una pausa para reflexionar, sonrió para decir: "Durante la Pascua anterior, bautizamos 70 nuevos creyentes en esa laguna".

A través del sudeste de Asia, informes aún más grandes comenzaron a surgir. Como el ministerio cristiano todavía está bajo la presión del gobierno, no podemos contar todo lo que está pasando, pero Dios está obrando claramente iniciando nuevos movimientos de plantación de iglesias de una manera increíble.

Un coordinador de estrategia ha visto 65.000 personas entregándose al Señor en un período de diez años, con cientos de nuevas iglesias establecidas, a pesar de la severa persecución del gobierno.

Otro ha visto múltiples movimientos de plantación de iglesias floreciendo en ámbitos rurales y urbanos. Los cristianos en áreas rurales desarrollaron iglesias imitando el modelo mencionado anteriormente en China, mientras que mucho del crecimiento urbano vino como resultado de la red existente de iglesias entrenadas con maneras más efectivas de sobrevivir y multiplicarse.

En febrero de 2000, un coordinador de estrategia trabajando dentro de un país comunista planeó una reunión discreta entre nosotros y el líder de una de las células más grandes de la red de iglesias en los hogares. Esta red era una de siete en todo el país. Cada una de estas redes tenía más de 150 iglesias en las casas. Juntas, estas redes tenían unos 180.000 creyentes.

La reunión tuvo lugar en un restaurante flotante, donde pudiéramos pasar desapercibidos entre los turistas. La impresionante vista nocturna de la ciudad sobre el agua fue opacada por la gravedad de lo que el líder y sus dos colegas estaban contando.

En tono muy bajo, nos contaba cómo los agentes del gobierno habían infiltrado las iglesias y cómo la policía había dañado severamente las reuniones de las iglesias que no estaban registradas.

—Cada dos o tres meses —nos dijo— hay nuevos informes de una redada policial en el hogar de alguna persona. Los líderes de las iglesias han sido encarcelados y sus miembros esparcidos.

A pesar de esta oposición, el cristianismo continúa extendiéndose ampliamente a través de las ciudades y las áreas rurales.

Cada vez que la iglesia sobrepasa los 30 miembros parece provocarse una crisis.

—Quizá nuestro canto es demasiado audible —nos dice— o quizá los vecinos comienzan a sospechar al ver tantos visitantes. Cualquiera sea la razón, llaman a la policía. Nuestra gente ha sido tratada con mucha severidad. Algunos de ellos todavía están en la cárcel.

Mientras hablaba, sus ojos parecían ver las caras de aquellos que habían sido encarcelados.

Luego se sentó y sonrió.

—Allí fue cuando su misionero nos ayudó. Él invitó a varios de nosotros a Singapur para entrenarnos. Eso cambió todo para nosotros.

—¿Cómo es que cambió todo para ustedes?

—Aprendimos cómo tener iglesias pequeñas que se multiplican, en lugar de hacerse grandes. De esa manera nunca llamaremos demasiado la atención. Antes de este entrenamiento, todavía estábamos pensando como en los viejos tiempos cuando adorábamos en lugares abiertos. Todavía estábamos tratando de convertirnos en algo grande. Ahora crecemos agregando más células. Cuando alcanzamos 15 ó 20 miembros comenzamos una nueva iglesia.

—¿Y cómo les está yendo?

—En este momento —dijo— estamos entrenando a nuestra gente. Este verano, en una semana, comenzaremos 70 nuevas iglesias célula en las casas.

Permaneciendo de menor tamaño, la iglesia en el sudeste de Asia está creciendo en gran manera.

Sumado a su rol como centro de las iglesias en las casas y del entrenamiento para el movimiento de plantación de iglesias, Singapur es también el sitio de un resurgimiento evangélico que exhibe muchas características de los movimientos de plantación de iglesias. Singapur es una ciudad-estado virtual con una población de 3.500.000. A través de Asia, Singapur se ha ganado la reputación de un centro económico, con sus ciudadanos jactándose de un salario anual per capita de casi 27.000 dólares. Son altamente educados, con un 89 por ciento de alfabetismo adulto y poco a poco, están convirtiéndose en cristianos evangélicos.

Durante las tres décadas pasadas, los cristianos evangélicos se han más que duplicado en Singapur. En 1990 había solamente alrededor de 10.000 cristianos de todos los grupos en esa ciudad. Muchos de ellos estaban afiliados nominalmente con la iglesia católica o anglicana. Hace muy poco, en 1970, en Singapur había solamente un 1,86 por ciento de cristianos[6]. Sin embargo, 14 años más tarde, más del 12 por ciento del país proclamaba su compromiso con Jesucristo. Hoy, el número de evangélicos y cristianos carismáticos ha llegado a más de 400.000.

¿Qué ha contribuido a este crecimiento? Aunque Singapur no ha visto la misma clase de iglesias en las casas que son evidentes en los movimientos de plantación de iglesias, entre 1970 y 1985 ha experimentado una explosión de células en los hogares agrupadas en

---

[6]Keith Hinton, *Growing Churches Singapore Style* (Singapur: OMF, 1985), p. 110.

megaiglesias. Durante esos años, el número total de iglesias sólo creció de 189 a 320[7], pero la naturaleza de esas iglesias cambió radicalmente de la adoración tradicional basada en la congregación a grupos de células basadas en los hogares desparramados por todas partes.

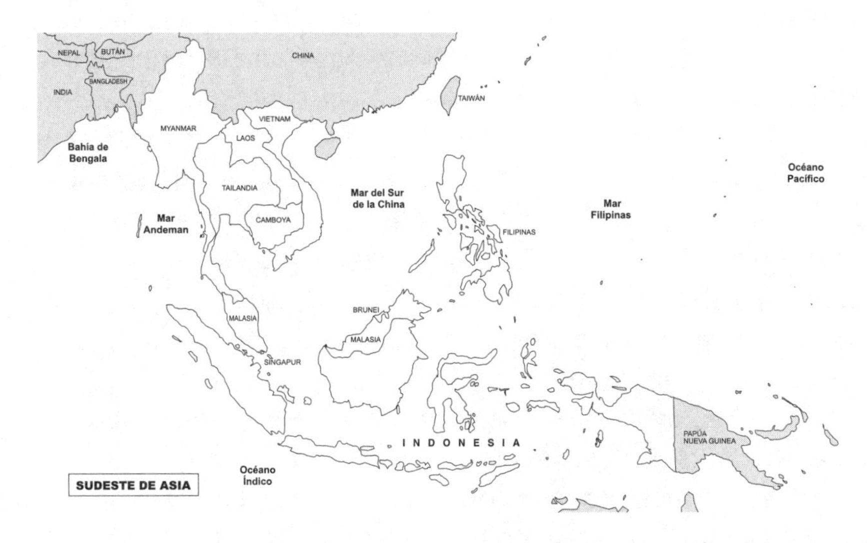

Una de esas iglesias células es Iglesia Bautista Comunidad de Fe, donde el pastor Lawrence Khong lidera una red satélite de más de 550 grupos de células en los hogares, con aproximadamente 7.000 miembros. Khong ha sido un ardiente estudiante y apóstol de la metodología de iglesias células, instruyendo a todos los que quieren escucharlo[8].

Una iglesia célula todavía más dinámica comenzó en Singapur en 1989, cuando el pastor Kong Hee y su esposa Ho Yeow-Sun comenzaron la Iglesia Ciudad Cosecha. Al iniciarse el nuevo milenio, esta iglesia contaba con casi 13.000 miembros que se reunían en más de 400 grupos celulares en las casas[9].

El pastor Hee y su esposa reflejan el tipo de evangélicos que está

---

[7]Ibíd., p. 110.

[8]Visite la red de Faith Community Baptist Church: www.fcbc.org.sg. En el año 2001, Khong adoptó en su iglesia el modelo de célula G-12. El paradigma G-12 se discutirá en el capítulo 8.

[9]Visite la red: www.chc.org.sg.

cautivando a Singapur. La joven pareja de unos treinta años busca alcanzar a los de la comunidad de profesionales de clase alta en Singapur. Hasta la fecha, 57 por ciento de los 13.000 miembros de la Iglesia Ciudad Cosecha son profesionales asalariados[10].

Los evangélicos urbanos de Singapur muestran ese mismo perfil demográfico. En su estudio del movimiento de Singapur de 1985, Keith Hinton descubrió que los evangélicos de Singapur eran un 94,5 alfabetizados, y abarcaban el 28 por ciento de la clase tecnológica y profesional de la nación, y 24 por ciento de los gerentes y administradores, mientras totalizaban menos del 14 por ciento de la población total de la ciudad[11]. De la misma manera, la afluencia evangélica coloca a más del 27 por ciento de los cristianos de Singapur como dueños de residencias privadas, algo muy raro en una ciudad donde el espacio es un lujo y más del 90 por ciento de la población vive en casas del gobierno[12].

Si el rápido crecimiento evangélico en Singapur está estructurado alrededor de las células en los hogares, también está alimentado por el evangelismo. Muchos unen las raíces de este impulso a una reunión evangelística en el estadio nacional de la ciudad, que se llevó a cabo en diciembre de 1978 con Billy Graham. Dos años y medio más tarde, en marzo de 1981, la Cruzada Estudiantil para Cristo lanzó la película *Jesús* a través de la ciudad. Con el permiso del Ministerio de Educación, los materiales de promoción de la película *Jesús* fueron enviados a más de 200 escuelas. Al finalizar esta iniciativa, 215.408 personas habían visto la película; 3.204 habían entregado tarjetas de decisiones indicando que querían recibir a Jesús, rededicar sus vidas a Cristo, o recibir más información[13]. Las reuniones de Billy Graham fueron seguidas por campañas aún mayores, a cargo de los evangelistas Reinhard Bonkke en 1985 y Luis Palau al año siguiente.

---

[10]Ibíd.

[11]Hinton, p. 113.

[12]Ibíd., p. 114.

[13]Bobby E.K. Sng, *In His Good Time: the story of the church in Singapore, 1819-1992*, 2da. edición (Singapore: Graduates' Christian Fellowship, 1993), p. 318.

En 1984 la difusión del evangelismo recibió otro espaldarazo cuando el gobierno de Singapur llegó a la conclusión de que la educación religiosa era necesaria en el sistema educacional de la nación[14]. Los evangélicos aprovecharon plenamente la oportunidad, y discretamente diseminaron su fe en todo lugar y en todo momento que fuera posible. El programa fue complementado por un ejército de ministerios de estudiantes evangélicos (Compañerismo Internacional de Estudiantes, Juventud con una Misión, Juventud para Cristo, Cruzada Estudiantil para Cristo, y otros más). Una encuesta tomada en 1985 reveló que el 42 por ciento de los protestantes de Singapur habían asistido a alguna clase de grupo relacionado a la iglesia mientras estaban en el nivel de educación terciaria[15].

Los evangélicos urbanos de Singapur quizá no constituyan un movimiento de plantación de iglesias propiamente dicho, pero ciertamente son parientes muy cercanos. Un observador local de Singapur que ha sido testigo de la evolución del movimiento evangélico en ese lugar, citó varias similitudes y diferencias con los movimientos de plantación de iglesias. Sus descubrimientos están parafraseados a continuación:

> Como en los movimientos de plantación de iglesias, estas células rutinariamente ven la intervención de Dios en la vida diaria; emplean mucho tiempo y energía entrenando a laicos para liderar grupos pequeños; animan intencionalmente el establecimiento de nuevos grupos; comparten su fe a través del gran número de testimonios de sus miembros; capacitan a los líderes de sus células; son células partícipes; tienden a enfatizar la autoridad de la Biblia... son sanos doctrinalmente y están llevando el evangelio a miles de no creyentes.
>
> La diferencia es que ninguna de esas iglesias célula podrá alcanzar ciudades enteras. Sólo crecerán a la altura del líder. Mientras los pastores de las megaiglesias continúan buscando las técnicas de los grupos de células para hacer crecer sus propias iglesias, los que abogan por el movimiento de plantación de iglesias miran sus propios principios para alcanzar a todo un grupo étnico o ciudad[16].

---

[14]Sng, pp. 317 y 122. El programa de educación religiosa auspiciado por el gobierno fue revocado en 1989.

[15]Hinton, p. 120.

[16]Parafraseado de un correo electrónico de B. Smith, julio del 2003.

Vamos a mirar ahora otro movimiento urbano que ha florecido en el nordeste de Asia.

En Seúl, Corea, el mundo ha sido testigo de otro importante movimiento evangélico urbano. Aunque tampoco forma parte de los movimientos de plantación de iglesias propiamente dichos, Seúl, al igual que Singapur, comparte con ellos algunas características. Seúl es una ciudad de más de 12 millones de personas y casi 5.500.000 profesan su lealtad a Jesucristo[17]. La multiplicación de iglesias de Seúl se ha ido desarrollando a lo largo de casi cuatro décadas. Hoy hay más de 5.000 edificios de iglesias protestantes en la ciudad de Seúl. Muchos de ellos tienen una membresía de decenas de miles. Algunas tienen aún más de 100.000 miembros activos. Sin embargo, como en el caso de Singapur, la mayoría de estas megaiglesias son en realidad iglesias células formadas por cientos y aún miles de grupos que se reúnen en los hogares durante la semana.

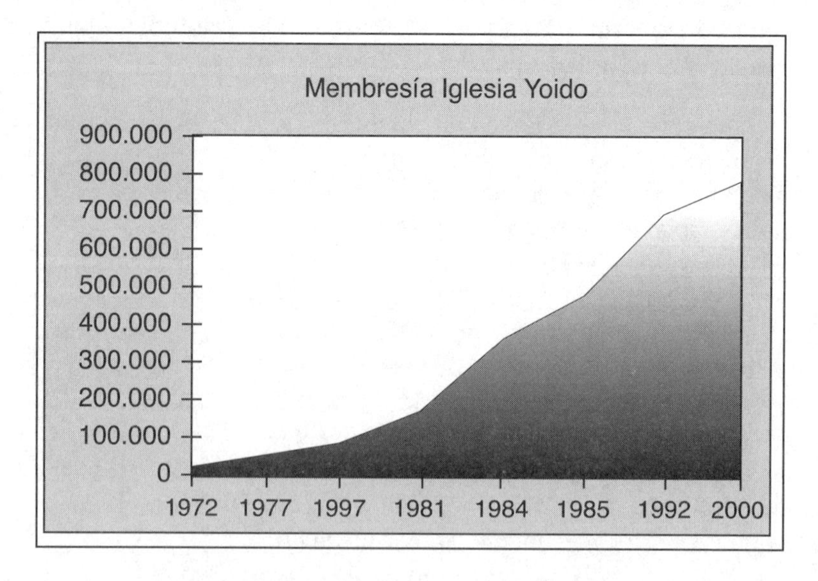

La más grande y conocida es la Iglesia Yoido del Evangelio Completo, del pastor Yonggi Cho, con una membresía de 780.000. Esta

[17] *World Christian Encyclopedia*, 2da. edición, tomo 2, p. 601.

es la iglesia más grande del mundo. En el corazón de esta iglesia encontramos un apasionado compromiso con la oración, el evangelismo y el estudio bíblico en más de 20.000 células en los hogares, que se reúnen cada semana por toda la ciudad[18].

Algunos se preguntan: ¿Cuánto puede durar un movimiento de plantación de iglesias? Por supuesto, si el movimiento dura lo suficiente eventualmente alcanzará a todo el pueblo. Como ya hemos visto, muchos movimientos de plantación de iglesias en China han sobrevivido por casi veinte años, sin señales de aminorar la marcha. El movimiento en Corea tiene una historia todavía más larga, pero después de más de treinta años de crecimiento está comenzando a declinar. Desde sus comienzos, sin embargo, más de diez millones de coreanos han nacido de nuevo. Para comprender cómo este movimiento ha continuado por tanto tiempo, debemos analizar sus fundamentos.

La historia de la iglesia en Corea tuvo un giro decisivo a fines del siglo XIX, cuando los misioneros protestantes invitaron a John L. Nevius, misionero en China, a ir a Corea para compartir sus ideas sobre la autosuficiencia de la iglesia. Nevius ya tenía en China la reputación de lo que se llamó los *Tres principios de autosuficiencia* o simplemente el *Método Nevius*.

Este principio creció partiendo de la alarma que experimentó Nevius ante la dependencia que los subsidios misioneros habían creado entre los cristianos de China. Para combatir este mal, Nevius declaró que “la iglesia debía gobernarse, sostenerse y propagarse por sí misma”. Ignorado por muchos de sus colegas en China, Nevius y sus tres principios de autosuficiencia fueron bien recibidos en Corea.

En 1900, los protestantes en Corea contaban con sólo 6.500 adherentes. Diez años más tarde, las iglesias metodistas y presbiterianas que abrazaron las enseñanzas nativas de Nevius habían crecido hasta llegar a casi 30.000 miembros[19].

---

[18]La estructura de la Iglesia Yoido del Evangelio Completo puede verse en Internet, visitando la red www.yfgc.org/n_english/fg.

[19]Stephen Neill, *A History of Christian Missions* (New York: Penguin, 1964), pp. 343-344.

El crecimiento cristiano se encontró con una fuerte oposición cuando Japón invadió y anexó la península en 1910. Durante tres décadas y media los cristianos fueron perseguidos y su fe suprimida. A la ocupación japonesa siguió una guerra civil, a través de la cual el comunismo prácticamente erradicó al cristianismo en el norte. En el sur, sin embargo, el evangelio floreció. Desde 1940 a 2000, los creyentes protestantes se han duplicado en número cada diez años[20].

En el año 2000 había más de 8.800.000 protestantes en Corea del Sur solamente, y cerca del 40 por ciento de la población de Corea estaba afiliada a alguna denominación de la fe cristiana.

Por años los evangélicos han mirado hacia Corea con entretenida reverencia. Muchos sintieron que era un movimiento de Dios, pero algo únicamente coreano. Hoy, podemos ver que tiene paralelos con otros movimientos de plantación de iglesias que Dios está creando a través de Asia y alrededor del mundo.

Hemos cubierto Asia analizando los movimientos de plantación de iglesias desde la India hasta China, y el borde del Pacífico. Ahora vayamos a África, donde Dios está volviendo hacia Cristo a un continente perdido.

---

[20]World Christian Encyclopedia, 2da. edición, tomo 1, p. 684.

6

África

Cada mes se inician en África unas 1.200 nuevas iglesias.

En ocho meses, 28 evangelistas etíopes llevaron a 681 personas a los pies de Cristo y comenzaron 83 nuevas iglesias.

Hoy, después de años de resistencia al evangelio, 90.000 de los 600.000 maasai de Kenia están siguiendo a Jesucristo.

Las personas ajenas al África la describen como el vasto continente negro. Pero aquellos que se han aventurado dentro de esta tierra conocen su belleza y la diversidad de sus pueblos. Desde los nómadas del Sahara hasta los pigmeos de la jungla y los guerreros bantú en las planicies del sur, África es un mosaico de colores.

Las antiguas tribus cushitic dominaban la región oriental del Sahara mientras que los tuareg berbers, de color índigo, patrullaban la gran extensión del oeste. Hacia el sur, a través del valle del Nilo y alrededor de los legendarios manantiales del río en las Montañas de la Luna, habitan los altos y delgados pueblos de nilotic, como los dinka y los tutsi. Más al sur aún, las dispersas naciones bantú han amontonado reinos en las sabanas de la mitad sur del continente.

Aunque algunos extranjeros han considerado a los africanos como un pueblo, el continente es, en realidad, una maraña de naciones, tribus e idiomas. En muchos lugares, estas familias étnicas están envueltas en conflictos que llevan al genocidio. Millones han muerto en Ruanda, Burundi y el Congo durante la década pasada;

naciones que con la ayuda de Uganda, Tanzania y Zimbabue se han trabado en lo que sólo puede describirse como una guerra mundial dentro del corazón de África.

A los pies de estas grandes civilizaciones competitivas están los aborígenes de África, que alguna vez recorrieron libremente todo el continente africano, pero que hoy sobreviven sólo en grupos específicos, como por ejemplo los pigmeos, bushmen, hotentotes y khoisan.

Con toda la diversidad étnica que se encuentra en África, no es extraño que los colonizadores europeos reconfiguraran el continente en patrones más reconocibles. Sin embargo, a medida que estas concesiones comerciales europeas fueron evolucionando hasta convertirse en colonias, descartaron completamente las diferencias entre los antiguos pueblos de África.

Después de la Segunda Guerra Mundial, las colonias africanas de Europa comenzaron a reclamar su independencia, pero el camino al nacionalismo no ha sido fácil. Un país tras otro se ha visto desgarrado por conflictos surgidos de antiguas hostilidades tribales que fueron demasiado fácilmente cubiertas —y remendadas— por los colonizadores europeos.

La independencia del control de Occidente dejó a los grupos étnicos compitiendo ferozmente tratando de determinar qué tribu gobernaría el nuevo estado. Los perdedores pagaron un precio muy amargo. En la década de 1970, la euforia de independencia en África se había deteriorado hasta llegar a conflictos étnicos crónicos a lo largo de casi todo el continente.

Durante la década de 1980, los misioneros comprendieron cada vez más la importancia de la diversidad étnica de África, y comenzaron a concentrar su atención en los grupos étnicos dentro de esos estados. ¿Qué importaba, razonaron ellos, si millones de kikuyus de Kenia eran cristianos, si no había iglesias entre los pueblos maasai o turkanos del interior? Los yoruba en Nigeria tenían 7.000 iglesias bautistas ¿pero qué pasaba con los millones de musulmanes de los pueblos hausa, fulani y bambara, entre los que no había ni una sola iglesia?

El reenfoque de los esfuerzos misioneros por debajo del revestimiento de naciones políticas y ante la realidad de grupos etnolingüísticos, había llevado a un renacimiento virtual de la expansión del evangelio y de la cosecha en África. Los grupos étnicos que por mucho tiempo se habían descuidado por razones de hostilidad, complejidad lingüística o aislamiento geográfico, ahora comenzaban a ser tenidos en cuenta.

Muchos de estos grupos no alcanzados de África nunca antes habían escuchado el evangelio en su propio idioma. Es en este contexto que Dios está ahora revelando un gran número de movimientos de plantación de iglesias en África.

Aunque África ha tenido muchos movimientos extendidos entre los grupos étnicos durante el siglo pasado, muchos de ellos se expresan con edificios y jerarquías denominacionales al estilo occidental, que los asocian firmemente al control europeo o norteamericano[1]. Hoy, el cristianismo africano está expresando sus propios patrones y su independencia de Occidente.

A fines del siglo XX, las tribus kikuyu, luo y luhya en Kenia han demostrado un largo y consistente crecimiento en las iglesias, pero no la clase de crecimiento rápido que caracteriza a un movimiento de plantación de iglesias[2]. En Uganda, dos décadas de guerra civil crearon un ambiente diferente para el crecimiento de las iglesias.

Los 1.100.000 habitantes que viven en la provincia Teso, en Uganda, abarcan algo más que el 5 por ciento de la población total del país. El evangelio llegó por primera vez a Uganda en el año 1875 junto con los exploradores y misioneros anglicanos. Desde ese entonces ha habido actividad misionera intermitente dentro del pueblo teso por casi un siglo. A principio de 1980 los bautistas del sur asignaron sus primeros misioneros, Harry y Doris Garvin, para trabajar en Teso. La pareja aprendió bien el idioma y pronto comenzaron a descubrir respuestas entre el grupo. En 1986, habían sido iniciadas unas 90 iglesias bautistas en Teso.

---

[1]David B. Barrett, *Schism & Renewal in Africa, an analysis of six thousand contemporary religious movements* (Nairobi: Oxford University Press, 1968), 363 pp.

[2]Informe de Larry Pumpelly, estratega asociado para el este de África, Junta de Misiones Internacionales, enero de 2001.

En 1985 un golpe militar derrocó el vapuleado gobierno de Milton Obote. En los caóticos años que siguieron, los misioneros se vieron obligados a abandonar el país. Cuando regresaron en 1990 se encontraron con un país devastado por la guerra. Aldeas enteras habían sido destruidas. Los misioneros no creían que alguna iglesia podría haber sobrevivido en Teso.

Para su sorpresa descubrieron que, en lugar de retroceder atemorizados, los creyentes de Teso habían estado proclamando valientemente las buenas nuevas y la gente había respondido entusiastamente a su mensaje. Durante los cinco años de caos, las 90 iglesias se habían multiplicado a 320. Durante un solo domingo, 1.200 convertidos de Teso fueron bautizados.

Los misioneros que regresaron adoptaron un rol diferente entre el pueblo Teso. En lugar de dedicarse a abrir nuevas iglesias, se concentraron en la educación teológica y en el desarrollo del liderazgo. El crecimiento de la iglesia entre el pueblo Teso ha sido más lento desde la explosión de fines de la década de 1980, pero continúa siendo fuerte. Hoy hay entre 400 y 450 iglesias bautistas en Teso. Esto representa más de 20.000 tesos que han llegado a Cristo en los últimos 15 años.

Los maasai del este de África son legendarios por su valentía e independencia. Siempre se han resistido al desarrollo y a las nociones modernizadoras de estilo occidental.

Diseminados entre las sabanas de Kenia y Tanzania, los maasai han protegido por mucho tiempo el interior de África de los comerciantes de esclavos árabes y de los colonizadores. Los maasai viven en pequeñas unidades o clanes, en casas construidas de barro, con techos de paja. A primera vista, su pobreza impresiona, pero luego uno se da cuenta que es sólo la carencia de los servicios y artículos occidentales lo que llama la atención. Los hombres y mujeres del pueblo maasai se enorgullecen de su apariencia personal y de sus antiguas costumbres. Sus collares ornamentados, su cabello cuidadosamente trenzado y su músculos fuertes revelan una salud interna que muchos occidentales han perdido.

Los misioneros han intentado evangelizar al pueblo maasai

durante el último siglo. Aunque algunos se encontraron con un éxito relativo, los convertidos han sido generalmente aislados y expulsados de sus hogares, o se han separado ellos mismos del centro de la vida y la cultura maasai.

A fines de la década de 1980, tres familias misioneras reunieron a unos pocos creyentes maasai y comenzaron a desarrollar un plan para alcanzar a todo el pueblo. Siguiendo el modelo de Jesús en Lucas 10, comisionaron a 70 evangelistas laicos entrenados del pueblo maasai, para ir de dos en dos por la planicie maasai. Para apoyar el entrenamiento, cinco familias misioneras bautistas se mudaron a las planicies de Maasai para relacionarse con estos evangelistas itinerantes que cruzaban la región.

Hoy, un 15 por ciento de los 600.000 maasai de Kenia dicen que son seguidores de Jesucristo. La mayoría de estos pueden trazar sus raíces a aquellos evangelistas maasai originales.

Para comprender este movimiento invisible de plantación de iglesias, se requiere un par de ojos diferentes. Por muchos años había una fotografía colgada sobre la pared de la sala de espera cerca de mi oficina. Es la foto de un árbol, una acacia, que aparece sobre una árida planicie, en algún lugar de África. Uno sabe que se trata de África por las 30 ó 40 figuras oscuras reunidas bajo su sombra, recostados contra sus lanzas. Sólo después de visitar las planicies maasai y haber visto las verdaderas iglesias allí, comprendí que la foto fuera de mi oficina era la de una iglesia maasai.

El estilo de adoración de los maasai está muy lejos del formato occidental que caracterizó la era colonial de las misiones. La mayoría de las iglesias maasai se reúne debajo de las acacias, un lugar tradicional de reunión para los concilios del pueblo. Los maasai se reúnen regularmente para adorar bajo un mismo árbol, una y otra vez. Algunas veces alguien coloca arbustos espinosos alrededor, a manera de muro o pared, para evitar el viento, el polvo y los roedores.

El corazón de la adoración maasai se encuentra en sus cantos y oraciones. Los maasai tienen una cultura oral y se han beneficiado de las historias bíblicas relatadas en su propio idioma. No satisfechos con escuchar las historias contadas, los maasai a veces con-

Marruecos
Túnez
Sahara Occidental
Argelia
Libia
Egipto
Mauritania
Mali
Níger
Chad
Sudán
Senegal
Gambia
Guinea Bissau
Guinea
Burkina Fasso
Nigeria
Eritrea
Etiopía
Sierra Leona
Camerún
Somalia
Liberia
Ghana
Togo
Benín
Kenia
República Central de África
Guinea Ecuatorial
Gabón
República Democrática del Congo
Uganda
Congo
Ruanda
Tanzanía
Burundi
Angola
Malawi
Zambia
Zimbabue
Namibia
Botswana
Madagascar
Mozambique
Sudáfrica
Swazilandia
Lesotho

ÁFRICA

vierten esas grandes historias enseñadas en canciones nativas, y luego las cantan con gran entusiasmo.

En el frío anochecer de la sabana africana, uno puede escuchar un coro maasai de siete hombres cantando una canción tras otra, todas adaptaciones de las historias bíblicas que han aprendido. Los ritmos maasai son hipnóticos y se acompañan con sonidos de garganta, golpes en el pecho y los muslos, y lanzas marcando el ritmo en el suelo. Sus caras muestran expresiones vívidas cuando representan las historias bíblicas con ademanes y pasos coreográficos.

Es difícil saber cuántas iglesias o creyentes maasai hay exactamente. ¿Cómo se pueden contar las "iglesias debajo de una acacia"? ¿Y por qué tendríamos que hacerlo? El movimiento continúa extendiéndose aún en áreas donde los misioneros occidentales tienen dificultad para entrar. Los maasai de Kenia comparten su fe con 600.000 maasai que viven en Tanzania que también han respondido muy bien. Durante el último año, los evangelistas maasai han comenzado a aprender el idioma de su tribu vecina, los samburu, con la visión de llevarles el evangelio.

Cuando los misioneros de África occidental cambiaron su enfoque de países a grupos étnicos, los ifes de Togo pronto sintieron el impacto. Los ifes son una de las tribus divididas entre dos naciones, ya que habitan en ambos lados de la frontera de Togo y Benin. Contando con 10 millones de personas, los ifes son el grupo étnico no musulmán más grande que aún no ha sido evangelizado al sur del Sahara. En Togo se encuentra el 36 por ciento de la población del país; en Benin, el 55 por ciento. La mayoría de los ifes practican la religión africana tradicional[3].

Los primeros misioneros asignados a los ife fueron Mike y Marsh Key. Los ifes parecían haber estado esperando que la familia Key los encontrara. O quizá simplemente estaban esperando que al-

[3]Mucho del perfil de los primeros años del trabajo entre el pueblo ife fue extraído de "The Ife of Togo", por Bill Phillips y Mark Snowden, ed. *Toward Church Planting Movements* (Richmond, Virginia: Junta de Misiones Internacionales, 1997), pp. 23-26.

guien se reuniera con ellos en sus propios términos. Mike predicó su primer sermón ante el pueblo ife en 1981, y 24 adultos se entregaron a Cristo. Después de años de evangélicos evitando a los ifes, Mike podía ver ahora que respondían al evangelio cuando podían escucharlo. Él también empezó a preguntarse si los cristianos togoleses no podían multiplicar sus esfuerzos para alcanzar a los ifes.

Mike regresó a Lome, la capital de Togo, donde reclutó a 24 evangelistas togoleses para que lo acompañaran a la región este de Mono, donde viven los ifes. Mike y su equipo bautista togolés participaron de una campaña de tres semanas predicando y enseñando en cinco aldeas diferentes. Durante esas tres semanas, 5.700 personas vieron la película *Jesús* por las noches y 446 se entregaron a Cristo. Entre esos convertidos estaba el jefe de una tribu ife y uno de sus ayudantes.

En 1983, el misionero se asoció con los bautistas de Carolina del Norte, compañerismo que duró tres años. Durante este tiempo, personas de Carolina del Norte construyeron un puente de 70 m de largo, cavaron 113 pozos de agua, 16 lagunas y edificaron un centro de conferencias. Al finalizar este período de tres años, había registrados 1.200 bautismos y 1.000 convertidos adicionales estaban esperando para ser bautizados.

Durante la década siguiente el movimiento ife creció más rápidamente y se comenzaron 85 nuevas iglesias entre los ifes de Togo, con más de 5.000 personas adorando en ellas. A pesar de este progreso en Togo, a los misioneros no les fue permitido extender su trabajo hacia el otro lado de la frontera, entre las tribus ife de Benin.

Después de años de negociaciones infructuosas con los oficiales del gobierno de Benin, se les negó a los esposos Key el permiso para vivir entre los ife en ese país. Luego, al comenzar la década de 1990, Mike Key fue diagnosticado con cáncer y tuvo que abandonar África occidental. Pasarían varios años antes de que nuevos misioneros fueran asignados a trabajar entre los ifes.

En 1995, cuando Jess y Peggy Thompson fueron transferidos desde Guinea Ecuatorial para vivir entre los ifes de Benin, encontraron que ya había cinco nuevas iglesias en proceso. Poco después, esas cinco iglesias comenzaron a reproducirse sin ayuda misionera. El movimiento que había comenzado entre los ifes de Togo ya se estaba extendiendo a los ifes de Benin.

En la región que está al sur del Sahara, Etiopía tiene un lugar muy especial en la historia cristiana de África. Es el hogar de la única comunidad nativa cristiana de esa región con una historia que se remonta a los tiempos preislámicos. Si las tradiciones locales son verdaderas, la iglesia ortodoxa etíope comenzó con un eunuco bautizado por Felipe en el camino a Gaza[4].

Hoy más de 40 millones de etíopes profesan su membresía en la iglesia ortodoxa de ese país. El cristianismo en Etiopía ha sido formado por siglos de aislamiento del mundo exterior. Las fiestas, íconos y tradiciones religiosas acentúan cada aspecto de la vida etíope. Con el paso de los siglos la religión ha tomado una identidad étnica que, para muchos, va más allá del sentido de una relación personal con Dios a través de Jesucristo.

Durante las décadas pasadas, los misioneros evangélicos han podido entrar al país. La mayor parte de su ministerio ha sido entre el pueblo oromo, compuesto por tribus animistas en el sur de Etiopía. Al mismo tiempo, los misioneros han exhortado a sus hermanos ortodoxos en Etiopía a dejar que la Palabra de Dios vuelva a dar forma a su comprensión del ideal de Cristo para el discípulo y para la iglesia.

A principios de la década de 1990, se comenzó a formar una asociación de creyentes etíopes dentro de una iglesia ortodoxa. El movimiento fue conocido como *Emmanuel Muhaber* (Compañerismo Emanuel). Se centraba alrededor de la oración, el estudio y la proclamación del Nuevo Testamento, con un énfasis especial en la comunión personal con Dios. El movimiento se expandió rápidamente creciendo hasta varios miles de adherentes a mediados de la década de 1990.

En 1990, la Junta de Misiones Internacionales asignó a David y Pam Emmert como misioneros a Etiopía. En 1993, David se convirtió en coordinador de estrategia para la ciudad de Addis Abeba.

---

[4]Hechos 8:26-39.

Observando lo que Dios estaba haciendo para alcanzar al pueblo amharic, David pronto notó la vitalidad del compañerismo Emanuel.

En mayo de 1997, David había desarrollado e implementado una estrategia comprensiva para alcanzar todos los rincones de Addis Abeba con un movimiento de plantación de iglesias. A diferencia de muchos evangélicos conservadores, David resistió la tentación de ver a la iglesia ortodoxa como enemiga o como competidora para alcanzar la fe de los etíopes. Pero también se negó a asumir que todos los miembros de la iglesia ortodoxa tenían una relación personal con Cristo.

—El enemigo —dijo Emmert— es el mundo perdido. Nuestra estrategia es trabajar dentro, fuera y junto a la iglesia para compartir el evangelio, establecer congregaciones y ver florecer un movimiento de plantación de iglesias.

La encuesta que Emmert realizó en Addis Abeba reveló un gran corredor de personas no alcanzadas en el corazón de la ciudad vieja. En una ciudad poblada de antiguas basílicas, este corredor interior fue virtualmente privado de lugares de adoración cristianos. Clasificando esta área como *la zona roja*, Emmert comenzó creando e implementando una estrategia para llevar el evangelio a ese lugar.

Por el tiempo en que David y Pam comenzaron su trabajo, el crecimiento y carácter evangélico del *Compañerismo Emanuel* llegó a un punto crítico dentro de la iglesia ortodoxa. En 1995, su número había alcanzado aproximadamente 70.000 creyentes. Temiendo la influencia evangélica, la jerarquía de la iglesia ortodoxa expulsó al *Compañerismo Emanuel* de su comunión.

David se acercó al liderazgo del Compañerismo con una oferta de ayuda, pero también con un pedido de ayuda. El grupo no era difícil de encontrar; se reunían cada noche en cultos de oración evangelística en carpas al aire libre en la ciudad. David ofreció proveerles entrenamiento teológico basado en la Palabra de Dios a través de los Centros de Educación Teológica por Extensión, que funcionaban alrededor de Addis Abeba. A cambio, les pidió que lo ayudaran a alcanzar la zona roja para Jesucristo.

Pronto los centros de extensión se llenaron de jóvenes etíopes que devoraban las enseñanzas de evangelismo, interpretación bíblica, discipulado personal y plantación de iglesias célula. —Nuestro énfasis es el entrenamiento práctico —explicó David—. Tratamos de dar a estos jóvenes herramientas muy específicas. El lema básico de nuestra escuela es: "A nadie le importa lo que sabes; sino lo que haces"[5].

En los primeros ocho meses del programa, veintiocho evangelistas etíopes llevaron a Cristo a 681 personas y comenzaron 83 nuevas iglesias en las casas dentro de la zona roja[6]. Durante una visita en 1997, el autor de este libro pudo ver los centros de entrenamiento y muchas de las iglesias en las casas que habían sido plantadas en la zona roja. Las que vimos tenían entre 8 y 80 miembros. Su adoración se centraba en la oración, canciones nativas que alababan a Dios, y la enseñanza de la Palabra de Dios.

Los creyentes etíopes levantaban sus manos mientras cantaban alabanzas usando melodías muy alejadas de la influencia occidental. Su gozo y pasión eran contagiosos. Emmert dijo: —Cada semana están cantando nuevas canciones que han escrito. La mayoría son oraciones o alabanzas a Dios. Es difícil para nosotros aprenderlas todas—.

Una encuesta de lo que el Señor está haciendo en África muestra claramente que los grupos étnicos de ese continente están muy cerca del corazón de Dios. Esto se puede ver en los movimientos de plantación de iglesias que están comenzando a florecer en cada rincón del continente. Sin embargo, por cada movimiento de plantación de iglesias que vemos, hay una docena de movimientos abortados y algunos que casi lo logran pero que nunca hicieron la transición de iniciación de iglesias a movimientos de plantación de iglesias. ¿Por qué sucede esto?

Un clásico relato de *La odisea,* de Homero, ilustra el cambio que enfrenta la iglesia africana al navegar por los movimientos de plan-

[5]Tobin Perry, "Reaching a city, reaching the world," en *The Comission* (Septiembre 1999), p. 11.

[6]Ibíd.

tación de iglesias. En la épica de Homero, Odiseo y su tripulación tenían que navegar a través de un canal peligrosamente estrecho. No había manera de evitarlo, y la costa estaba llena de barcos que habían naufragado. En una de las costas había un precipicio rocoso llamado Scilla, y en la otra un remolino igualmente amenazante llamado Caribdis. Entre los dos se encontraba un canal profundo y seguro, pero Odiseo tenía que evitar los dos peligros.

Como evidencian los muchos naufragios en la historia de los movimientos de plantación de iglesias, África enfrenta un desafío similar. En una orilla están los naufragios ocurridos cuando los misioneros sobreprotegieron la iglesia africana. En Nigeria, por ejemplo, los misioneros bautistas del siglo XIX esperaron 39 años antes de permitir que un nigeriano pastoreara la iglesia que ellos habían comenzado[7]. Los misioneros son menos paternalistas hoy, pero algunos continúan sintiendo que su rol de salvaguardar la ortodoxia es indispensable, y que no pueden confiarla a un africano.

Si el paternalismo es nuestro Scilla, entonces Caribdis es el remolino de la dependencia extranjera. ¿Cuántos movimientos de plantación de iglesias se han perdido por la dependencia africana en relación a los fondos, edificios, subsidios y caridad bien intencionada que venían de otros lugares?[8].

Entre el paternalismo de Scilla y el Caribdis de la dependencia están las profundas aguas de los movimientos nativos de plantación de iglesias. Cada vez que los creyentes africanos se han encontrado con este canal profundo Dios ha permitido que naveguen suavemente y que crezcan de una manera continua reproduciendo iglesias.

---

[7]Travis Collins, *The Baptist Mission of Nigeria, 1850-1993* (Ibadan, Nigeria: Associated Book-Makers Nigeria Limited, 1993), pp. 12 y 25.

[8]Glenn Schwartz ha formado una organización llamada World Mission Associates (Asociados para la misión mundial) destinada a exponer y combatir la dependencia en las misiones. Pueden investigar la red en www.wmausa.org.

7

El mundo musulmán

Más musulmanes se entregan a Cristo en las dos últimas décadas que en ningún otro momento de la historia.

En el norte de África, más de 16.000 bereberos se entregan a Cristo en un período de veinte años.

Un movimiento de plantación de iglesias del centro de Asia reporta 13.000 kazakos entregándose a Cristo en una década y media.

Unos 12.000 musulmanes kashmires cambian el jihad por el Príncipe de Paz.

En un país musulmán de Asia, más de 150.000 musulmanes aceptan a Jesús, y se reúnen en más de 3.000 Isa Jamaats (Grupos de Jesús) guiados por líderes locales.

El Islam ha desafiado al cristianismo por más de 13 siglos. Su sistema de leyes sociales, llamado *shariah*, ha sofocado y virtualmente eliminado el cristianismo en la mayor parte de la región que lo vio nacer.

Hoy, sin embargo, Dios está cambiando el mundo musulmán como nunca antes. Para entender cómo está ocurriendo ese cambio es importante tener por lo menos una idea de cómo el shariah islámico ha tenido tanto éxito compitiendo con el cristianismo. A pesar de las anécdotas populares de los conquistadores árabes invadiendo naciones y forzando la conversión de los cristianos a punta de espada, el método musulmán de dominio y control ha sido mucho más paciente, insidioso y efectivo. El shariah islámico constituye el único gran sistema religioso en el mundo designado para derrotar al cristianismo. Vamos a analizar brevemente cómo ha funcionado.

Como punto de partida, el shariah prohíbe a los musulmanes convertirse al cristianismo o a cualquier otra religión. La conversión es castigada con la muerte. De la misma manera bajo el shariah, los cristianos tienen prohibido tratar de convertir a los musulmanes a su fe. No sólo los misioneros están prohibidos, sino que también los cristianos locales están limitados a practicar su fe —incluyendo el evangelismo— sólo dentro de los confines de los edificios de sus iglesias. Y mientras a los cristianos no se les permite hablar en contra del Profeta o la religión musulmana bajo amenaza de la pena de muerte, los sermones semanales en las mezquitas ridiculizan y atacan abiertamente los elementos más básicos de la fe cristiana.

Bajo la ley del Islam, un hombre musulmán puede casarse con una mujer cristiana, y su esposa puede retener esa fe, pero sus hijos serán criados como musulmanes. Si se divorcian, los niños pasarán a vivir bajo la custodia del padre musulmán. Los hombres cristianos también pueden casarse con mujeres musulmanas, pero sólo después de haberse convertido al Islam. Si más adelante quieren volver a la fe cristiana, eso sería considerado como una ofensa capital.

Sumado a esto, para cerrar una puerta trasera que permitiría que los musulmanes dejaran su religión, el shariah también ha creado ingeniosas maneras de incorporar y asimilar nuevos convertidos a su fe.

Un incentivo popular eran las leyes liberales con respecto al divorcio que tenía el Islam. La cristiandad ortodoxa y católica prohibía el divorcio. El Islam no sólo facilitaba que un esposo airado obtuviera un rápido divorcio, sino que le permitía tener hasta cuatro esposas al mismo tiempo[1].

Los que no son musulmanes también encontraban incentivos económicos para la conversión. El shariah prohibía que los cristianos sirvieran en el ámbito militar, pero requerían que pagasen lo que se conocía como un *impuesto dimmi*, aplicado a los que no son

[1]Aprovechando las leyes de poligamia y divorcio liberal del Islam, un hombre podía tener muchas esposas durante su vida.

musulmanes, aparentemente destinado a pagar por su "protección" a cargo del ejército. Convirtiéndose al Islam, un cristiano oprimido vencía estos dos obstáculos. Tenía acceso a la carrera militar (prohibida a los que no son musulmanes) y se liberaba del odiado impuesto *dimmi*. Con tantos incentivos y maneras de entrar a la fe musulmana, el Islam creció rápidamente. Todos los caminos llevaban a la religión musulmana, pero no ofrecían una ruta de salida, porque para los musulmanes la única manera de abandonar la religión era a través de la muerte.

No todas las razones de la débil respuesta cristiana ante el Islam pueden achacarse al shariah. Muchas veces la naturaleza de cada sociedad cristiana que se enfrentó con el Islam fue su propia enemiga, porque dio muchas oportunidades para el avance islámico.

A pesar de sus humildes comienzos, en los tiempos del profeta Mahoma el cristianismo se había enriquecido y se manifestaba en grandes catedrales ornamentadas con innumerables figuras y estatuas de Cristo y los santos. Las voces proféticas que dentro del cristianismo denunciaban esas *imágenes hechas de manos* fueron catalogadas de herejes, y las personas enviadas a prisión o al exilio[2].

La política también minó la salud de la iglesia. Los gobernantes bizantinos percibieron las expresiones locales de cristianismo como una amenaza a la relación entre iglesia y estado. Por lo tanto, los líderes locales y los intentos de traducciones coloquiales de la Biblia fueron sofocados, manteniendo la Palabra de Dios accesible solamente a aquellos que pudieran descifrarla en griego o en latín.

Al asomar la era musulmana, muchos líderes de la iglesia católica eran elegidos principalmente por su alianza con Roma o Constantinopla, en lugar de serlo por su experiencia espiritual personal. Esto se volvió evidente cuando los ejércitos árabes conquistaron el norte de África, obligando a cientos de sacerdotes y obispos europeos a huir de sus parroquias y regresar a su continente.

De la misma manera, cuando un pequeño ejército de musulma-

---

[2]La *controversia iconoclasta* (destrucción de imágenes) perduró por siglos dentro del cristianismo antes de convertirse en una característica definitoria del Islam. Ver E. J. Martín, *A History of the Iconoclastic Controversy* (1930, repr. 1978); J. Pelikan, Imago Dei (1990).

nes árabes invadió el dominio bizantino de Alejandría, en Egipto, fue un cristiano egipcio quien secretamente les abrió las puertas. Para él fue una oportunidad de rescatar a su perseguida iglesia del control bizantino. En respuesta, uno de los primeros gestos de los nuevos gobernantes musulmanes fue liberar a los líderes cópticos egipcios de la prisión donde la jerarquía bizantina los mantenía cautivos.

Los fracasos del cristianismo al enfrentar el problema de la esclavitud también abrieron las puertas al avance islámico. Cuando los pequeños ejércitos árabes conquistaban el Medio Oriente y el norte de África, encontraban millones de esclavos que eran propiedad de los cristianos romanos y bizantinos. El shariah simplemente prohibía que amos cristianos tuvieran esclavos musulmanes. Para ganar su libertad, todo lo que los esclavos tenían que hacer era convertirse al Islam. Esto llevó a la conversión de innumerables esclavos y al mismo tiempo sembró el apoyo a la nueva religión[3].

Hoy, muchos de los temas que una vez caracterizaron los enfrentamientos entre musulmanes y cristianos no tienen razón de ser. Barreras de esclavitud, relación de iglesia y estado, y aún incentivos matrimoniales ya no existen. El flujo libre de información a través de la televisión satélite e Internet minaron la habilidad del shariah para suprimir el acceso musulmán al evangelio y a la realidad de su propia civilización en decadencia. Después de siglos de relativo aislamiento, la interdependencia creciente entre las naciones está otra vez obligando a cristianos y musulmanes a un contacto inevitable.

En este encuentro forzado, muchos cristianos nominales y seculares encuentran respuestas para la incertidumbre de su vida en las páginas invariables del libro santo del Islam, el Corán. Al mismo tiempo, sin embargo, es claro que más musulmanes han llegado a conocer a Cristo en las últimas dos décadas que en cualquier otro momento de la historia de estas dos grandes religiones.

Hoy, muchos de los obstáculos internos del cristianismo para

[3]Bernard Lewis, *Race and Slavery in the Middle East, an historical enquiry* (London: Oxford University Press, 1990), 184 pp.

evangelizar a los musulmanes han desaparecido, pero el shariah permanece como formidable desafío, haciendo que los musulmanes que se convierten tengan que enfrentar la persecución y a veces la muerte. Por esta razón, muchas veces tendremos que ocultar el lugar y los nombres de los individuos involucrados en el crecimiento de las comunidades de creyentes con trasfondo musulmán.

Los primeros movimientos de plantación de iglesias que podemos entrever entre los musulmanes están ocurriendo en lugares donde la delicada fibra del shariah ha sido deshilachada por la guerra y los rápidos cambios sociales.

En un país del norte de África que pasó la mayor parte del siglo XX envuelto en guerras civiles, más de 16.000 musulmanes bereberos han abrazado recientemente el cristianismo. Si se les pregunta por qué, ellos responden: "Porque podemos".

Entre los extremos del gobierno secular y el fundamentalismo islámico, estos bereberos han escogido un tercer camino: el evangelio de la paz. Trabajando en conjunto con un misionero coordinador de estrategia, el liderazgo berebero estimuló un movimiento de plantación de iglesias emergente.

El movimiento del norte de África aprovechó la ola de autoidentidad étnica que estaba creciendo entre los bereberos. Tres vehículos fueron los que llevaron el evangelio de una manera muy efectiva: una versión del Nuevo Testamento en el idioma berebero, programas de radio proclamando el evangelio en el mismo idioma y la película *Jesús*, también traducida, que permitió que, según las estimaciones de algunos, cuatro millones de bereberos la vieran. Con estos tres medios, los bereberos fueron evangelizados en su lengua nativa sin depender de los misioneros extranjeros.

Desde las montañas del norte de África vayamos a Kashmir, un estado destrozado por la guerra en medio de los Himalayas. El único estado de la India predominantemente musulmán, tiene 9 millones de habitantes que sólo han conocido poco más que la guerra, desde que la India y Pakistán lograron su independencia de Gran Bretaña en 1947.

Desde 1989, más de 35.000 kashmires han perdido la vida en el

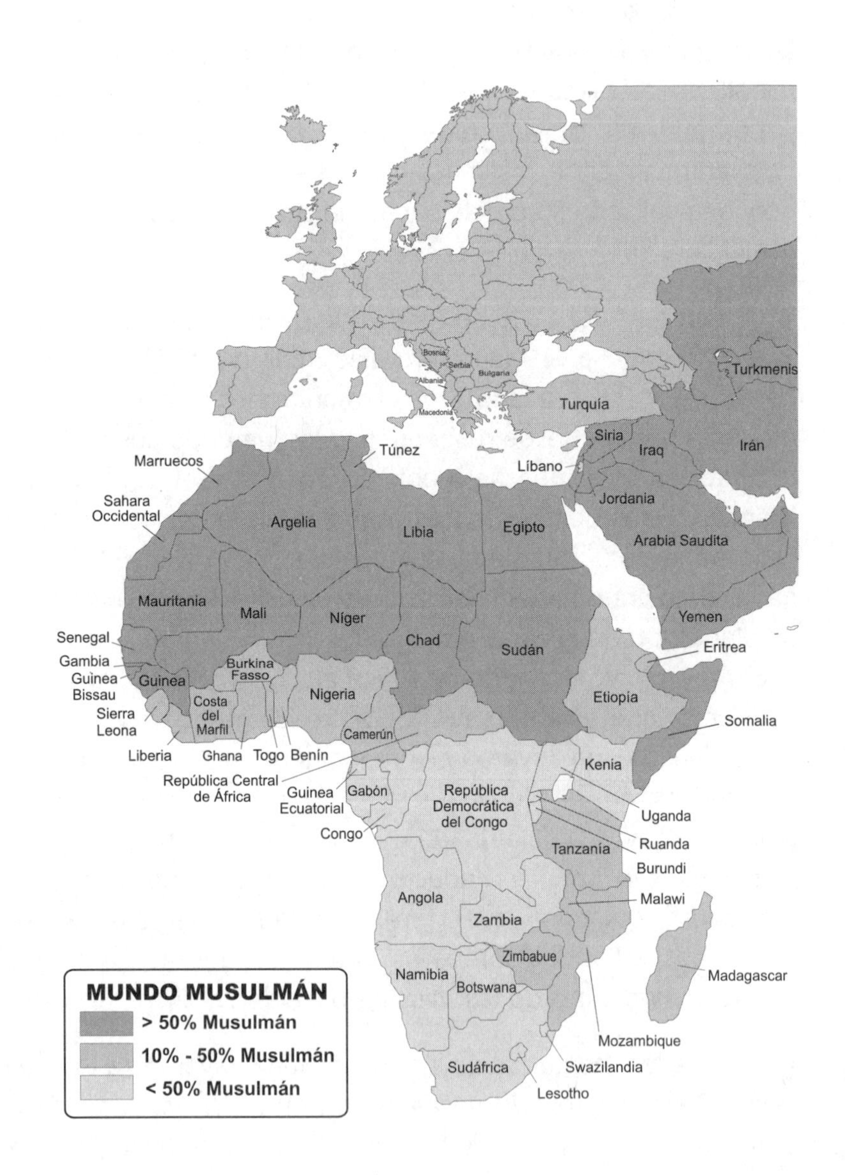
Turkmenis
Turquía
Siria
Iraq
Irán
Líbano
Jordania
Arabia Saudita
Yemen
Eritrea
Somalia
Marruecos
Sahara Occidental
Túnez
Argelia
Libia
Egipto
Mauritania
Mali
Níger
Chad
Sudán
Senegal
Gambia
Guinea Bissau
Guinea
Sierra Leona
Liberia
Burkina Fasso
Costa del Marfil
Ghana
Togo
Benín
Nigeria
Camerún
Etiopía
Kenia
República Central de África
Guinea Ecuatorial
Gabón
Congo
República Democrática del Congo
Uganda
Ruanda
Burundi
Tanzanía
Malawi
Angola
Zambia
Zimbabue
Namibia
Botswana
Madagascar
Mozambique
Swazilandia
Sudáfrica
Lesotho
MUNDO MUSULMÁN
> 50% Musulmán
10% - 50% Musulmán
< 50% Musulmán

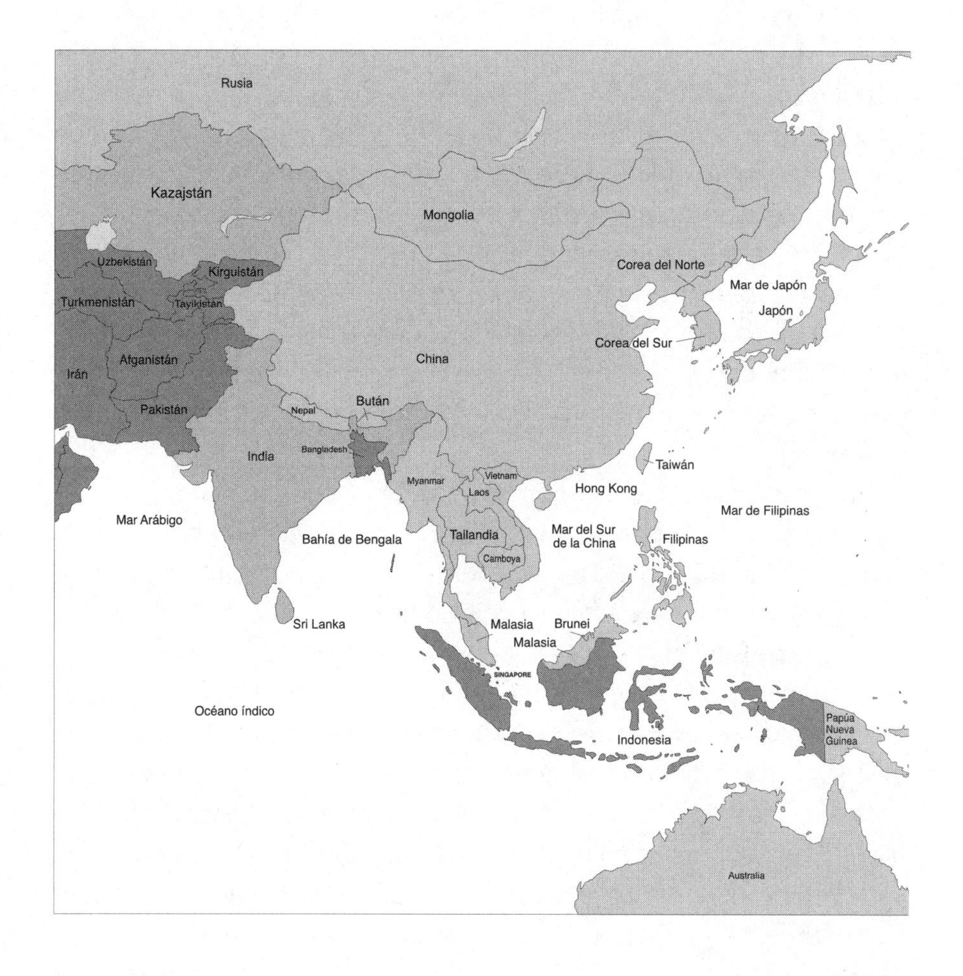
Rusia
Kazajstán
Mongolia
Uzbekistán
Kirguistán
Turkmenistán
Tayikistán
Corea del Norte
Mar de Japón
Japón
Corea del Sur
China
Afganistán
Irán
Pakistán
Nepal
Bután
India
Bangladesh
Taiwán
Myanmar
Vietnam
Laos
Hong Kong
Mar de Filipinas
Mar Arábigo
Tailandia
Bahía de Bengala
Mar del Sur
de la China
Filipinas
Camboya
Sri Lanka
Malasia
Brunei
Malasia
SINGAPORE
Océano índico
Papúa
Nueva
Guinea
Indonesia
Australia

conflicto. En años recientes, un creciente número de kashmires musulmanes han cambiado el *jihad* por Jesús. En el año 2003, los periódicos han reportado con alarma por toda la India el "cambio en Kashmir" y "miles que están convirtiéndose al cristianismo"[4].

Los evangelistas locales de trasfondo musulmán comparten ahora el evangelio de Cristo, y reportan crecientes números de bautismos en los cuarteles musulmanes. El precio que han pagado ha sido alto. Yonathan Paljor, pastor de la Iglesia de todos los Santos en Sri Nagar, nos dice: "Ustedes podrán encontrar miles de personas interesadas en el cristianismo, (pero) son amenazadas de por vida, y boicoteadas socialmente".

Los militantes musulmanes han quemado dos veces el templo de Paljor y la casa pastoral. Aunque él pudo escapar con su esposa, un trabajador de la organización Evangelio para Asia, llamado Neeraj no fue tan afortunado. En el verano de 2002, Neeraj fue asesinado.

Una joven mujer de 22 años llamada Masooda, se llama a sí misma "creyente en Cristo" aunque todavía no ha sido bautizada. —No es un problema de religión —explica— sino de encontrar a Dios. Yo he encontrado al mío—. Su cara irradia entusiasmo al describir las dos visiones de Cristo que experimentó. En una, él estaba sentado sobre una gran roca. En la otra, estaba siendo clavado en una cruz, en medio de un charco de sangre. Aunque Masooda comentó a su madre y a sus amigos más cercanos de su nueva fe, ella teme lo que radicales musulmanes puedan hacer si su declaración se vuelve pública. "Quizá quemen mi casa, y mi familia podría estar en peligro"[5].

Con toda esta oposición, ¿por qué se están convirtiendo tantas personas? Preme Gergan, directora retirada de una escuela católica para niñas, nos explica: "La militancia sacudió el ser interior de muchos. Y las personas, particularmente los jóvenes, comenzaron a hacer preguntas. Todos los días, una o dos personas se acerca-

---

[4]Tariq Mir, "It's Conversion Time in the Valley," en *Indian Express*, Srinagar, India, abril 5, 2003, primera página. También *The New Indian Express*, Edición Bangalore, abril 8, 2003, p.7.

[5]Manpreet Singh, "Harassed Kashmiri Christians Reach out to Discrete Muslims", en *Christianity Today*, Septiembre 9, 2002, vol. 46, No. 10, p. 26.

ban a mí para conocer más del evangelio. Me decían: 'En nuestra religión no existe el perdón' ".

Paljor dice: "Los cristianos no están presionando para tener más conversiones. Ellos están poniendo presión con nuevos conceptos, abriendo la mente de las personas con historias de la Biblia: historias de amor, armonía y tolerancia".

Sigue siendo difícil evaluar todo lo que está pasando en este remoto valle en las montañas, pero está comenzando a sonar muy parecido a otros cambios entre los musulmanes alrededor del mundo. Se estima que el número de convertidos puede llegar a 12.000.

En uno de los cambios políticos más dramáticos del siglo XX, el colapso de la Unión Soviética ha provisto otro escenario donde los musulmanes se están entregando a Cristo en números significativos.

La caída del muro de Berlín en 1989 coincidió con las primeras penetraciones evangélicas en Asia central soviética. En ese momento no había más que un puñado de cristianos turcos entre los millones que vivían en la diferentes repúblicas de Asia central. Esta dispersión de los cristianos turcos se debió en primer lugar a siglos de conflicto entre los musulmanes de Asia central, los cristianos eslavos y los ateos de Rusia.

Durante los años 1928-1953, Stalin envió a miles de alemanes protestantes que vivían en la Unión Soviética a las repúblicas del centro de Asia, como Kazajstan, Uzbekistán y Kirguistán. Estos étnicos alemanes, muchos de ellos fervientes bautistas y pentecostales, establecieron rápidamente iglesias vibrantes en toda la región. Pero después de medio siglo de coexistencia, tuvieron poco impacto entre los musulmanes turcos que vivían alrededor de ellos.

Hoy, muchos de los étnicos evangélicos alemanes han abandonado las repúblicas del centro de Asia buscando lugares más apropiados en Europa occidental. Su lugar ha sido tomado por las iglesias nativas turcas, compuestas de kazakos, kirguís y uzbekos, todos de trasfondo musulmán.

En Kazakstán, una de las repúblicas más abiertas, más de 13.000 kazakos se han entregado a Cristo en la última década y media. Hoy hay más de 300 iglesias nativas, lideradas por pastores kazakos que están cuidando de estos nuevos creyentes[6]. Los trabajadores cristianos veteranos en esa región especulan que hay por lo menos 50.000 creyentes diseminados por toda la república.

Los orígenes del alcance evangélico que eventualmente llevó a este movimiento pueden remontarse a los últimos días de la guerra fría. En 1989 los misioneros se acercaron al Asia central soviética desde dos direcciones. Algunos llegaron a la región a través de iglesias bien establecidas de Europa oriental, como la Unión de Bautistas Evangélicos, una convención bautista compuesta mayormente por rusos, ucranianos y alemanes étnicos que vivían en la Unión Soviética. Esta Unión de Bautistas Evangélicos tenía iglesias en todas las repúblicas de Asia central, pero poco contacto con la población compuesta en su mayoría por musulmanes turcos.

Otros evangélicos llegaron acercándose a los grupos étnicos. Sus investigaciones en la historia y la cultura del pueblo kazako los llevaron a comprender las antiguas hostilidades entre los musulmanes turcos y los cristianos eslavos. Esto los motivó a establecer relaciones directas con los grupos étnicos del centro de Asia, en lugar de trabajar a través de las iglesias eslavas vecinas. Siguiendo este método descubrimos a un joven coordinador de estrategia llamado Brian, quien fue directamente al Ministerio de Educación de Kazajstán en 1989, ofreciéndose para establecer una especie de alianza kazako-americana.

La visita de Brian al Ministerio de Educación estableció la base para un gran movimiento.

El ministro de educación kazako le dio a Brian una cálida bienvenida diciendo: "El año pasado fui visitado por representantes de dos diferentes colegios de la Liga de Marfil en los Estados Unidos. Ellos querían abrir un intercambio educacional con las universidades de Kazajstán. Les dije que no. Pero a usted le digo que sí". Brian entonces preguntó por qué su oferta fue aceptada por encima de la educación superior que ofrecían los colegios de la Liga de Marfil. El ministro le respondió: "Esos colegios de la Liga de Marfil querían es-

[6]Informe estadístico anual de la Junta de Misiones Internacionales, 2002.

tablecer su centro principal en Moscú, y abrir una rama en Alma-Aty (la capital de Kazajstán). Usted, por otra parte, ha pasado por alto a Moscú y vino a trabajar directamente con nosotros".

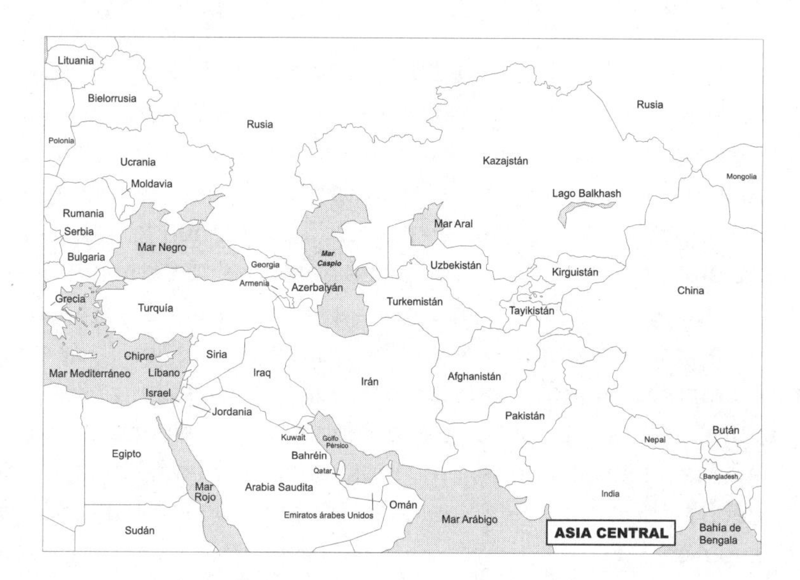

El énfasis sobre grupos étnicos que tenía Brian se ajustó bien al creciente sentimiento de orgullo nacional entre los kazakos. Brian prosiguió este primer esfuerzo con más propuestas relacionadas con la educación y los negocios. Cada una de esas empresas permitió que una gran cantidad de trabajadores cristianos vinieran a Kazajstán, proclamaran el evangelio, tradujeran la Biblia y produjeran la película *Jesús*.

La estrategia de grupos étnicos también impactó la plantación de las primeras iglesias. En lugar de tratar de asimilar a los nuevos creyentes kazakos en las iglesias europeas ya existentes, los primeros plantadores de iglesias se dedicaron deliberadamente a estimular un movimiento kazako. Los resultados han sido impresionantes. Los kazakos hoy sienten que son dueños del movimiento. Como resultado, el impulso ahora está cambiando para pasar de los obreros extranjeros a los líderes nacionales.

Este enfoque sobre los grupos étnicos también ha producido abundantes cosechas en las otras repúblicas turcas de Asia central. Es muy temprano para decir si todos estos campos de cosecha producirán movimientos de plantación de iglesias, pero las señales son alentadoras. Más musulmanes se han entregado a Cristo en Asia central durante los últimos diez años que en cualquier otro momento de la historia.

Los eventos en el norte de África, norte de la India y Asia central apenas dejaban entrever lo que iba a venir. En un país musulmán de Asia, que llamaremos Jedidistán, se está desarrollando en este momento el movimiento de plantación de iglesias más grande en la historia de las misiones cristianas hacia el mundo musulmán[7].

Jedidistán, como tantos otros países predominantemente musulmanes, albergaba también una minoría menguante de no musulmanes. A un limitado número de misioneros cristianos les fue permitido desempeñar algunas tareas de ayuda y desarrollo en este país tan pobre, pero se les pidió que restringieran su evangelismo solamente a las minorías que no eran musulmanas. El resultado fue que más del 85 por ciento del pueblo jedidi no pudo ser alcanzado con el evangelio.

A principios de la década de 1980, varias agencias misioneras y un puñado de iglesias jedidi tradicionales comenzaron a cambiar y centrar su atención en la mayoría musulmana. Casi al mismo tiempo fue publicada una sensitiva versión musulmana del Nuevo Testamento Jedidi, y los misioneros comenzaron a experimentar con nuevos formatos de iglesias que pudieran utilizarse en el mundo musulmán[8].

La sensitiva versión musulmana del Nuevo Testamento fue bien recibida, y llegaban informes filtrados de aldeas remotas donde mezquitas enteras se habían convertido en centros de adoración a Jesús el Mesías. Sin embargo, esos rumores eran difíciles de corroborar, ya que los extranjeros eran mantenidos a la distancia, y los

---

[7]El caso de estudio es real, aunque los nombres, por ejemplo Jedidistán, que significa *el nuevo lugar* refiriéndose a la nueva vida que se está diseminando entre la gente, son totalmente ficticios.

[8]Uno de los libros más significativos que surgieron durante este tiempo fue el que escribió Phil Parshall, *New Paths in Muslim Evangelism: evangelical approaches to contextualization* (Grand Rapids: Baker Books, 1981), 200 pp.

convertidos en esas áreas aún se llamaban a sí mismos musulmanes[9].

En este agitado ambiente, Dios alcanzó y tocó con el regalo de su salvación a un joven adolescente musulmán. Sharif creció en un populoso pueblo rural, en el centro de Jedidistán. Como era costumbre entre todos los niños musulmanes, a los cinco años Sharif fue enviado a la madraza [escuela musulmana de estudios superiores] local para aprender árabe, el Corán y las historias de la vida del Profeta.

Sharif absorbió sus estudios con una mente aguda, quizá demasiado ágil, porque parece que pronto se encontró a sí mismo cuestionando a sus maestros.

—¿Por qué Mahoma hizo esto? —preguntaba— o ¿por qué Alá dijo esto o aquello?

Aunque la curiosidad puede ser premiada en algunos sistemas educacionales, no tenía cabida en las madrazas de Jedidistan.

—La primera vez que hice esas preguntas —recuerda Sharif— el maestro me pegó con una vara. No debes hacer esas preguntas —me dijo—. Tú no debes cuestionar esas cosas.

Pero Sharif no podía con su genio. Pronto estaba preguntando otra vez. Los repetidos castigos con la vara no ahogaron su curiosidad. Antes de que pasara mucho tiempo, ya había sido catalogado como un *niño pecador* que iba a ir al infierno por su insolencia.

Cuando Sharif completó cuatro años de escuela, el maestro decidió que ya era suficiente. Sharif fue expulsado, pero el castigo no terminó allí. El maestro llevó al Sharif ante su padre y le dijo:

—Su hijo es muy malo. Es un niño pecador y se va a ir al infierno. Es una desgracia para su familia mantenerlo en esta casa.

La maldición del maestro religioso cayó pesadamente sobre el joven Sharif. Su padre sintió que no tenía más opción que expulsarlo también de su familia. La madre de Sharif intercedió para que se

---

[9]Esto puede parecer más extraño a una persona que viene de afuera, que a una que está adentro, porque el nombre "musulmán" significa literalmente "alguien que se somete a Dios", una designación que la mayoría de los cristianos puede aceptar.

le permitiera vivir en una pequeña choza construida en la parte de atrás de la propiedad familiar. Tres veces por día, la madre de Sharif le traía comida y agua, pero ningún otro miembro de la familia podía hablar con él. Este aislamiento continuó por el resto de la infancia de Sharif, hasta que de pronto todo cambió.

Un caluroso día de verano de 1983, un misionero llamado Tom estaba viajando en un *rickshaw* [medio de transporte] de regreso a su casa. Como la mayoría de los misioneros en el país, Tom había pasado sus años ministrando y plantando iglesias entre las minorías no musulmanas de Jedidistán. Recientemente, sin embargo, Tom había sentido la profunda necesidad de alcanzar a los musulmanes. En este día especialmente estaba escuchando la voz de Dios cuando el Señor lo dirigió a un adolescente jedidi.

El joven parecía solitario y desanimado mientras caminaba hacia la parada del autobús. Quizá fue ver a un hombre blanco en un *rickshaw* o el raro sonido de alguien que le hablaba directamente lo que sobresaltó a Sharif. Las primeras palabras que escuchó de Tom fue cuando le preguntó en fluido idioma jedidi:

—Hermano, ¿te gustaría subirte a este *rickshaw* y viajar conmigo?

Sharif contaba más tarde:

—Yo me quedé totalmente sorprendido porque no a mucha gente les estaba permitido hablarme y otros ni siquiera querían hacerlo, ya que para mi familia y mi comunidad yo era un rebelde, y por lo tanto debía permanecer aislado y considerado como un pecador musulmán.

Mientras viajaban juntos, Tom y Sharif hablaron durante todo el tiempo. Muy pronto, Tom sintió que Dios lo estaba animando a invitar a Sharif a su hogar para conocer a su esposa.

—Gloria, la esposa de Tom, fue tan buena conmigo —dijo Sharif—. Me dio galletas recién sacadas del horno y mi primera taza de café. Antes de irme de su casa ese día, ella y Tom también me regalaron una copia del Nuevo Testamento en el idioma jedidi.

Esa noche, solo en su cuarto, Sharif leyó su Nuevo Testamento. Las páginas parecían dar vuelta por sí mismas mientras capturaban su atención hasta que el sol comenzó a asomarse a la mañana siguiente. No fue sino hasta la segunda noche que el Espíritu Santo tocó el corazón de Sharif.

—Yo estaba leyendo el evangelio de Juan, capítulo 3. Cuando llegué al versículo 17 me sacudió realmente. Juan dice que Jesús no vino al mundo para condenarlo, sino para que el mundo fuese salvo por medio de él.

Años más tarde, cuando Sharif recuerda la historia, las lágrimas todavía corren por sus mejillas.

—Se dan cuenta, *yo no estaba* condenado. *Yo no era* solamente un niño pecador. Jesús había venido al mundo para salvarme.

Muy pronto, Sharif comenzó a asistir a la iglesia con Tom y Gloria, pero todo esto cambió el día que un vecino vio lo que el joven rebelde estaba haciendo. Ese domingo, al volver de la iglesia, su padre lo estaba esperando.

—Mi padre y mis hermanos me golpearon. Me dijeron que yo tenía un demonio y que me lo iban a sacar a golpes. Ellos me preguntaron si yo era cristiano. Yo les dije: "No sé. Yo sólo quiero saber más del cristianismo". Mi padre me dijo: "Si tú quieres saber algo más sobre el cristianismo, pregúntame a mí. Pero escúchame bien. Tú nunca regresarás a esa iglesia".

Sharif le respondió:

—Voy a tratar, papá.

El domingo siguiente, Sharif trató, pero regresó a la iglesia. Esta vez su padre, hermanos y primos lo esperaban para atacarlo y golpearlo. Desnudo, herido y sangrante, Sharif fue atado a un poste en el fondo de la casa. Allí permaneció solo el resto del día y durante toda la noche, preguntándose si alguna vez volvería a ser libre.

Antes de amanecer, cuando los musulmanes se levantan para decir sus primeras oraciones, la madre de Sharif se acercó. Le trajo ropa y algunas monedas.

—Tu padre viene para matarte —le dijo sigilosamente—. Debes escaparte de la ciudad.

En los años que siguieron, Sharif fue a la capital, fue bautizado secretamente en una iglesia tradicional, y se graduó en Administración de Empresas en la universidad nacional. Después de obtener su título, comenzó a trabajar para una de las agencias misioneras, donde se propuso ganar a los musulmanes para Cristo sin sacarlos de sus comunidades islámicas.

Aunque él había aprendido muchas cosas de su experiencia con los nuevos esfuerzos misioneros hacia los musulmanes, Sharif estaba preocupado por dos cosas: 1) la influencia que generaban las finanzas venidas de Estados Unidos, y 2) la dudosa identidad de aquellos musulmanes que supuestamente se habían entregado a Cristo, pero, sin embargo, continuaban llamándose a sí mismos musulmanes. Después de menos de un año con la agencia misionera, Sharif se sintió obligado a dejarla y regresar a su pueblo.

Nadie le dio la bienvenida a su llegada. Su madre había muerto después de muchos años de maltrato por parte de su padre. Ningún miembro de la familia de Sharif reconoció su presencia. Sólo Bilal, su amigo de la infancia, lo recibió.

—Puedes quedarte en mi casa —le dijo entusiasmado Bilal—. Mi cama es grande y podemos poner una manta enrollada entre los dos. Una mitad será para ti y la otra para mí.

Fue así que Sharif encontró un hogar en casa de Bilal.

Durante los días que siguieron, Bilal pudo ver los cambios que habían ocurrido en Sharif. Sharif leía su Biblia y oraba, no de manera ritualista como lo hacían los musulmanes, sino personal y fervientemente. Bilal y Sharif hablaban a menudo sobre Cristo y el Nuevo Testamento, hasta que ciertos eventos produjeron un cambio.

Un día Bilal tuvo que irse del pueblo por negocios, y Sharif no pensó nada al respecto. Pero algunos de los militantes de la madraza habían estado esperando esa oportunidad. Entonces reclutaron a un equipo de fútbol local para emboscar a Sharif.

—Me golpearon hasta que caí desvanecido y luego me patearon hasta que la sangre comenzó a salirme por la boca —recuerda Sharif—. Supongo que me habrían matado, si no los hubiera detenido uno de los ancianos de la ciudad. "¿Qué están haciendo?" preguntó. "¿No se dan cuenta de que si vienen los soldados van a ponerlos en la cárcel?".

Mientras el equipo de fútbol se alejaba de Sharif, cada uno escupía sobre él, hasta que todo su cuerpo quedó cubierto de heridas, sangre y saliva.

Bilal encontró a Sharif en esas condiciones a la mañana siguiente, y comenzó a llorar mientras curaba las heridas de su amigo.

—¿Por qué han hecho esto? —preguntó.

—Porque soy cristiano —le contestó Sharif.

—Entonces yo también quiero ser cristiano —dijo Bilal.

Sharif se sintió alarmado.

—No, no puedes. ¿No ves lo que han hecho conmigo?

—Sí, puedo —dijo Bilal—. Después de todo, Jesús sufrió mucho más que nosotros dos.

El bautismo de Bilal y su asociación con Sharif marcan un punto inicial. Era el año 1991. Al año siguiente, los dos hombres llevaron a Cristo a la primera familia musulmana y comenzaron la primera iglesia de creyentes con trasfondo musulmán. Durante la década siguiente, vieron casi cuatro mil iglesias plantadas y más de 150.000 musulmanes entregándose a Cristo.

En todo este movimiento de plantación de iglesias jedidi, Sharif sólo bautizó a dos personas. El primero fue Bilal. El segundo fue su propio padre, pero esa es otra historia. Hoy, toda la familia de Sharif ha aceptado a Jesucristo y hay una iglesia que se reúne en la misma casa de donde un día Sharif fue expulsado.

El movimiento de plantación de iglesias jedidi ha sido costoso. Dos veces Sharif ha sido golpeado tan severamente que sus verdugos lo dejaron por muerto. Otra vez fue clavado a una cruz improvisada. En dos ocasiones diferentes un par de mensajeros entregaron en su hogar paquetes con mortajas, como advertencia de lo que iba a pasar. El golpe más grande para Sharif llegó en enero de 2003, cuando sacaron de su casa a su amado amigo Bilal durante la noche y lo golpearon brutalmente hasta morir.

El trabajo de Sharif y Bilal progresó lenta pero firmemente durante los primeros tres o cuatro años. Ellos recibieron un gran espaldarazo en 1997, cuando una agencia occidental nombró su primer misionero coordinador de estrategia para involucrarse con la diseminada población musulmana de los jedidi. No le llevó mucho tiempo al misionero descubrir a Sharif y entablar con él una profunda amistad, edificada sobre el compromiso que juntos tenían hacia el pueblo jedidi.

El coordinador de estrategia le ofreció a Sharif aliento y seguridad cuando la policía local lo perseguía. También le proveyó el tipo de investigación que lo impulsó a extender el movimiento más allá de los confines del sur de Jedidistán, y llevarlo a cada estado del país. Finalmente, en 2001 el coordinador de estrategia occidental posibilitó que Sharif mismo recibiera entrenamiento como coordinador de estrategia.

Por su parte, Sharif enseñó al coordinador de estrategia norteamericano a usar el Corán como puente para entablar una conversación con los musulmanes sobre Jesús y el Nuevo Testamento. El misionero occidental también recibió inspiración por la valentía que Sharif demostró ante sus sufrimientos.

—Sharif me enseñó a ser audaz —decía—. ¿Cómo puedo sentir temor al entrar a una mezquita o testificar frente a un imam? Lo peor que podría pasarme es ser expulsado del país. De cualquier manera pagaría un precio mucho menor que el que pagó mi hermano Sharif.

Para el año 2000, había todavía muchas preguntas que rodeaban el surgimiento y crecimiento del movimiento de plantación de iglesias jedidi. ¿Cuán extenso era ese movimiento? ¿Podría ser tan vital como los rumores indicaban?

En mayo de 2002, un equipo de investigadores de la Junta de Misiones Internacionales llegó a Jedidistán para comenzar una investigación. Este equipo utilizó los mejores medios de investigación posibles, con muestras tomadas al azar y una amplia información. Lo que encontraron no tenía precedentes.

Los investigadores querían comprender la extensión y naturaleza del movimiento de plantación de iglesias, pero también querían estudiar la efectividad del coordinador occidental de estrategia y su equipo.

De los 21 distritos donde el coordinador occidental de estrategia había trabajado, se calculaba la existencia de 1.951 bautismos en 2001. Esto sumaba un número total de creyentes de 4.140 en ese sector misionero, desde sus comienzos en 1998. Y el trabajo claramente estaba ganando impulso. En los primeros cinco meses de 2002, hubo 2.277 bautismos más.

El trabajo de Sharif era más antiguo, y en consecuencia mucho más grande. Los cálculos de 2001 indicaban 89.315 creyentes diseminados en cada uno de los 64 distritos de Jedidistán. En el 2001, se estimaron 23.323 bautismos, más de 2.000 por mes.

Para el año 2001, el número combinado de creyentes de trasfondo musulmán entre los dos trabajos sobrepasaba los 93.000. Y con cifras que totalizaban 23.323 bautismos para el 2001 en uno de los trabajos y un 280 por ciento de crecimiento en el otro, ¡el movimiento se estaba acelerando a un ritmo increíble!

El estudio de 2001 identificaba 3.973 iglesias en el movimiento asociado con Sharif y otras 165 iglesias en el segundo. Dada la rápida multiplicación de las nuevas iglesias, no es probablemente una sorpresa el encontrar solamente 2.293 pastores locales para las 3.973 iglesias. De la misma manera, en el otro movimiento había sólo 149 pastores locales para 165 iglesias. Esto significa que el comienzo de nuevas iglesias está desbordando el desarrollo de los líderes, un problema que tendrá que ser solucionado si queremos que el movimiento continúe.

Las iglesias del movimiento de plantación de iglesias jedidi llevan naturalmente con ellas el ADN de las primeras iglesias fundadas por Sharif y Bilal. Sharif trajo con él la influencia de las iglesias cristianas tradicionales a las que había asistido y su propio crecimiento en el ámbito islámico.

La iglesia resultante fue una mezcla de los dos mundos. Se reúnen los viernes por la mañana, día feriado en Jedidistán. Los creyentes llaman a sus iglesias *Isa Jamaats*, que literalmente significa *Grupos de Jesús*, y a sus pastores *imams*, el mismo nombre dado a aquel que se "para al frente" para guiar las oraciones en una mezquita[10]. Los nuevos creyentes se refieren a sí mismos como *isahi*, que literalmente significa "pertenecer a Jesús". La típica iglesia en Jedidistán tiene 30 miembros o tres familias, que generalmente es lo máximo que una casa puede albergar.

---

[10]*Imam* significa literalmente "al frente" y se refiere a la posición del líder de las oraciones.

Los miembros de la iglesia típicamente se sientan en el suelo formando un círculo pero, a diferencia de muchos ambientes musulmanes, las mujeres están incluidas aunque se sientan en el lado opuesto de los hombres. Como en las iglesias tradicionales, el culto de adoración comienza con oración, todos los miembros orando en voz alta al mismo tiempo hasta que el líder pronuncia el *Amén* para finalizar. Luego pasan la caja de los diezmos, que se recogen junto con las ofrendas, y se destinan para ayudar a los pobres y apoyar la plantación de nuevas iglesias. Como en una iglesia tradicional, cantan juntos, pero canciones que han escrito ellos mismos con palabras que reflejan sus propias oraciones, alabanzas y versículos favoritos.

Un componente nativo distintivo en muchas de las Isa Jamaats es recitar poemas que alguno de ellos haya escrito. Estos poemas son generalmente meditaciones sobre historias, personajes o aplicaciones de enseñanzas de la Biblia a la vida de los individuos.

—Yo recuerdo que una vez escuché un poema sobre José, el esposo de María —comenta el coordinador de estrategia—. Yo nunca lo había pensado, pero este hermano escribió todo un poema sobre la perspectiva de José y lo que debió haber sentido cuando descubrió que su prometida estaba esperando un hijo que no era suyo.

Finalmente, alguien comparte un mensaje de la Biblia. En las iglesias jedidi esa persona puede cambiar cada semana; a los *imams*, como a los pastores de las iglesias tradicionales de Jedidistán, les encanta compartir su púlpito.

Cuando se les pregunta: "¿Han regresado al Islam algunos cristianos?", la respuesta es que el grado de apostasía es mucho menor que el que obreros cristianos han encontrado en otros campos de ministerio musulmanes.

Sí	**No**	**No saben**
8%	89%	3%

Los investigadores preguntaron si estos nuevos *isahi* [creyentes] venían de trasfondos musulmanes marginales o activos.

Marginales	Activos
33.6%	66.4%

En un esfuerzo para descubrir cómo habían cambiado los nuevos creyentes sus viejas prácticas islámicas, el equipo investigador simplemente preguntó a aquellos encuestados si los miembros *isahi* de las nuevas *Isa Jamaats* [iglesias] todavía practicaban las viejas creencias islámicas mezcladas con las nuevas creencias cristianas.

Sí, mezclaban	No, no mezclaban
22%	77%

Por supuesto, cualquier tipo de mezcla de prácticas no cristianas con la nueva fe es motivo de preocupación, pero los investigadores señalaron que este nivel de autoconciencia de creencias mezcladas en un nuevo movimiento es en realidad saludable, y señala un compromiso interno para eliminar las creencias y prácticas no cristianas.

Los investigadores también querían saber dónde se reunían esas *Isa Jamaats*. Encontraron que el 87% de las iglesias se reunía en los hogares, seguidos de un 4% que se congregaba debajo de un árbol y un 3% en una escuela. Otro 3% se reunía en edificios propiedad de la misión, seguidos de un 2% en un edificio dedicado para templo.

Reunirse predominantemente en los hogares ayudaba a aislar al movimiento de la persecución externa, y forzaba a los creyentes a prestar atención a la necesidad de salvación de los miembros de sus propias familias.

En una pregunta relacionada, el equipo investigador preguntó si esos *isahi* percibían las reuniones de su iglesia como secretas, abiertas o una mezcla de ambas. Esto es lo que encontraron.

Secretas	Abiertas	Mezcla de ambas
22.3%	79.9%	4.7%

A pesar de la amenaza de persecución asociada con dejar el Islam para seguir a Jesús, la gran mayoría de los *isahi* jedidi se encontraron a ellos mismos profesando y practicando abiertamente su fe en Cristo.

Esta muestra de audacia fue evidente en octubre de 2001. Hubo un énfasis en los editoriales de todos los periódicos más importantes del país relacionado a un imam en el sur que aparentemente había abandonado sus raíces musulmanas. La historia era la siguiente:

El imam local había reunido a una multitud de varios miles para airear su descontento. Al final de su mensaje, el Imam alzó una copia del Corán sobre su cabeza y gritó a la multitud: "¡Este libro no ha hecho nada por nosotros!".

Con esas palabras, tiró el Corán dentro de un canal. Aún más asombroso, muchos otros musulmanes desencantados salieron de la multitud para tirar sus propias copias del Corán dentro del mismo canal.

¿Cómo es que esos hombres y mujeres musulmanes llegan a conocer a Cristo? Muchos factores están en juego: Tener una versión contextualizada (por ejemplo, sensible a los musulmanes) del Nuevo Testamento; reunirse en hogares en lugar de edificios; adoptar nombres musulmanes familiares para la iglesia, pastores y nuevos creyentes; usar el Corán como puente para invitar a los musulmanes a hablar de Jesús y del Nuevo Testamento. Pero el factor más importante ha sido el valeroso testimonio de nuevos convertidos como Sharif y Bilal, quienes permanecieron fieles aún frente a la muerte.

El primer *isahi* en Jedidistán que dio su vida por el evangelio fue un joven llamado Mejanur, que partió para estar con el Señor en agosto de 1997, casi al mismo tiempo en que el movimiento estaba comenzando a surgir.

Después de enterarse que Mejanur y su familia se habían convertido del Islam, una pandilla de militantes musulmanes llegó hasta su casa. Ante las protestas de su joven esposa y de su padre, los militantes se llevaron al joven de 22 años y lo arrastraron hasta la madraza local, donde fue presionado para renunciar a su fe en Jesús. Mejanur se negó a hacerlo.

Estos hombres, llenos de odio, tomaron la mano de Mejanur y le cortaron los dedos, uno por uno, pero en su corazón él se aferró a Jesús. Finalmente, los interrogadores le cortaron la mano a la altura de la muñeca. Quebrantado por el dolor, Mejanur estaba apenas conciente cuando estos frustrados hombres le ataron los brazos detrás de la espalda y lo dejaron sentado en el piso, debajo de un árbol. Con el frío de la noche la sangre salía de su cuerpo lentamente, pero en algún momento, solo en la oscuridad, Mejanur murió.

Quizá ellos no quisieron matarlo. Quizá sólo querían forzarlo a renunciar a Jesús y regresar al Islam. Cualesquiera fueran sus intenciones, Mejanur fue fiel a Cristo aun hasta la muerte.

Pero la historia no termina allí. Mejanur era hijo único y el esposo recién casado de una joven novia. Los cristianos benevolentes que se enteraron de la historia de Mejanur se apiadaron de su familia y juntaron dinero para comprar una pequeña parcela de tierra con algunas gallinas, y proveer así sustento para su viuda y su padre. En los años que siguieron, la vida fue difícil sin la presencia de Mejanur para atender la granja. Entonces un día, dos hombres jóvenes aparecieron en la casa del padre de Mejanur.

—Nosotros venimos para pedirle que nos perdone —le dijeron—. Nosotros somos los que matamos a Mejanur. Y ahora nos entregamos a usted. Seremos como sus hijos y trabajaremos para usted. Porque, ¿sabe?, nosotros también nos hemos convertido en seguidores de Isa.

Los investigadores concluyeron sus estudios del movimiento de plantación de iglesias jedidi con la afirmación de que era, en realidad, un movimiento de buena fe, y que todavía estaba cobrando impulso.

También especularon que ni Sharif ni Bilal sobrevivirían el continuo crecimiento. Al mismo tiempo, predijeron que el martirio de los líderes no declararía el final del movimiento, porque simplemente era demasiado fuerte.

El mismo mes que se publicó el informe, Bilal fue asesinado, y el número de creyentes de trasfondo musulmán escaló a 150.000. Sharif ya ha puesto su destino en las manos del Señor. Como Mejanur y Bilal antes que él, sabe que su sangre quizá algún día también sea requerida, como semilla.

8

América Latina

Cada sábado por la noche, 18.000 jóvenes esperan su turno formando una línea para entrar al estadio y adorar en Bogotá, Colombia. Cada semana otros 500 jóvenes entregan su vida a Cristo y a la oración, el ayuno y la vida de santidad. Durante la semana se reúnen en 8.000 diferentes células para jóvenes.

Entre el pueblo quekchí, en la parte más remota de Guatemala, los cristianos evangélicos han crecido de 20.000 a más de 60.000 creyentes en tres décadas.

Durante la década de 1990, los cristianos de un país latinoamericano derrotaron la continua persecución del gobierno y crecieron de 235 iglesias a más de 4.000, con 40.000 convertidos esperando ser bautizados.

América Latina alberga más misioneros protestantes que ninguna otra región del mundo. Brasil tiene cerca de 4.000 misioneros protestantes que vienen del extranjero. México tiene más de 2.000, mientras que Ecuador y Perú tienen más de 1.000 misioneros cada uno[1].

A pesar de estos 15.000 misioneros protestantes sirviendo a las diferentes culturas de América Latina, la región tiene un número relativamente pequeño de movimientos de plantación de iglesias.

---

[1]Ver Patrick Johnston, *Operation World* (Grand Rapids: Zondervan, 1993), p. 648.

¿Por qué? Las respuestas a esta pregunta encierran grandes lecciones que nos ayudarán a comprender cómo Dios está obrando y quiere usarnos en estos movimientos.

Una marca de las misiones protestantes en Latinoamérica es el flujo de decenas de miles de misioneros voluntarios de corto plazo desde los Estados Unidos. Cada año incontables evangélicos norteamericanos, desbordando buena voluntad, aprovechan la proximidad de esta región para viajar hacia el sur de sus fronteras y compartir el amor de Cristo con sus vecinos latinos.

Durante muchos años estos voluntarios llevaron a millones la luz del evangelio, y dejaron atrás incontables actos de bondad y generosidad, pero su benevolencia tuvo también consecuencias no planeadas.

Encuestas de varios países latinoamericanos revelan que un 90 por ciento de los edificios de las iglesias fueron construidos por voluntarios de los Estados Unidos, y esto dejó a los creyentes del lugar con la idea de que la ayuda norteamericana es esencial para comenzar una nueva iglesia. Los que abogan por un movimiento de plantación de iglesias comentan a menudo que cuando los cristianos del lugar son incentivados a plantar nuevas iglesias, ellos responden: "¿Cómo vamos a iniciar una iglesia sin la ayuda norteamericana?".

Para muchos protestantes latinoamericanos, como su contraparte en los Estados Unidos, la iglesia es sinónimo de edificios. Muchos de los edificios de sus iglesias, aunque modestos para el nivel norteamericano, están más allá de las posibilidades financieras de los cristianos locales, reforzando así la opinión tanto de los voluntarios como de los latinos, que la ayuda financiera de Norteamérica es indispensable.

Entonces, ¿hay movimientos de plantación de iglesias en América Latina? La respuesta es *sí*. Pero cada uno de estos movimientos en América Latina ha ocurrido en un lugar donde las reglas convencionales de las iglesias han sido interrumpidas por la guerra de la droga, un aislamiento extremo, o un régimen militar. Cada una de estas interrupciones *anormales* en la sociedad ha posibilitado que emergieran nuevos paradigmas de iglesia y de liderazgo, paradigmas que pueden conducir de una manera más efectiva a los movimientos de plantación de iglesias.

Vamos a mirar tres ejemplos de estos movimientos en Latinoamérica. El primero viene de uno de los países más violentos de la tierra. El segundo está dentro de las junglas infectadas de malaria de Guatemala. El tercero estalló dentro de uno de los países más restringidos del continente, donde la dependencia del Señor es la única opción disponible.

Pocas personas en el mundo han sido más afectadas por la violencia pandémica que los ciudadanos de Colombia. De acuerdo con los reportes policiales, que reportan más de 25.000 muertes al año, aproximadamente 70 personas mueren cada día en asesinatos. Sumado a los asesinatos, cada día ocho personas son secuestradas, haciendo de Colombia uno de los lugares del mundo más peligrosos para vivir.

La violencia y el malestar social resultante han fracturado todas las estructuras tradicionales de Colombia, incluyendo la religión establecida. Los ciudadanos de la mayor parte del país viven día a día en constante temor de secuestros, asesinatos o conscripción obligatoria en uno de los ejércitos paramilitares que compiten por el control del país. Percibidos como norteamericanos ricos, los misioneros y voluntarios han sido particularmente vulnerables a esta amenaza.

En medio de esta agitación Dios está haciendo algunas cosas realmente increíbles. En el año 2001, una corresponsal de la prensa bautista, Sue Sprenkle, visitó Colombia para ver cómo Dios estaba obrando. Ella se ubicó junto a 2.200.000 de colombianos desplazados que huyeron de la insurgencia rebelde en el campo, tratando de encontrar cierta medida de seguridad en la ciudad.

Sprenkle informó que los esfuerzos locales para construir el edificio de una iglesia estaban llenos de frustración. “Cuando las paredes del nuevo edificio de la iglesia llegaron aproximadamente a un metro de altura, algunos grupos asaltaron la propiedad y destruyeron todo el trabajo. A los miembros se les dijo que no podrían reunirse más. Pero la amenaza no detuvo al grupo. Todavía se reúnen, pero ahora lo hacen en los patios de entrada de las casas, en grupos de 10 a 12 personas"[2].

En este ambiente intimidatorio, Dios está abriendo el camino para comunidades de adoración más flexibles, basadas en las casas. Los evangélicos están viendo ahora una respuesta sin precedentes al mensaje del evangelio, reportando más de 540 decisiones aceptando a Cristo en menos de un mes.

Con el número de misioneros y voluntarios en descenso, los creyentes del lugar tuvieron que asumir roles de liderazgo más fuertes. Un ejemplo de este liderazgo puede verse en la ciudad capital de Bogotá, donde Cesar Castellanos ha fundado la Misión Carismática Internacional[3]. Aunque no es un movimiento de plantación de iglesias (porque es una iglesia en lugar de varias), la Misión Carismática Internacional tiene muchas de las características de los movimientos de plantación de iglesias dentro de la estructura de una sola iglesia.

Usando el modelo creativo de iglesias célula compuestas de grupos de doce, "la iglesia ha crecido de 70 pequeñas células en 1983 a más de 20.000 grupos de células en sólo ocho años"[4].

El método de "Grupos de doce" transformó un ambiente hostil en un campo fértil para sembrar y cosechar nuevos creyentes. El pastor César —como se le conoce— comenzó su ministerio siguiendo el ejemplo de lo que había leído sobre David Yonggi Cho, el pastor de la Iglesia del Evangelio Completo en Seúl, Corea. Más tarde modificó algunas cosas para permitir un crecimiento, multiplicación y asimilación de nuevos creyentes aún más rápido.

Los resultados han sido impresionantes. La iglesia comenzó en 1983 y en 1990 ya había crecido a 8.000 miembros. Luego Castellanos cambió a la estructura de los grupos de doce. Desde 1990

---

[2]Historia inédita escrita por Sue Sprenkle, enviada al autor por Bill Bangham en un correo electrónico titulado: "Colombia Story", marzo 14, 2001.

[3]Castellanos explica el nombre del grupo: la *Misión Carismática Internacional* es una estrategia evangelística para alcanzar a los católicos. En la década de 1980, la mayoría de católicos colombianos (97%) rechazó el nombre "evangélicos" pero se mostró más abierto al término "carismáticos". Reportado en el artículo de Joel Comiskey, *Groups of 12* (Houston: Touch Publications, 1999), p. 21.

[4]Ibíd., p. 13.

Cuba
República Dominicana
Puerto Rico
México
Belice
Honduras
Nicaragua
Haití
Guyana
Suriname
Guayana Francesa
Guatemala
El Salvador
Costa Rica
Venezuela
Panamá
Colombia
Ecuador
Brasil
Perú
Bolivia
Paraguay
Chile
Argentina
Uruguay
AMÉRICA LATINA

a 1999 el movimiento creció de 8.000 a más de 45.000 miembros que se reunían en un estadio cerrado, mientras otros lo hacían en 10 centros de adoración satélites.

Sin embargo, la Misión Carismática Internacional es más que una revolución estructural. En realidad, su liderazgo resiste identificarse con métodos. Los líderes de la iglesia han impregnado en sus miembros un ferviente sentido de la presencia y la guía de Dios. La iglesia se caracteriza por el liderazgo nativo colombiano en cada nivel, una rápida reproducción de células, y los valores fundamentales resultantes de la oración, el ayuno, y la vida de santidad[5].

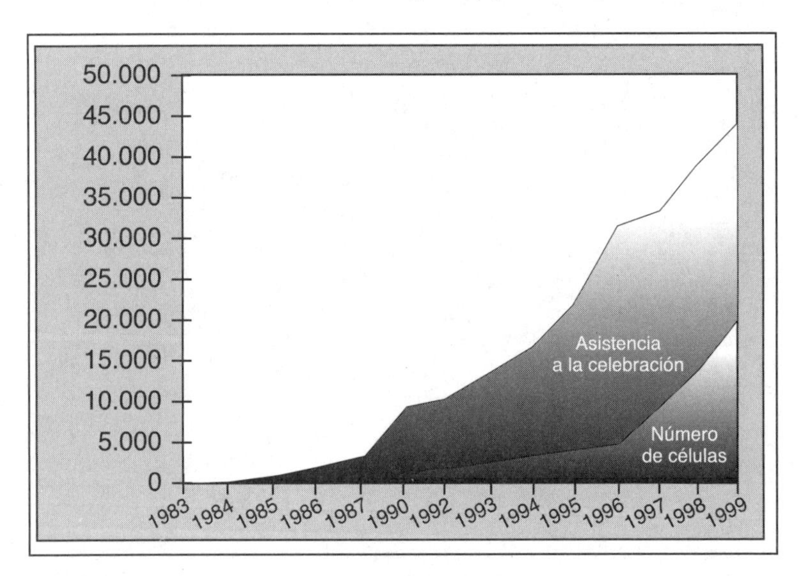

La persecución siguió a este movimiento del pastor César, ya que virtualmente todos los miembros de la iglesia han sido impactados por la violencia de Colombia. Nadie ha sentido esa violencia de manera más personal que el pastor César mismo. En mayo de 1997, una motocicleta se acercó al automóvil del pastor, y su conductor abrió fuego contra él y su familia. Los niños resultaron ilesos, pero Claudia, la esposa del pastor, fue alcanzada por una bala y el pastor Cesar fue herido cinco veces. Milagrosamente, Dios salvó la vida de ambos.

---

[5]Ibíd., pp. 32, 33.

En cuanto al futuro del movimiento en Bogotá, no hay que mirar más allá de las líneas que forman 18.000 jóvenes esperando entrar al estadio para adorar los sábados por la noche. Cada semana otros 500 jóvenes entregan sus vidas a Cristo comprometiéndose a orar, ayunar y vivir en santidad. Durante la semana se reúnen en 8.000 células para jóvenes[6].

Durante las últimas dos décadas, un buen número de otras iglesias en América Latina han aprendido que ellos también pueden definir su concepto de iglesia y eliminar la dependencia de las fuentes del norte, desarrollando sus propias iglesias basadas en las casas. En 1998, Sergio Solórzano y su Misión Cristiana Elim, en El Salvador, tenían 116.000 personas asistiendo regularmente a 5.300 células. Cada domingo por la mañana, la iglesia alquilaba 600 autobuses de la ciudad para transportar a los miembros a los cultos de adoración semanales[7]. Estas megaiglesias célula no son la clase de movimientos autónomos de las iglesias en las casas que hemos visto en otras partes del mundo, pero están claramente relacionadas con ellas y pueden trazar su crecimiento a muchas de las mismas dinámicas internas[8].

En el remoto interior del norte de Guatemala, específicamente en los departamentos de Verapaz y Peten, descendientes de los indios mayas llamados quekchí buscaron refugio durante siglos de dominación de los colonos europeos. Hoy encontramos entre 500.000 y un millón de quekchís viviendo en la tierra tropical que bordea a Belice. En años recientes, decenas de miles de estas personas se han volcado al cristianismo evangélico, mientras algo similar a un movimiento de plantación de iglesias parece estar formándose entre ellos.

Por siglos, el pueblo quekchí había abrazado un sincretismo religioso, mezcla de catolicismo y la religión maya tradicional. Su ubi-

---

[6] *Groups of 12*, p. 38.

[7] Comiskey, *Home Cell Group Explosion* (Houston: Touch Publications, 1999), p. 25.

[8] Discutiremos las diferencias entre las iglesias células y los movimientos de plantación de iglesias en el capítulo 15.

cación tan remota hacía que fuera muy difícil para los misioneros llegar hasta ellos. Menos del 50 por ciento del pueblo quekchí sabe leer en el idioma español, y aún muchos menos en su idioma natal. De todos modos, ya habían sido traducidas porciones de la Biblia al idioma quekchí en 1937; el Nuevo Testamento se completó en 1984 y toda la Biblia fue publicada en 1988[9].

Durante las décadas que fueron de 1960 a 1980, los evangélicos quekchí vieron triplicarse sus números, de 20.000 a más de 60.000. Después de pasar muchos años viviendo y trabajando en Guatemala, el investigador misionero Frank Johnson reflexionó sobre el movimiento quekchí, y citó las seis razones de su rápido crecimiento[10].

1. Un **enfoque en el grupo étnico** quekchí, después de años de trabajo misionero en el idioma nacional español. "Por siglos", escribe Johnson, "cualquier quekchí que viniera a Cristo tenía que hacerlo en español, que era el equivalente a abrazar la cultura dominante de los europeos que habían conquistado al pueblo maya. La comprensión de la necesidad de alcanzar más allá del español y llegar al idioma nativo creció mucho más entre los bautistas, nazarenos y menonitas, especialmente con la traducción de la Biblia al idioma quekchí".

2. La producción de la **Biblia quekchí** y otra literatura cristiana en el idioma nativo. "Por primera vez", explica Johnson, "los quekchí podían leer las palabras: 'porque de tal manera amó Dios al mundo' en su propio lenguaje. Nada valoriza tanto a la gente como tener su propia literatura".

3. Desarrollo del **liderazgo nativo quekchí**. "En lugar de importar a ministros entrenados en seminarios de otras partes de Guatemala", dice Johnson, "levantamos líderes quekchí, creyendo que

---

[9]Barbara Grimes, *Ethnologue, 14 Edition Vol. 1: Languages of the World* (Dallas: Summer Institute of Linguistics), p. 308.

[10]El perfil del pueblo quekchí que muestra Johnson se encuentra en el libro de Snowden, *Toward a Church Planting Movement*, pp. 31-34.

cuando Dios llama a un grupo étnico a formar una iglesia, de ese mismo grupo él llamará también a los líderes necesarios para guiar la iglesia. Una implicación práctica de este concepto es que los líderes reflejen el trasfondo y la preparación de aquellos para quienes trabajan. Por ejemplo, si la mayoría de las personas son campesinos analfabetos, el pastor de la iglesia también puede ser un campesino analfabeto"[11].

4. El relativo **aislamiento físico** de los quekchí. "El aislamiento remoto evita el paternalismo de afuera, y promueve la autosuficiencia", nota Johnson. "El aislamiento relativo del liderazgo bautista quekchí de los líderes de habla hispana puede ser ilustrado notando que los primeros líderes quekchí no asistieron a la asamblea anual nacional hasta 1969, cinco años más tarde que el trabajo bautista había comenzado entre ellos. Los líderes quekchí probablemente no asistieron a otra asamblea nacional hasta 1974"[12].

5. **Autosuficiencia financiera** de la obra quekchí. "El aislamiento del pueblo quekchí los protegió de la generosidad de voluntarios bien intencionados. A diferencia de la mayoría de las iglesias evangélicas de Guatemala, los templos quekchí son edificados por los quekchí, con materiales de construcción nativos. De la misma manera, los pastores no recibieron la afluencia de subsidios financieros que distrajeron a muchos pastores de Guatemala, quienes dejaron de mirar a sus congregaciones para concentrarse en los donantes que vivían al norte de sus fronteras".

6. La propia **iniciativa evangelística y misionera** del pueblo quekchí. Johnson escribe: "Los quekchí tienen un gran espíritu evangelístico. A las congregaciones se les enseña desde el principio que ellos son responsables de comenzar nuevas iglesias. Los creyentes quekchí dicen que una iglesia sin una congregación misionera es una iglesia muerta".

---

[11]Snowden, p. 33.
[12]Ibíd.

El crecimiento del pueblo quekchí ha sido excepcional en un país que ya ha tenido estructuras y relaciones establecidas en sus iglesias. Como observó Johnson, es el aislamiento de los quekchí lo que les ha permitido desarrollar sus propios patrones y direcciones de crecimiento. Sin embargo, no es el único grupo étnico latinoamericano que se está moviendo hacia un movimiento de plantación de iglesias.

Los movimientos de plantación de iglesias más grandes en América Latina se están desarrollando dentro de un país que ha sido cerrado al flujo de influencia extranjera. Por razones de seguridad, no vamos a nombrar a ese país, pero describiremos sus características más significativas tan acertadamente como nos sea posible[13]. Ya que gran parte del movimiento ha ocurrido dentro de círculos bautistas, vamos a limitar nuestra discusión aquí a dos movimientos de esa denominación.

Como muchos países de Latinoamérica, este tiene una población mezclada de descendientes de europeos, hispanos y africanos. El gobierno ha sido un estado socialista de un solo partido por varias décadas. Las personas viven en medio de libertad limitada, aplastante pobreza, pero relativamente altos niveles de alfabetismo y educación.

Históricamente, la población ha sido más del 95 por ciento católica romana, pero en las últimas décadas el gobierno suprimió toda religión. Hoy, la libertad religiosa es todavía una esperanza distante, aunque las condiciones han ido mejorando lentamente.

Los bautistas enviaron sus primeros misioneros a este país hace más de un siglo. Durante 75 años, los misioneros plantaron iglesias, entrenaron líderes y formaron dos uniones bautistas con una membresía combinada de unos 3.000. Después de un golpe militar, todos los misioneros fueron encarcelados o expulsados del país. En los años turbulentos que siguieron al golpe, la mitad de la membresía bautista del país huyó al extranjero.

---

[13]Porciones de este perfil han sido tomadas del librito que el autor escribió en 1999: *Los movimientos de plantación de iglesias*, pp. 11-16.

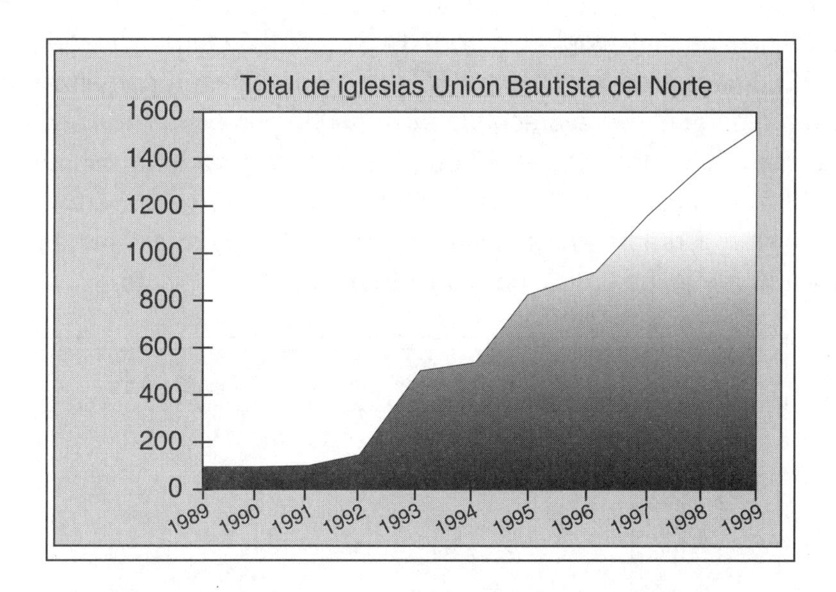

Durante las décadas que siguieron, el gobierno trató de eliminar el cristianismo y su influencia en el país. La persecución, el encarcelamiento y la tortura se extendieron por todas partes. Después del brusco descenso inicial en la membresía de la iglesia, los bautistas comenzaron lentamente a crecer otra vez.

En 1989, la Unión Bautista del Norte tenía aproximadamente 5.800 miembros adorando en 100 iglesias. Ese mismo año comenzaron a experimentar un despertar espiritual que resultó en más oración, evangelismo y plantación de iglesias. La membresía creció en un cinco por ciento en 1989, y casi un siete por ciento al año siguiente.

Al finalizar la década de los años 1990, la membresía de la Unión Bautista del Norte había escalado a más de 14.000 miembros bautizados, adorando en 1.475 iglesias o casas de adoración. De esos 1.475 lugares de reunión, sólo 160 estaban registrados con la convención de iglesias, y casi 1.000 existían como *casas cultos*. Sumado a estos 14.000 miembros de iglesias, hay más de 38.000 asistentes regulares que están esperando ser bautizados.

Un movimiento de plantación de iglesias similar se está desarrollando en la Unión Bautista del Sur. En 1989, tenían 129 iglesias con una membresía de casi 7.000. Para el año 2000, tenían solamente

212 iglesias constituidas, pero más de 2.600 cuando sumaban las 1.620 iglesias en las casas y 858 más que estaban comenzando. Su membresía había crecido a casi 19.000 con bautismos anuales de más de 2.600. Otras 12.000 personas que no eran miembros, estaban enroladas en clases de enseñanza bíblica esperando el bautismo. Durante una década, el número total de iglesias escaló de 129 a más de 2.600, un aumento de 1.900 por ciento.

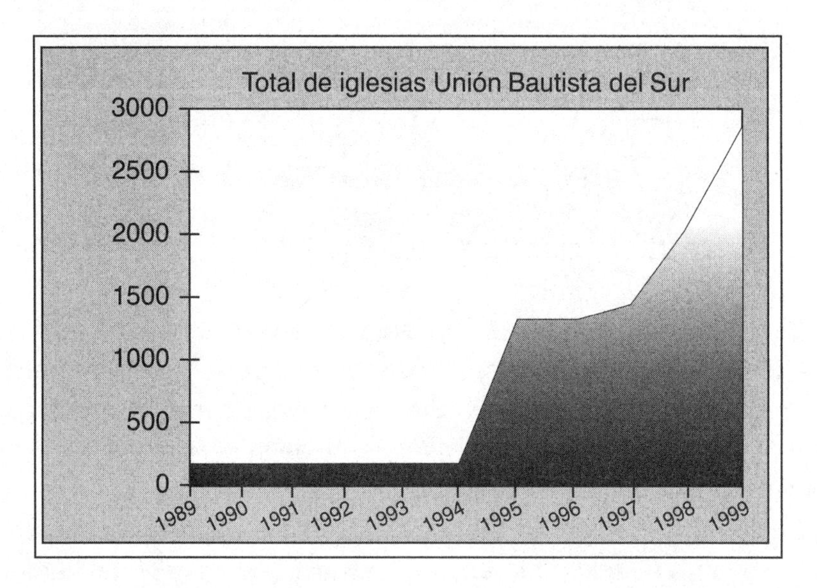

Un número de factores se unieron para traer enorme crecimiento a este país de América Latina. La oración por este pueblo ha ido en aumento desde el golpe militar hace más de cuarenta años. La oración también empapó la vida de los creyentes del lugar, que se describen a sí mismos como "un pueblo de rodillas".

La persecución con la que el gobierno esperaba destruir la iglesia, por el contrario la purificó y la fortaleció. Un líder de la Unión Bautista comentaba: "La prisión fue como un segundo seminario para nosotros".

Un misionero que recientemente visitó el país, dijo: "Todos los líderes de la convención han pasado tiempo en prisión o en los campos de trabajo, por su fe".

Los misioneros extranjeros, aunque se les tiene prohibido vivir en el país, fueron instrumentales en el desarrollo de este movimiento de plantación de iglesias. En primer lugar, al colocar el fundamento firme de la Palabra de Dios y el concepto del sacerdocio de cada creyente, los misioneros aseguraron a las iglesias los medios para sobrevivir la tormenta de persecución que se avecinaba. Luego, durante los años de aislamiento impuesto por el gobierno, los misioneros continuaron saturando la región con programas de radio, compartiendo el evangelio con el pueblo en el lenguaje de su corazón.

A principios de la década de 1990, cuando los misioneros comenzaron a visitar otra vez el país, encontraron que las iglesias necesitaban reafirmación y entrenamiento mientras consideraban adoptar las estructuras poco conocidas de las iglesias en las casas. Si los misioneros lo hubieran criticado o tratado de suprimirlo, el movimiento de plantación de iglesias se hubiera apagado. Los misioneros también trataron de proteger las iglesias de la dependencia exterior. Al mismo tiempo, concentraron sus esfuerzos en nutrir la visión de los líderes emergentes en las iglesias, ofreciendo entrenamiento cuando fuera apropiado, y orando por un avance continuo.

A veces es posible mirar para atrás e identificar barreras que, una vez que se cruzan, tienen como resultado un movimiento casi inevitable. Al mismo tiempo, podemos a veces identificar esas mismas encrucijadas como el punto donde una mala decisión pudo haber descarrilado un movimiento de plantación de iglesias.

Este movimiento latinoamericano de plantación de iglesias cruzó una barrera muy significativa en 1992. El Espíritu de Dios estaba moviendo a las personas de esta región. Las reuniones de las iglesias en sus seis modestos edificios estaban siempre llenas. A menos que se encontraran nuevas facilidades, el crecimiento del movimiento estaba en peligro. Sumado a la falta de lugar en los edificios de las iglesias, el creciente número de creyentes se enfrentaba a escasez de gasolina que dificultaba su habilidad para llegar hasta ellas.

A través de estos dolores de crecimiento, el superintendente de la Unión Bautista hizo repetidas visitas al ministerio del gobierno responsable para autorizar construcciones de nuevos edificios.

—Por favor, señor —le imploró— tienen que dejarnos construir nuevos templos. ¡Ya no tenemos más lugar!

Repetidamente, el pedido le fue negado. Finalmente, un día, muy exasperado el oficial del gobierno le gritó:

—¡Edificios, edificios, edificios... ustedes los bautistas sólo parecen pensar en eso! ¡Por qué no se reúnen en sus casas![14].

La brusca respuesta estimuló el pensamiento del superintendente. Poco después, animó a las personas a comenzar a reunirse en los hogares, y esa barrera fue finalmente superada.

Mover las iglesias a las *casas culto* estimuló varias cosas simultáneamente.

1. Liberó a la iglesia de ser identificada siempre con el edificio.

2. Necesitó más líderes que lo que los seminarios podían proveer, provocando un mayor movimiento de liderazgo entre los laicos.

3. Eliminó el retraso de comenzar nuevas iglesias.

4. Muchos que venían de trasfondo católico o ateo se sentían incómodos entrando al edificio de una iglesia bautista, pero se sentían menos amenazados visitando la casa de un vecino.

5. Permitió que el movimiento creciera rápidamente sin atraer la atención inmediata del público o de la censura del gobierno, que ciertamente estaría presente si un nuevo edificio de iglesia fuera inaugurado.

Los laicos respondieron vigorosamente a las reuniones en sus hogares y vecindarios. La Unión Bautista del Norte comenzó una Escuela de misioneros laicos en la década de 1990 para proveer

[14]De acuerdo a lo que los líderes de la Unión Bautista comentaron a este autor.

entrenamiento al creciente número de hombres y mujeres que comenzaban y dirigían las casas de adoración. En 1998, había 110 graduados y 40 estudiantes más enrolados. La Unión Bautista del Sur no se quedaba atrás. Entre ambas, las dos uniones habían establecido casi 800 hogares misioneros en todo el país. Hoy, los líderes de la Unión reportan que "cientos están expresando un llamado a las misiones".

Este movimiento de plantación de iglesias está en posición de extender su fe más allá de las fronteras nacionales. Muchos de estos creyentes bautistas están encontrando oportunidades de empleo en países restringidos, donde pueden contribuir a la Gran Comisión como aquellos misioneros que cosían carpas.

Nadie puede predecir el futuro de los movimientos de plantación de iglesias en Latinoamérica. Pero cuando los misioneros, voluntarios y evangélicos latinoamericanos aprendan a confiar en el liderazgo nativo, y a depender de Dios más que de los fondos extranjeros, los movimientos de plantación de iglesias vendrán con toda seguridad.

9

Europa

Los participantes del movimiento de plantación de iglesias informan en 1999 que en un solo año se comenzaron 45 nuevas iglesias entre los refugiados de los Países Bajos.

El movimiento evangélico gitano comienza en Francia y España a fines de la década de 1950. En 1964 hay 10.000 gitanos creyentes. En 1979 hay entre 30.000 y 40.000 miembros de iglesias, con 150.000 asistentes a los cultos de adoración.

En 1996, dos evangélicos suizos comienzan una iglesia célula. En sólo cinco años el Compañerismo Cristiano Internacional crece a más de 3.000 miembros, que se reúnen en varios cientos de células funcionando en los hogares.

En ninguna parte del mundo el cristianismo ha recibido tanto apoyo del estado como en Europa. Aún hoy, los gobiernos proveen a los clérigos educación y salarios, las iglesias están exentas de impuestos, y la educación basada en las iglesias está financiada para los niños. Aún con todo este apoyo, las iglesias protestantes de Europa están perdiendo influencia con su feligresía posmodernista.

En lugar de un cristianismo vibrante, encontramos sociedades que se autoproclaman poscristianas y que están buscando nuevos caminos para la espiritualidad. El secularismo, la complacencia y el hedonismo, todos compiten por el compromiso de las masas europeas. Algo en la misma esencia de Europa occidental ha resistido firmemente los avances evangélicos. Los movimientos de plantación de iglesias han encontrado un suelo muy duro a través de Europa occidental.

Antes que uno pueda preguntarse: "¿Dónde están los movimientos de plantación de iglesias en Europa?" sería más apropiado buscar aquellos elementos característicos que van tan comúnmente asociados con los movimientos de plantación de iglesias.

¿Dónde están las iglesias en las casas, las células basadas en los hogares, los líderes laicos? ¿Dónde están las oraciones fervientes, el evangelismo abundante, la sumisión a la Biblia? Sólo después de haber contestado estas preguntas estaremos en condiciones de encontrar los movimientos de plantación de iglesias.

Miembros de iglesias bien intencionados en el pasado buscaron asegurar la cristianización de Europa para las futuras generaciones, entretejiendo a su estructura legal y códigos impositivos el apoyo que sustentaría ese edificio. Las hermosas catedrales y basílicas de Europa son fiel testamento de la estructura de apoyo. Pero hoy esas mismas catedrales están vacías.

Si las estructuras y paradigmas de la iglesia convencional en Europa se erigen en contraste a los movimientos de plantación de iglesias, entonces no debería sorprendernos ver aparecer los movimientos de plantación de iglesias donde la fibra misma de la sociedad tradicional está desgarrada, y los elementos clave que dan forma a los movimientos de plantación de iglesias pueden florecer. Esto es exactamente lo que encontramos. Dios ha decidido revelar su poder fuera de los centros del cristianismo europeo. Por el contrario, ha desatado su obra entre los marginados y desposeídos de Europa: los refugiados y los gitanos.

Los marginados de Europa, como por ejemplo los refugiados de Holanda, no heredaron el legado de la iglesia estatal, o el apoyo del estado a la iglesia, tan inmovilizante como un chaleco de fuerza. Cada año miles de refugiados de países atribulados de África y Asia llegan a Europa buscando seguridad y avance económico. En Holanda, estos refugiados son enviados a campos de procesamiento donde permanecen de uno a varios meses mientras el gobierno revisa su pedido de asilo.

Islandia
Suecia
Océano Atlántico
Finlandia
Noruega
Estonia
Rusia
Mar
del Norte
Letonia
Dinamarca
Mar
Báltico
Lituania
Irlanda
Países
Bajos
Reino Unido
Bielorrusia
Polonia
Bélgica
Alemania
Luxemburgo
Ucrania
República
Checa
Eslovaquia
Moldavia
Francia
Suiza
Austria
Hungría
Eslovenia
Rumania
Croacia
Mar Negro
Bosnia
Serbia
Andorra
Italia
Montenegro
Bulgaria
Portugal
Macedonia
España
Albania
Turquía
Grecia
Mar Mediterráneo
EUROPA
Chipre

Los campos de procesamiento para refugiados proveen un lugar placentero para las traumatizadas familias, antes de permitirles entrar a la sociedad holandesa. A estos lugares los misioneros llevaron el evangelio y un concepto de plantación de iglesias que se adecuara al estilo de vida en transición de los refugiados.

En 1995, los misioneros Larry y Laura Hughes fueron enviados a Eindhoven, Holanda. Después de un año de estudiar el idioma holandés, Larry comenzó su ministerio como pastor de la comunidad internacional de Eindhoven. Los esposos Hughes pronto descubrieron que muchos de sus feligreses eran refugiados recién llegados de todo el mundo. Holanda tiene más de 90.000 refugiados en la región norte solamente, alrededor de Eindhoven.

Pronto los misioneros comenzaron a seguir a los miembros de su iglesia a los campos de refugiados para ministrar a sus amigos y familiares. Allí disfrutaron mucho reuniéndose con recién llegados de lugares tan diferentes como Sierra Leona, Irán, Afganistán, Ruanda, Nigeria e Iraq. Los refugiados se alegraban de recibir a los misioneros, y apreciaban sus oraciones y enseñanza bíblica.

Larry y Laura ansiaban hacer algo más que simplemente ministrar a los refugiados. La analogía de enseñar a una persona a pescar para que se alimente toda su vida parecía describir la situación de estas personas. Si pudieran enseñarles cómo ministrarse entre ellos, quizá este ministerio podría tomar vida propia.

En 1997, los esposos Hughes comenzaron a implementar la visión que tenían de un movimiento de plantación de iglesias. No estaban seguros de que pudiera producirse. Después de todo, estas no eran personas de un solo grupo étnico, sino un mosaico. El único elemento que unía a todos estos grupos era su paso por Holanda. Durante los meses que siguieron, los misioneros trataron intencionalmente de compartir esa visión proveyendo el entrenamiento necesario para que comenzara un movimiento de plantación de iglesias.

Los refugiados fueron increíblemente receptivos a la idea de comenzar sus propias iglesias. A fines de 1997, los esposos Hughes se estaban reuniendo con diez células diferentes cada semana[1]. Al

[1]Mike Creswell, "The Netherlands: Providing An Anchor" en *The Commission* (Noviembre 1997), p. 22.

año siguiente, los grupos comenzaron a formarse en iglesias lideradas por laicos.

En 1999, un correo electrónico de Larry comentaba: "El año pasado (1998), mi esposa y yo comenzamos 15 nuevos grupos de iglesias. Cuando tuvimos que viajar por seis meses en julio, nos preguntamos qué encontraríamos al regresar. ¡Fue increíble! Ahora solamente podemos verificar 30 iglesias, pero creemos que hay por lo menos dos o tres veces esa cantidad"[2].

Cuando le preguntaron cómo esas iglesias se habían multiplicado tan rápidamente, Larry explicó:

> Todas nuestras iglesias en las casas tienen pastores/líderes laicos porque el trabajo es tan rápido que un misionero apenas puede dirigir dos o tres estudios bíblicos antes de que Dios levante por lo menos un líder. El nuevo líder no sólo debe ser salvo sino también llamado a liderar al mismo tiempo, así que lo bautizamos y le entregamos una Biblia. Después de que los nuevos creyentes/líderes son bautizados, están llenos de tanto fuego que simplemente no pueden ocultarlo. Entonces van por todo el país comenzando estudios bíblicos y unas semanas más tarde comenzamos a recibir noticias de cuántos han comenzado. ¡Es la locura más grande que hemos visto en la vida! Nosotros no la comenzamos, y no podríamos detenerla aunque quisiéramos"[3].

A través de los años, los misioneros evangélicos que ministraban en Holanda la catalogaban como uno de los países del mundo menos receptivos al evangelio. Pero en medio de esta tierra seca, sin embargo, Dios ha producido un fértil jardín entre los refugiados.

En julio de 2000, pude visitar personalmente el ministerio a los refugiados. En esos días, Larry y su esposa habían regresado a los Estados Unidos para cuidar de sus padres gravemente enfermos. Los misioneros que vinieron después de ellos para trabajar en ese ministerio eran simplemente maravillosos, santos llenos del Espíritu que amaban a los refugiados y compartían el evangelio con ellos

---

[2]Citado en el librito que el autor escribió en 1999, *Los movimientos de plantación de iglesias*, p. 4.

[3]Ibíd., pp. 4, 5.

fielmente. Uno de ellos nos dijo que personalmente había bautizado a más de 90 refugiados en un solo año. No cabía duda de que estos misioneros tenían la visión del ministerio, el evangelismo y el discipulado, pero la comprensión del movimiento de plantación de iglesias estaba ausente.

Uno puede dar gracias a Dios por el testimonio, el amor y el ministerio de los misioneros que llegaron después de los esposos Hughes, pero también tiene que lamentar el ocaso del movimiento de plantación de iglesias. La naturaleza transitoria de los refugiados significaba que sólo iban a estar en los centros por un tiempo muy corto, y luego serían enviados a distintas comunidades a lo ancho y largo de Holanda. Con ninguno que pudiera transferir la visión del movimiento de plantación de iglesias a los nuevos refugiados que iban llegando, el movimiento pronto desapareció.

El equipo que llegó después de los esposos Hughes sentía una gran pasión por el evangelismo y el ministerio, pero comprendía muy poco lo que era necesario para un movimiento de plantación de iglesias. En consecuencia, pasó de ser un movimiento de plantación de iglesias, a un ministerio evangelístico para refugiados.

Hace algunos años, un misionero bautista que trabajaba en España me hizo un comentario intrigante:

—En España —dijo— no podemos llamarnos evangélicos, porque las personas van a pensar que somos gitanos.

Imaginen un grupo de personas tan impregnadas del evangelio que su solo nombre se ha convertido en sinónimo de evangélicos. Investigando a los evangélicos gitanos me sorprendí al ver qué cercanos están a los patrones de los movimientos de plantación de iglesias que han surgido alrededor del mundo.

Debido a su estatus marginal en la sociedad europea, no siempre es fácil encontrar reportes publicados sobre lo que Dios está haciendo entre los gitanos de Europa. Ocasionalmente, sin embargo, la magnitud del movimiento gitano llama la atención de los medios de comunicación seculares. En 1983, un artículo de John Darnton que se publicó en el *New York Times* describía un movimiento de un cuarto de millón de personas, con un grupo sólido de 60.000 que habían sido bautizadas[4].

Diez años más tarde, el profesor francés Jean-Pierre Liégois notaba: "Durante los últimos años ha habido un crecimiento muy rápido en el movimiento pentecostal gitano a través de la iglesia evangélica gitana; desde sus comienzos en Francia en la década de 1950, se ha extendido a través de Europa y más allá"[5].

En 1993, el movimiento estaba penetrando la población gitana de Inglaterra, donde llamó la atención de Andrew Hobbs, corresponsal de *The Observer*. Hobbs reportó que en Inglaterra 5.000 de una comunidad estimada en 60.000 gitanos en Gran Bretaña eran cristianos comprometidos[6]. Otro periodista británico, Justin Webster, trazó las raíces del movimiento a España, donde la *Asociación española de presencia gitana* anunciaba que un 30 por ciento de gitanos en España estaban asociados con el movimiento[7]. En 1999, *Christianity Today* tomó nota de este movimiento, identificando 600 iglesias evangélicas gitanas solamente en España[8]. En su asamblea anual que se llevó a cabo en una desierta base militar de la OTAN en Chambley, Francia, entre 25.000 y 30.000 gitanos cristianos se reunieron en agosto de 2000[9].

Claramente algo estaba pasando entre los pueblos gitanos de Europa occidental, ¿pero era un movimiento de plantación de iglesias? Las respuestas estaban ocultas en las fuentes españolas, y en la comunidad cerrada de los gitanos, en ambos casos muy difíciles de penetrar por alguien de afuera.

---

[4]John Darnton, "Europe's Gypsies Hear the Call of the Evangelicals" en *The New York Times* (Agosto 25, 1983), edición final de la ciudad, sección A, p. 2.

[5]Jean-Pierre Liégeois, *Roma, Gypsies, Travellers*, trad. por Sinéad ní Shuinéar (Strasbourg: Council of Europe, 1994), pp. 91, 92. Publicado originalmente en francés como *Roma, Tsiganes, Voyageurs*, en 1992.

[6]Andrew Hobbs, "Gypsies take to highway to heaven" en *The Observer* (Agosto 1, 1993), p. 20.

[7]Justin Webster, "Gypsies for Jesus" reportado en la página 30 de una sección de *The Independent* (London), febrero 11, 1995.

[8]Wendy Murray Zoba, "The Gipsy Reformation", en *Christianity Today* (Febrero 8, 1999), pp. 50-54.

[9]Reportado como "Around 25.000 Gypsies Gather in France" por la *Agencia France Presse*, agosto 24, 2000.

La ayuda llegó de parte de una fuente inesperada, cuando una bibliotecaria entregó un trabajo de investigación sobre el movimiento gitano. En 1989, Stephanie Crider, estudiante graduada de la Universidad de Samford y también hija de misioneros bautistas en España, escribió su tesis honorífica sobre "El movimiento evangélico entre los gitanos de España". Fluida en el idioma español, Crider había conocido muchos gitanos personalmente, y adorado con ellos en la iglesia de su padre en Granada, España. En su tesis, Crider tradujo muchas de las fuentes que revelaban la historia del movimiento gitano de plantación de iglesias.

Crider escribe:

> El avivamiento gitano puede remontarse al año 1950 en Normandía, Francia, en la pequeña ciudad de Liseuz. Un día, en el mercado, una gitana llamada Duvil-Reinhart recibió un tratado de uno de los cristianos de la iglesia de las Asambleas de Dios. Lo puso en su bolso y se olvidó de él hasta varios meses más tarde, cuando uno de sus hijos se enfermó gravemente. Entonces recordó el tratado y al cristiano que le había hablado de los milagros de sanidad. La señora Duvil fue a la iglesia de las Asambleas de Dios y pidió que el pastor orara por su hijo, porque estaba por morir. Él fue con ella al hospital y puso sus manos sobre el joven, quien fue completamente sanado. Este milagro causó que toda la familia se rindiera a Cristo. Luego compartieron su experiencia de conversión con el resto de los miembros de su familia extendida, y el gran avivamiento continuo que presenciamos todavía hoy, comenzó allí"[10].

Le Cossec (el pastor de la iglesia de las Asambleas de Dios que oró por el hijo de la señora Duvil) prosigue con la historia en sus propias palabras: "Un día una familia de gitanos vino a mi iglesia. Ellos estaban buscando algo. Yo los invité a una reunión de oración y aceptaron. Allí recibieron el Espíritu Santo. El próximo domingo bauticé a 30 en el mar. Al año siguiente, 3.000"[11]. Crider continúa:

---

[10]Stephanie P. Crider, "The Evangelical Movement Among Spanish Gypsies", una tesis honorífica presentada a la facultad del Departamento de Historia y al Consejo Honorífico como cumplimiento parcial de los Requisitos del Programa de Honor de la Universidad de Samford, p. 34.

[11]Darnton, *The New York Times*, p. 2.

Al principio las conversiones fueron entre la tribu manouche. Los primeros gitanos españoles se convirtieron en 1960 mientras trabajaban en Bordeaux, Francia. En 1962 el movimiento se extendió a la tribu roma, que está desparramada por toda Italia. En 1965, siete de los gitanos españoles convertidos regresaron como misioneros a España. Los gitanos testificaban siempre en primer lugar a su familia, por la gran importancia que ellos dan a la vida familiar[12].

Crider escribe: "El evangelio se extendió entre los gitanos con gran rapidez. En 1958, ya había tres mil bautizados y en 1964, diez mil"[13].

En 1979 había entre 30.000 y 40.000 miembros con 150.000 asistiendo a los grupos de adoración. Ese mismo año, Francia contó 19.000 creyentes gitanos y 230 pastores, mientras que España tenía unos 10.000 miembros y 400 pastores[14].

En 1981, la iglesia evangélica gitana estaba trabajando entre los gitanos de Francia, Bélgica, Suiza, Canadá, España, Italia, Alemania, Estados Unidos, Finlandia, Grecia, India, Inglaterra, Portugal, Argentina y Rumania[15].

Todas las fuentes confirman el rol de Clemente Le Cossec, el pastor de las Asambleas de Dios. En 1983 Le Cossec estimaba que 50.000 de los 100.000 a 150.000 gitanos en Francia pertenecían a este movimiento. Ese mismo año, 12.000 y 15.000 creyentes gitanos bajo el liderazgo de Le Cossec se reunieron para una convención internacional en el sur de Francia. Entre las varias tribus gitanas estaban los manouche de Francia y Alemania, los roma de Italia, los gitanos de España y los yediche de Alemania. Al finalizar la década de 1980, el pastor Le Cossec calculaba que 250.000 habían sido atraídos al movimiento, y 60.000 habían sido bautizados[16].

---

[12]Crider, p. 38. Crider saca información, en parte, del trabajo presentado en idioma español por Lisardo Cano, *Un Pentecostés en el Siglo XX* (Sabadell: Imp. Serracanta, 1981) pp. 7, 8.

[13]Ibíd., p. 37.

[14]Ibíd., p. 69 citando a Lisardo Cano, p. 185.

[15]Ibíd.

[16]John Darnton, "Europe's Gypsies Hear the Call of the Evangelicals" en *The New York Times* (agosto 25, 1983) edición final de la ciudad, sección A, p. 2.

Los primeros siete misioneros gitanos que fueron a España en 1965 fueron más tarde considerados como los apóstoles de los gitanos españoles. Ellos se extendieron por todo el país, y pasaron grandes sufrimientos para poder plantar iglesias entre su pueblo. La persecución no era algo nuevo para los gitanos, pero para los nuevos evangélicos gitanos esta vez vino desde adentro, desde su mismo pueblo.

Los oponentes al movimiento se mofaban de los convertidos y los llamaban "aleluyas", una referencia al uso frecuente que ellos hacían de este término durante la adoración y en las conversaciones diarias. Los predicadores gitanos laicos eran ridiculizados con el nombre de "sacerdotes". Aunque intentaban ser insultos, estos títulos eran designaciones apropiadas para personas que son "olor fragante de alabanza a Dios" y una "nación de sacerdotes".

Señales y maravillas acompañaban la propagación de la fe. Personas transformadas incluyendo la sanidad física eran algo común entre los creyentes gitanos. Los cristianos gitanos también trajeron con ellos la práctica pentecostal de hablar en lenguas y recibir mensajes proféticos de parte de Dios. Crider comentaba: "Un culto gitano es 90% alabanza. Incluye mucha música intercalada con oración. La música en la iglesia ha sido adaptada a su propia música gitana. Normalmente acompañada por guitarra y palmas, los coros tienen un sonido distintivo de 'flamenco' en ellos".

Los gitanos en España son famosos por sus bailes flamencos. Después de la conversión, sin embargo, la lírica de sus canciones fue transformada como lo demuestra este ejemplo:

> Antes, los gitanos llevaban cuchillos,
> Ahora llevan la Biblia, la Palabra verdadera.
> Yo no quiero pecar más.
> Cristo ha quitado mis ataduras.
> Ahora le canto con gozo;
> Quiero seguir su camino[17].

---

[17]Escrito por un ex misionero de Operación Movilización, Hans van Bemmeten, en un trabajo inédito presentado como requisito de clase ante el profesor Gabino Fernández en IBSTE, marzo 14, 1978, p. 1. citado en Crider, pp. 58, 59.

En cuanto al rol de la Biblia en la adoración gitana, Crider menciona que "los mensajes bíblicos son intercalados entre las alabanzas, pero generalmente son cortos y sencillos, por el hecho de que muchas personas en la congregación, a veces aún el predicador, no saben leer. Por lo tanto, los mensajes deben ser algo fácil de comprender y asimilar. Las parábolas son métodos favoritos para enseñar la Palabra de Dios"[18].

La oración está en el corazón de este movimiento. Sumado a las oraciones de sanidad y las de profecía, los creyentes a menudo realizan vigilias de oración de toda la noche durante el fin de semana. La oración también ha sido el corazón del entrenamiento de liderazgo. Los pastores gitanos describen su preparación para el ministerio como "bajando del monte", una referencia quizá a Moisés que subió a la cima de la montaña donde habló con Dios[19].

Las iglesias se reúnen donde pueden, generalmente comenzando en los hogares antes de mudarse a edificios alquilados cuando crecen desbordando el tamaño de las casas. Sumado a las reuniones en los hogares en diferentes lugares, las iglesias gitanas "a menudo cambian su lugar de adoración". Existen varias razones para esta movilidad, no todas entrelazadas al estilo de vida nómade de los gitanos. Los edificios alquilados les permiten crecer sin preocuparse por las limitaciones que ofrece el tamaño del edificio, y también abandonar un vecindario cuando las personas del lugar se quejan por el ruido de las canciones y los gritos de alabanza[20].

Sólo algunos de los pastores gitanos de grandes congregaciones recibían un salario de su congregación, pero la mayoría de ellos eran bivocacionales. Ellos continuaban trabajando secularmente a menudo en lugares comunes a los gitanos, como la venta en los mercados o el trabajo de construcción. La razón de esto, de acuerdo a un artículo de *The Ecumenical Review*, era "simplemente por

---

[18]Crider, p. 59 citando a Juan Quero, un pastor bautista español.
[19]Ibíd., p. 61 citando a Juan Quero.
[20]Ibíd., p. 60.

razones financieras; es necesario cumplir con las obligaciones y sostener a la familia"[21].

El artículo continuaba señalando un interesante consecuencia secundaria del pastorado bivocacional: que "las congregaciones dedican sus ofrendas para tener convenciones y hacer el trabajo misionero, en lugar de mantener un pastorado pago".

Crider identificaba una razón más importante para el crecimiento de la iglesia gitana: el énfasis en formar predicadores. Ella escribe: "Como muchos de los predicadores eran y todavía son analfabetos, los pastores gitanos no reciben el entrenamiento tradicional que se espera de otras denominaciones evangélicas. Ellos son principalmente predicadores laicos... No hay seminario. Se entrenan unos a otros"[22].

El entrenamiento seguía un modelo de mentoría. Aquellos que querían entrar al ministerio se presentaban ante el pastor, quien se reunía con ellos dos o tres días por semana. Una vez que el pastor sentía que estaban listos, comenzaba a darles la oportunidad de dirigir la música y predicar en su iglesia. Después de probar a sí mismos que eran fieles en su liderazgo por dos años, los candidatos al ministerio eran presentados a la convención nacional como los nuevos predicadores o pastores[23].

¿Por qué este movimiento surgió entre los gitanos en lugar de cualquier otro grupo europeo? Los gitanos tienen una larga historia de persecución en casi cada país de Europa. Su estatus al margen de la sociedad respetable puede ser uno de los factores contribuyentes a la apertura que demostraron hacia la fe evangélica.

En contraste con los sectores más "respetables" de la sociedad europea, los gitanos estaban menos formados en los patrones guiados por el clero del cristianismo europeo convencional. Los evangélicos gitanos permitieron una participación congregacional mucho mayor en la adoración. Las palabras de inspiración espontánea de

---

[21]Ibíd., pp. 61, 62 citando "The Gypsy Evangelical Church" en *The Ecumenical Review*, 31 (3), 1979, p. 292.

[22]Ibíd., p. 60.

[23]Ibíd., p. 61.

los miembros laicos de la iglesia eran tomadas seriamente. Aunque los gitanos se reunían en modestos edificios de iglesias alquilados o construidos por ellos, también se sentían cómodos llevando su fe por los caminos en caravanas de automóviles o casas rodantes.

En la década de 1980, muchos misioneros sirviendo en España todavía estaban pastoreando iglesias en lugar de trabajar con y a través de pastores españoles locales. Estos misioneros también estaban concentrándose en los españoles en general, en lugar de identificar grupos étnicos individuales como los gitanos. Como observó Crider: “Hay otras iglesias y denominaciones que trabajan con los gitanos en España además de la ‘Iglesia Filadelfia’ (Movimiento Evangélico Gitano)’. Ellas, sin embargo, son denominaciones payo (no gitanas) que ministran *a* los gitanos, en lugar de ser principalmente un movimiento gitano”[24].

Como notaba Crider, muchas de las iglesias evangélicas españolas tienen miembros gitanos, pero ninguna de ellas busca formar un movimiento de plantación de iglesias con base gitana. Algunos aún se lamentan que cuando los payos (no gitanos) visitan la iglesia y ven a los gitanos, dan media vuelta y se retiran[25]. En consecuencia, en lugar de ver a los gitanos como campos de cosecha, algunas veces los ven como obstáculos para alcanzar a la gran población española.

En el endurecido suelo de Europa occidental, uno puede encontrar todavía algunas señales de esperanza para los movimientos de plantación de iglesias. Después de años de declinación en Suiza, los evangélicos están comenzando a sembrar las semillas de nuevas estrategias. En 1996 dos jóvenes evangélicos suizos comenzaron una iglesia célula concentrándose en jóvenes de 18-24 años. Durante los siguientes cinco años, el *Compañerismo Cristiano Internacional de Zurich* creció a más de 3.000 miembros, los que se reúnen en varios cientos de células.

---

[24]Ibíd., p. 64.
[25]Ibíd., p. 65.

En Inglaterra encontramos otro signo de esperanza en el *Programa Alfa*, evangelismo basado en los hogares. El Programa Alfa es una introducción a las verdades centrales de la fe cristiana edificada alrededor de un medio que se presta al cuestionamiento. Con una duración de 15 semanas, el curso se concentra en no creyentes, reuniéndose a menudo en los hogares en lugar del edificio de una iglesia, e incluye típicamente una comida compartida, una bienvenida a todas las preguntas escépticas, y tiene como resultado un sorprendente número de conversiones. Un participante de Alfa compartió por qué, desde su punto de vista, los Grupos Alfa han sido herramientas de evangelismo tan efectivas.

En primer lugar, incorpora al no creyente a grupos pequeños que se reúnen en las casas de los creyentes. En segundo lugar, anima literalmente a formular preguntas difíciles que tienen los no creyentes, sin sentir la necesidad de contestar cada una de ellas. Esto es muy importante. Los cristianos piensan que tienen que tener una respuesta para cada cosa. Los no creyentes quieren saber si tienen la libertad de preguntar; preguntar es más importante para ellos que recibir una respuesta a medias. En tercer lugar, cuando terminan las 15 semanas es el pequeño grupo en sí mismo el que convierte al no creyente. Una comunidad que investiga siempre resulta atractiva[26].

Los Grupos Alfa comenzaron en la década de 1980, cuando un clérigo anglicano, Charles Marnham, usó ese programa no amenazante para introducir a los nuevos creyentes a la fe cristiana. En 1990, Nicky Gumbel tomó el programa y comenzó a buscar maneras de compartir los métodos con un mundo cristiano más grande. En 1999 más de 1.500.000 de personas estaban enrolados en los Grupos Alfa en más de 17.000 iglesias alrededor del mundo[27]. Para el año 2001, más de 65.000 líderes de iglesias habían recibido el entrenamiento Alfa, capacitándolos para usar ese programa en sus

---

[26]De una conversación entre el autor y un representante de los *Grupos Alfa* en su quiosco de exposición en *Ámsterdam 2000*, una reunión celebrada en esa ciudad de Holanda, en julio de 2000.

[27]La red oficial de los *Grupos Alfa* para el Reino Unido es www.alpha.org.uk. En los Estados Unidos puede encontrarse más información relacionada en www.alphana.org.

propias iglesias. El programa Alfa se extendió más allá de la comunidad de la iglesia, a universidades, hogares y aun cárceles.

Los Grupos Alfa han demostrado ser la herramienta de evangelismo más efectiva para Europa occidental en muchos años. Algunos de los componentes de esta efectividad tienen reminiscencias de los movimientos de plantación de iglesias. Sin embargo, quienes utilizan principalmente el programa Alfa siguen siendo las iglesias convencionales.

Todavía queda por verse si este programa será capaz de separarse de la iglesia convencional y producir verdaderos movimientos de plantación de iglesias. Lo que está claro es que muchos de los esfuerzos europeos para apoyar el cristianismo oficial han tenido en realidad un efecto opuesto, dejando la periferia de Europa como el campo más fértil para los movimientos de plantación de iglesias.

10

Norteamérica

En 17 años, una iglesia bautista de Carolina del Norte se convierte en la madre, la abuela y la bisabuela de 42 iglesias, de las que han salido 127 pastores.

En un período de 20 años, Dove Christian Fellowship crece de tres iglesias células con 25 miembros, a una red de más de 80 células en cinco continentes con más de 20.000 miembros.

Durante el año 2001, Church Multiplication Associates vio cómo se abría una nueva iglesia cada semana.

Cada semana, la Iglesia Comunitaria de Saddleback Valley y la Iglesia Comunitaria Willow Creek pastorean a unos 40.000 miembros a través de una red de 4.000 células en los hogares.

En sus siete volúmenes de la historia del cristianismo, Kenneth Scott Latourette identificó al siglo XIX como una era de avance sin precedente para el cuerpo de Cristo[1]. De todos los grandes avances que el cristianismo realizó en este período, ninguno fue más significativo que el discipulado y la congregacionalización de Norteamérica.

El avance pionero a lo largo de la vasta extensión norteamericana fue mano a mano con su evangelización y la plantación de nuevas iglesias en las fronteras. A fines del siglo XIX, virtualmente

[1]Kenneth Scott Latourette, *A History of the Expansion of Christianity* (New York: Harper), 1937-1945.

cada ciudad de Norteamérica tenía por lo menos alguna pequeña comunidad protestante luchando para lograr la visión de una nación bajo la protección de Dios.

¿Cómo fue que este movimiento pionero pudo extender el evangelio con tanta determinación, desde la costa del Atlántico hasta la del Pacífico? Las denominaciones del siglo 21 miran a sus antepasados para tratar de comprender la clase de celo que doblegó a un continente indomable. Imágenes de predicadores itinerantes, reuniones evangelísticas bajo los árboles y el Gran Despertamiento impulsaron el movimiento a través del territorio, ¿pero qué clase de iglesias fueron capaces de mantener el ritmo de esta rápida expansión?

Uno de los arquetipos de iglesia de frontera que se multiplicó a través de Norteamérica durante los siglos XVIII y XIX fue la Iglesia Bautista Sandy Creek, fundada en el ambiente rural de Carolina del Norte en 1755. El historiador Robert Baker describe la iglesia de Sandy Creek como

> La madre de todos los bautistas separatistas... que en 17 años había extendido sus brazos hacia el oeste, llegando hasta el gran río Mississippi; hacia el sur hasta Georgia; hacia el este hasta el mar y la bahía de Chesapeake, y hacia el norte hasta las aguas del Potomac. En 17 años, se convirtió en la madre, la abuela, y la bisabuela de 42 iglesias, de las que salieron 125 pastores[2].

Baker continúa:

> A los tres años del establecimiento de los separatistas en Sandy Creek había tres iglesias plenamente constituidas con una membresía combinada de más de 900 personas. Vigorosos ramales se extendieron a la región de Little River en el condado de Montgomery, y a Grassy Creek en el condado de Granville. Otros se localizaron bien al este, en Southwest, condado de Lenoir, Black River en Duplin,

---

[2]Robert A. Baker, *The Southern Baptist Convention and Its People* (Nashville: Broadman Press, 1974), p. 50, citando *Materials Toward a History of American Baptists*, de Morgan Edwards. De los doce volúmenes de trabajo proyectados, sólo cuatro han sido publicados (Filadelfia 1770-1792).

New River en Onslow, y hasta llegar a Lockwood's Folly, en Brunswick. La predicación se llevaba a cabo desde las colonias moravas hasta Cape Fear y más al norte, hasta Virginia[3].

La expansión de Sandy Creek no fue un accidente. El historiador William Lumpkin "juzgó que una definitiva estrategia misionera fue planeada por el liderazgo: Shubal Stearns trabajaba principalmente al este de Carolina del Norte y al oeste de Sandy Creek; Daniel Marshall recorría el norte; Philip Mulkey predicaba principalmente en el este y el sudeste"[4].

En 1881, William Cathcart escribió: "Hoy hay probablemente miles de iglesias que surgieron de los esfuerzos de Shubal Stearns y las iglesias de Sandy Creek"[5]. ¿Cuál fue el ADN que produjo este movimiento de fronteras tan explosivo?

Morgan Edwards, otro de los primeros cronistas del movimiento de plantación de iglesias de Sandy Creek, notó el fuerte énfasis en la autonomía de cada congregación local y la convicción de que Dios había impartido autoridad a cada iglesia independiente. "Si el poder es entregado por Cristo a una iglesia en particular", escribía, "ellos no pueden transferirlo; y si formalmente quisieran hacerlo, no lo lograrían"[6].

Dos siglos más tarde, los bautistas están todavía asombrados del impulso dinámico que surgió de la tradición de Sandy Creek. El historiador Elliott Smith sugiere varios ingredientes esenciales:

- **Entusiasmo:** "La predicación emocional y llena de celo de los separatistas, el uso de ministros sin mucha educación, las reuniones ruidosas, y aún el extenso ministerio de las mujeres en los cultos alejaban a los bautistas más formales"[7].

---

[3]Baker, p. 50, citando *Baptist Foundations in the South*, de William L. Lumpkin (Nashville: Broadman Press, 1961), p. 38.

[4]Baker, p. 51, citando a Lumpkin.

[5]Elliott Smith, *The Advance of Baptist Associations Across America* (Nashville: Broadman Press, 1979), p. 34, citando *The Baptist Encyclopedia* de William Cathcart (Philadelphia: Louis H. Everts, 1881), tomo 2, p. 917.

[6]Baker, p. 51 citando a Morgan Edwards.

[7]Elliott Smith citando a Baker en *The Southern Baptist Convention*, p. 32.

- **Persistencia frente a la persecución:** "Cuanto más vigorosamente eran atacados, más vigorosamente predicaban y más rápido se multiplicaban... La respuesta bautista a la opresión era el crecimiento rápido. Garnett Ryland escribió que iglesias bautistas se formaban en cada condado de Virginia donde había bautistas encarcelados"[8].

- **Evangelismo:** Citando a Reuben E. Alley: "Aquellos que se comprometían bajo esta experiencia muy pronto recibían evidencia del agrado de Dios buscando la salvación de los hombres. El compromiso verdadero requería que una persona fuera un evangelista para Cristo"[9].

Bajo el título de "ardor", el historiador bautista Walter Shurden notó que los bautistas de Sandy Creek "eran personas poseídas por un ardor ferviente. Y que ese ardor se expresaba a sí mismo en el individualismo, el congregacionalismo, el biblicismo y el igualitarismo. Ellos mostraron una devoción por la libertad que no tiene paralelos en la historia bautista"[10].

Pasión, evangelismo, biblicismo, autonomía de la iglesia local, líderes laicos poco educados, misioneros con celo, multiplicación rápida de convertidos y nuevas iglesias, avance audaz en medio de la persecución: todas estas eran características de la tradición de Sandy Creek.

Observada a través de los lentes de los movimientos de plantación de iglesias modernos, es fácil agregar la tradición de Sandy Creek a la lista. De acuerdo al estándar de hoy, Sandy Creek parece excepcional, pero era solamente una entre un sinnúmero de iglesias de frontera que ganaron el continente norteamericano

---

[8]Elliott Smith, pp. 36, 37, citando *The Baptists of Virginia, 1699-1926* de Garnett Ryland (Richmond: The Virginia Baptist Board of Missions and Education, 1955), pp. 85, 86.

[9]Elliott Smith, p. 38 citando *A History of Baptists in Virginia* de Reuben E. Alley (Richmond: Virginia Baptist General Board, 1974), p. 36.

[10]Walter Shurden, "The Southern Baptist Synthesis: Is it Cracking?" en *A Baptist History and Heritage*, tomo XVI, núm. 2, abril 1981, p. 4.

durante los siglos XVIII y XIX. Aquellas que carecían del explosivo ADN dc Sandy Creek simplemente no florecían ni sobrevivían.

Si este fue el legado del protestantismo norteamericano del siglo XIX, ¿dónde está hoy esa tradición?

Al comenzar el tercer milenio, el cristianismo norteamericano es todavía vibrante. Alrededor de un 68 por ciento de los 275 millones de ciudadanos de Estados Unidos son miembros de algún tipo de iglesia[11]. Aún el estudio anual del Concilio Nacional de Iglesias, que sólo incluye aquellas denominaciones que deciden informar, identifica más de 151 millones de miembros adorando en casi 321.000 congregaciones a los largo de Estados Unidos. Los que se congregan reportan diezmos y ofrendas de casi 2.700 millones de dólares[12].

En el siglo XXI, las megaiglesias están caracterizando más y más el panorama evangélico. Las Primeras Iglesias Bautistas de Atlanta, Houston y Dallas, todas informan una membresía de más de 20.000, de la misma manera que la Iglesia Bautista Prestonwood, la Segunda Iglesia Bautista de Houston, la Iglesia Bautista Bellevue en Cordova, Tennessee, y la Iglesia Bautista Thomas Road, que pastorea Jerry Falwell, en Lynchburg, Virginia. Pero no todo es sano en estas enormes megaiglesias, que típicamente pueden contar con sólo un tercio de sus miembros cada domingo. Para muchos, la membresía en una iglesia se ha convertido en un deporte de espectadores, en lugar de una parte vital de la vida diaria.

En Kenia se cuenta la historia de un pastor prominente de los Estados Unidos que visitó Nairobi y fue presentado al liderazgo de la iglesia de Kenia como "el pastor de una de las iglesias más grandes de Norteamérica, con más de 20.000 miembros. Cada semana, más de 8.000 escuchan sus mensajes". Visiblemente conmovido, el líder de Kenia guió a sus hermanos a orar por el pastor

[11]Barrett, tomo 2, p. 607.

[12]Eileen W. Lindner, ed., *Yearbook of American and Canadian Churches, 2001* (Nashville: Abingdon Press, 2001), p. 366.

norteamericano, ¡que no podía contar ni siquiera con la mitad de sus miembros los domingos por la mañana!

Además del problema de la ausencia de membresía, Norteamérica enfrenta el desafío de los que no van a ninguna iglesia. Estados Unidos, por ejemplo, puede proclamar que el 68 por ciento de su población pertenece a diferentes iglesias, ¿pero que pasa con los otros 88 millones de norteamericanos que no van a ningún lado? Este número solamente es mayor que la población de muchos países.

Un estudio en cuanto al cristianismo protestante estadounidense en la década de 1980 reveló que los evangélicos han hecho muy poco o casi ningún adelanto por alcanzar a aquellos que no van a la iglesia. Win Arn, analista de crecimiento de iglesias, descubrió que "ningún condado de los Estados Unidos creció en asistencia a la iglesia más rápidamente que lo que creció la población general durante la década de 1980"[13].

Muchos consideran que el patrón de Norteamérica sigue los pasos de las tendencias poscristianas de Europa occidental, pero otros reconocen que la demografía de Norteamérica se ha visto permanentemente alterada por los millones de inmigrantes que han entrado en los Estados Unidos y Canadá provenientes de países no cristianos de todo el mundo.

Desde la Segunda Guerra Mundial, sin embargo, el ritmo de inmigración no cristiana a Norteamérica ha desbordado la capacidad de las iglesias para asimilarla. Musulmanes, hindúes y budistas han aprovechado esta oportunidad para establecer mezquitas, templos y centros culturales por todo el continente. Al mismo tiempo, las iglesias protestantes de Norteamérica han visto cómo disminuía su rol en la sociedad y en la cultura occidental, que una vez fue tan prominente.

Ante la presencia de estos cambios en el panorama de la iglesia, ¿hay esperanza para un renacimiento como el de Sandy Creek?

---

[13]David Mays, "Notes from Jim Montgomery's Great News About the Great Commission", Monten.bk 1997. Disponible en www.davidmays.org/-BookNotes/MONTHEN.pdf referencia Win Arn en *Leadership Journal*, Primavera 1996, p. 75.

¿Existe todavía en Norteamérica la esperanza de ver una nueva ola de movimientos de plantación de iglesias?

Para un creciente número de creyentes del siglo XXI, la respuesta es "¡Sí!". Un sorprendente número de líderes cristianos están adoptando una nueva visión radical que sorprendentemente se parece a otros movimientos que hemos presenciado alrededor del mundo.

En las ciudades, pueblos y suburbios de Norteamérica hay una marea eclesiástica subversiva que está creciendo silenciosamente. Dan Mahew, de la iglesia Summit House basada en Portland, Oregon, describe un culto típico en su hogar.

> Es lunes por la noche. Caras familiares entran por la puerta de nuestra casa. Las personas se sientan o se paran alrededor de la sala, y comienzan a hablar. Un par de invitados traen un guisado y pan —les tocó el turno de traer la comida para este modesto grupo, de alrededor de quince personas—. Durante las próximas tres horas hablaremos alrededor de la mesa, limpiaremos después de comer, contaremos una historia a los niños, oraremos por nuestras cargas, cantaremos y compartiremos nuestros descubrimientos en las Escrituras. Antes de terminar, serviremos la copa de la Cena del Señor, ya que el pan lo compartimos todos juntos durante la cena[14].

Algo completamente distinto a lo que acostumbran las iglesias protestantes tradicionales, pero la experiencia de Mahew resulta familiar para un creciente número de evangélicos norteamericanos. ¿Cuántas iglesias habrá en los hogares? Nadie lo sabe con seguridad. Robert Wuthnow realizó un estudio en 1994 en el que estimaba que quizá unos 80 millones de norteamericanos eran parte de un grupo pequeño que se reunía regularmente para adorar o estudiar la Biblia[15].

---

[14]Lea más sobre el grupo Mahew en: www.worldaccessnet.com/~summit/welcome, 20 de julio, 2003.

[15]Robert Wuthnow, *I Come Away Stronger: How Small Groups are Shaping American Religion* (Grand Rapids, MI: William B. Eerdmans Publishing Company, 1994), p. 370 citado en *Home Cell Group Explosion*, de Joel Comiskey.

Algunos de esos individuos, como los tres millones en las clases de Escuelas Dominicales metodistas o los ocho millones enrolados en las Escuelas Dominicales de los Bautistas del Sur son fáciles de contar, y también están presentes en los cultos de adoración tradicionales cada semana. Menos obvios son los miles de las iglesias o células existentes en los hogares que raramente aparecen en los números de un censo, pero pueden detectarse a veces a través de una búsqueda en Internet[16].

Las páginas de la red van desde la sencilla iglesia en una casa en Canadá www.HouseChurch.ca a la restauradora www.TheEarly Church.com, pasando por la irreverente www.thechurchofnocrap.com a la espiritual www.atHisfeet.com.

Por todo Canadá, las iglesias en los hogares han tomado muchos nombres, como Grupo de la *Casa 43* (Calgary), *La Morada* (Ontario), *Cara a Cara* (Saskatchewan), *la Iglesia de la Ciudad* (Montreal), o la muy conveniente *Puerta Contigua* (British Colombia)[17].

Las crecientes filas de participantes de las iglesias en las casas encuentran su voz en *Casas que Cambian el Mundo*, de Wolfgang Simson[18], una revista que aparece en la red llamada *House2House* de los doctores Tony y Felicity Dale[19] y grupos de discusión en Internet que recorren el espectro de la vida y normas de las iglesias en las casas[20].

Las discusiones en Internet revelan que las iglesias en las casas no son una utopía de consenso y conformismo. Sus miembros tratan de comprender temas de organización, horarios, autoridad y libertad. La realidad refrescante es que cualquier miembro puede entrar en la discusión y la única autoridad persuasiva consistente parece ser el Nuevo Testamento[21].

---

[16]Ver por ejemplo el *Worldwide House Church Directory* en www.hccentral.com/directory/index.

[17]Ver www.HouseChurch.ca

[18]Wolfgang Simson, *Houses that Change the World* (Carlisle, U.K.: Paternoster Publishing, 2001).

[19]Ver www.House2House.tv.

[20]Como la red de 17 páginas que se encuentra en www.homechurch.org/threads/ el 20 de julio, 2003.

[21]Ibíd.

En el área de Long Beach, California, Neil y Dana Cole comenzaron a adorar en iglesias en las casas hace más de diez años. Hoy su *Church Multiplication Associates* abarca nueve redes diferentes de iglesias en los hogares diseminadas en siete estados y dos países. En el año 2001, se estaba convirtiendo en un movimiento con un promedio de una iglesia nueva cada semana.

Reportes de este mismo sitio en la web revelan los valores esenciales de los movimientos de plantación de iglesias. Aquí hay algunos comentarios:

1. Los malos forman una buena tierra, porque hay mucho fertilizante en la vida de ellos.
2. Hay dos clases de perdidos: polillas y cucarachas. La manera de diferenciarlos es encender las luces: las polillas se acercarán a la luz y las cucarachas desaparecerán.
3. Debemos bajar las expectativas de cómo funcionamos en la iglesia y levantarlas con respecto a lo que significa ser un discípulo de Cristo. Sólo así subiremos el estándar de lo que la iglesia es realmente.
4. No lo organicen hasta que tengan algo que organizar.
5. La transformación personal precede la transformación de la comunidad.
6. La adoración tiene una audiencia de UNO.
7. Para conmover a otros, primero tienes que ser conmovido.
8. Debemos levantar líderes para la cosecha de la misma cosecha, porque todos los recursos de una cosecha abundante están en esa cosecha.
9. ¡Donde tú vas el rey también va!
10. Cuando ofrezcan libros y recursos a los cristianos que quieren crecer, ¡entréguenles la Biblia! “Debemos plantar la semilla, y no un sustituto de la misma”.

11. Cuando enseñen: "Mantengan una visión bifocal de liderazgo: comiencen por el principio, pero comiencen con el fin en mente".

12. ¡Tenemos que salir de los graneros y meternos en la cosecha![22]

En Riverside, California, el doctor Jonathan Campbell y su esposa Jennifer lideran una red floreciente que tiene en este momento iglesias-casas en las ciudades californianas de Riverside, Los Angeles, Pasadena, Santa Cruz, San Diego, San José, San Francisco, y también en Orlando, Florida, Boise, Idaho, y los condados de Seattle y Kitsap en el estado de Washington[23].

Leer los valores esenciales que presenta Campbell es como tener entre las manos un manual del movimiento de plantación de iglesias:

1. Amen y obedezcan a Jesucristo.

2. Encarnen el evangelio en medio de aquellos que no han sido alcanzados ni discipulados: concentrémonos en discipular "personas de paz".

3. Establezcan una red social de discipulado. Buscamos conversiones de grupos (evangelismo *oikos*[24]) compartiendo el evangelio en y a través de la red de relaciones y sistemas culturales.

4. Equipen y capaciten a cada creyente para participar activamente en el cumplimiento de la misión de Cristo en la iglesia y a través de ella.

5. Ofrenden libremente para el reino. El Nuevo Testamento provee dos razones para reunir dinero: benevolencia y misiones.

---

[22]Buscar la red norteamericana de ministerios DAWN: www.dawnministries.org/regions/nam.

[23]Ibíd.

[24]*oikos* es la palabra griega para familia.

6. Capaciten a equipos locales. Identificamos, equipamos y capacitamos a líderes nativos para asociarnos junto a ellos en relaciones y misiones.

7. Reproducción en cada esfera. Nos reproducimos intencionalmente en cada esfera de la vida de la iglesia: discípulos, líderes, iglesias y equipos.

8. Asóciense con el cuerpo mayor de Cristo: iglesias, equipos y grupos con la misma fe y misión, para edificación mutua.

La mayoría de las redes de iglesias norteamericanas en los hogares parecen haberse formado como alternativa a las congregaciones tradicionales que se reúnen en los edificios, bajo la guía de un clero profesional. Sin embargo, un número creciente está reconociendo su propio potencial como semilla para desarrollar movimientos de plantación de iglesias en toda su potencia.

Un ejemplo es el Compañerismo Internacional Cristiano DOVE, basado en Lancaster, Pennsylvania.

En 1978, un ministro de jóvenes menonita en el condado de Lancaster, Pennsylvania, recibió un desafío del Señor: "¿Estás dispuesto a involucrarte en una iglesia subterránea?".

La pregunta desconcertó a Larry Kreider al principio, pero él y su esposa LaVerne se rindieron al llamado de Dios para formar un nuevo tipo de iglesia, que estaría en abierto contraste con cientos de iglesias protestantes tradicionales que se esparcían por el interior de Pennsylvania.

En 1980, los esposos Kreider juntaron un puñado de creyentes y formaron el Compañerismo Cristiano DOVE*. El nombre es menos importante que la visión que impulsa. Kreider sintió que el Señor quería que esta nueva comunidad se reuniera en los hogares, se apoyara en el liderazgo laico y concentrara su atención en alcanzar a la sociedad, especialmente a los perdidos que nunca participarían en la estructura de una iglesia tradicional.

---

*[Nota del Editor: Por el acrónimo en inglés: *Declaring Our Victory Emanuel*].

En 1990, las tres células originales habían crecido para poder incluir 2.300 miembros que se reunían en diferentes compañerismos en los hogares a través de todo el sur de Pennsylvania. En 1996, Kreider entregó el liderazgo y el ministerio de la iglesia a ocho pastores, veintiún ancianos y un gran grupo de líderes de células. Muy pronto la iglesia se descentralizó, se dividió en ocho redes de iglesias célula, y el movimiento comenzó a desarrollarse y crecer.

Para el año 2001 la familia de iglesias DOVE ya se había multiplicado a 80 iglesias células localizadas en cinco continentes[25]. Aunque Kreider evita proporcionar números en cuanto al total de la membresía, un simple cálculo de las cifras de 1990 coloca la membresía de la familia de iglesias DOVE en más de 20.000.

Varias de las megaiglesias estadounidenses de crecimiento más rápido han creado dinámicas similares de iglesias en las casas, dentro de su gran comunidad. La *Iglesia Comunitaria de Saddleback Valley*, que pastorea Rick Warren y tiene 20.000 miembros, superó la separación que existía entre el clero y los laicos a través de una adoración contemporánea, buscando un ambiente más amigable y reuniéndose durante la semana en los hogares de 1.600 miembros. Lo mismo ocurrió con la Iglesia Comunitaria de Willow Creek, que pastorea Bill Hybel, con 17.000 miembros, que se reúnen cada semana en más de 2.600 compañerismos en los hogares[26].

El Centro Mundial de Oración Betania, con Larry Stockstill, basado en Baker, Louisiana, se desligó de la estructura de su edificio en 1993, y comenzó a reorganizarse en grupos de células en los suburbios de Baton Rouge. Siete años más tarde tenía por lo menos 600 células en los hogares con 3.000 adultos asistiendo regularmente[27].

---

[25]Lea más sobre el peregrinaje de Kreider y el Compañerismo Cristiano DOVE en la red: www.dcfi.org, Octubre 2003.

[26]Verla Gillmor, "Community is Their Middle Name", en *Christianity Today*, 23 de noviembre, 2000, p. 50.

[27]Visite la red www.bethany.com.

Mientras las denominaciones protestantes tratan de volver a ganar su posición en las fronteras urbanas de Norteamérica, los costos de las propiedades solamente están forzando a los estrategas que trabajan con plantación de iglesias a considerar una alternativa al establecimiento de iglesias "estilo catedral".

En 1995, la Asociación Bautista de Chicago adoptó la visión de tener ni más ni menos que un movimiento de plantación de iglesias a través de Chicago. En el área de Houston, la Asociación Bautista Unión abrazó una visión similar[28]. De la misma manera, la Asociación Bautista de Dallas nombró a Joseph Cartwright para servir como "plantador catalítico de iglesias en las casas para saturar la región con iglesias lideradas por laicos que no se reúnen en los edificios tradicionales"[29].

Prestando amplio apoyo denominacional a esta tendencia, la Junta Norteamericana de Misiones de los Bautistas del Sur ha comisionado a su *Grupo de Plantación de Iglesias* a adoptar un "Movimiento de plantación de iglesias neotestamentario entre todos los grupos étnicos de los Estados Unidos, territorios norteamericanos, y Canadá"[30].

¿Pueden surgir movimientos de plantación de iglesias durante el siglo 21 en Norteamérica? ¿Han perdido de vista los evangélicos norteamericanos el legado de Sandy Creek, cambiándolo por la comodidad de una iglesia institucionalizada con su clero profesional, sus salones con aire acondicionado, y sus programas de grandes coros? ¿Ha cambiado Norteamérica, como Esaú, la primogenitura que le dio Sandy Creek por un plato de lentejas?

Norteamérica todavía puede tener otra era como la de Sandy Creek por delante. En estos tiempos la levadura puede leudar.

---

[28]Vea las metas asociacionales para los movimientos de plantación de iglesias visitando www.ubahouston.org.

[29]Visite www.dawnministries.org/regions/nam/networks.

[30]Visite la red www.namb.net.

Tercera parte

Lecciones aprendidas

11

En cada movimiento de plantación de iglesias

Ahora que hemos completado nuestra investigación sobre los movimientos de plantación de iglesias, llega el momento de tomar distancia para ver lo que podemos aprender. Eso es lo que comenzamos a hacer en agosto de 1998 cuando un puñado de misioneros nos reunimos alrededor de una mesa de conferencias en Virginia. La pregunta clave era: "¿Cómo está obrando Dios en estos movimientos de plantación de iglesias, y cómo podemos unirnos a él?".

Equipados con tres pizarras, un gráfico gigante y un ejército de marcadores de colores garabateamos sobre las pizarras mientras discutíamos, analizábamos y debatíamos la naturaleza de lo que Dios estaba haciendo. Gradualmente, los patrones comenzaron a emerger.

Después de varias horas compilamos nuestros descubrimientos bajo tres categorías:

1. *Elementos en **cada** movimiento de plantación de iglesias*: diez elementos universales que funcionaban en cada movimiento de plantación de iglesias.

2. *Elementos en **la mayoría** de los movimientos de plantación de iglesias*: diez cualidades y características presentes en la mayoría, aunque no todos, de los movimientos de plantación de iglesias.

3. *Obstáculos en los movimientos de plantación de iglesias*: barreras que, una vez removidas, permitían el desarrollo de los movimientos de plantación de iglesias.

Desde los estudios iniciales en 1998, hemos visto nuevos movimientos de plantación de iglesias surgiendo alrededor del mundo, pero esta lista original de ingredientes y obstáculos todavía sirve como una guía fiel para comprender y participar de los mismos.

Algunos de los descubrimientos parecían obvios al principio, pero también encontramos algunas sorpresas.

Muchas características que esperábamos encontrar estaban extrañamente ausentes. Otras, aunque presentes, se diferenciaban en la manera en que estaban contribuyendo a sus respectivos movimientos. Estas eran a menudo contraintuitivas y, por esa razón, su estudio y aplicación son invalorables a cualquiera que desee alinearse con la manera en que Dios está obrando. Vamos a mirar ahora los diez elementos universales que encontramos en cada movimiento de plantación de iglesias.

En *cada* movimiento de plantación de iglesias

1. **Oración extraordinaria.**
2. **Evangelismo abundante.**
3. **Establecimiento intencional de iglesias reproductivas.**
4. **La autoridad de la Palabra de Dios.**
5. **Liderazgo local.**
6. **Liderazgo laico.**
7. **Iglesias en las casas.**
8. **Iglesias plantando iglesias.**
9. **Reproducción rápida.**
10. **Iglesias sanas.**

1. Oración extraordinaria

La oración impregna los movimientos de plantación de iglesias. Ya sea los coreanos que se levantan a las cuatro de la mañana para orar por dos horas seguidas, o los gitanos *yendo al monte*, como llaman a sus vigilias de oración durante toda la noche, los movimientos de plantación de iglesias están empapados de oración.

Como resultado, la oración se ha convertido en la primera prioridad del cada estratega de movimientos de plantación de iglesias. Tan pronto como el coordinador de estrategia siente la importancia de su llamado, inmediatamente cae de rodillas y ora: "Oh, Señor, sólo tú puedes hacer que esto suceda".

Nosotros hemos identificado siete roles distintivos que tiene la oración en la vida de un movimiento de plantación de iglesias. En estos movimientos la oración ocupa un rol intuitivo y contraintuitivo.

Los roles intuitivos de la oración

 # 1 Orar *por* los misioneros. Los misioneros hacia los grupos étnicos todavía no alcanzados están invadiendo un territorio hostil. Muchos de estos pueblos han pasado siglos, aún milenios, bajo el dominio del "dios de este mundo"[1], y él no se rinde fácilmente. Los misioneros comprometidos con los movimientos de plantación de iglesias han sufrido ataques muy severos a nivel espiritual. Su salud, los miembros de su familia, su vocación, todo está abierto a un ataque de Satanás. Orar por ellos es la mejor defensa que tienen.

 # 2 Orar por el *grupo étnico perdido*. Uno de nuestros líderes misioneros que está sirviendo en África comentó acerca de una meta grande que él logró, y que estaba dando muy buenos resultados. "Por años", explica, "nuestros misioneros han tenido iglesias orando por ellos. Ahora están cambiando el foco de la oración, orando por los perdidos que están tratando de alcanzar".

---

[1] 2 Corintios 4:4.

Este cambio ha sido muy pronunciado a través de todo el mundo evangélico. Por años, era muy común para los cristianos incorporar a sus oraciones: "y Dios bendiga a los misioneros". Aunque los creyentes continúan orando por los misioneros, ahora están derramando sus corazones intensamente por los kurdos, mongoles, uighurs y uzbekos. Grupos étnicos por los que nunca antes en la historia se había orado, ahora son llevados ante el trono de Dios.

A veces algunos fieles guerreros de oración me preguntan: "¿Hacen alguna diferencia mis oraciones?". Entonces me encanta hablarles de personas como Ibrahim. Él era un joven convertido del Islam que conocí en el interior de Asia en 1990. Ibrahim era el primero de su grupo étnico que llegó a conocer a Cristo. Puedo recordar su rostro, iluminado con la radiante presencia del Espíritu Santo en su vida. Le pregunté a uno de los plantadores de iglesias que trabajaba en ese lugar cómo habían llevado a este joven a los pies del Señor.

—Nosotros no lo hicimos —me contestó. Él llegó a conocer a Cristo como resultado de las oraciones.

—No comprendo —le dije.

El plantador de iglesias continuó:

—Ibrahim es un estudiante de la universidad donde yo enseño. Él es el hijo de un mullah (líder religioso musulmán). Nosotros normalmente no nos acercamos a personas como él. Pero un día Ibrahim vino a mí y me contó un sueño que había tenido. En su sueño un anciano le entregaba un libro y le decía: "Lee esto". Ibrahim me preguntó si yo sabía cuál podía ser el libro que aparecía en su sueño. Aparentemente le había estado preguntando lo mismo a sus amigos, porque el sueño lo venía persiguiendo por varias semanas. Sus amigos siempre lo referían al Corán, pero Ibrahim les contestaba:

—No, no es el Corán.

El plantador de iglesias vaciló por un momento y luego comentó:

—En mi cajón yo tenía una estropeada copia del Nuevo Testamento. Estaba escrito en un estilo muy viejo, que la mayoría del pueblo de donde venía Ibrahim ya no podría comprender, de modo que nunca lo había usado para testificar. Al principio dudé, pero luego sentí que Dios quería que corriera el riesgo con este hijo del mullah. Se lo mostré a Ibrahim.

—¿Crees que este puede ser el libro?

Ibrahim lo abrió y me dijo:

—Ah, ya veo que tiene la escritura antigua. Mi padre me enseñó a leerla. ¿Le molestaría si me lo llevo prestado?

Durante las semanas siguientes Ibrahim leyó todo el libro y se entregó a Cristo.

Nosotros sabemos que la verdadera fuente de la conversión de Ibrahim sólo puede encontrarse en los muchos santos que oraron por tanto tiempo por el pueblo de Ibrahim.

Los roles contraintuitivos de la oración

 # 3 Oración ejemplificada *por* los misioneros y plantadores de iglesias. A menudo desestimamos la manera en que nuestras acciones ensombrecen nuestras palabras. Sólo cuando las oraciones llegan a caracterizar la vida de los misioneros y plantadores de iglesias, se contagian entre los miembros de su equipo y las personas a quienes están tratando de alcanzar. Si la oración no caracteriza la vida del misionero, entonces el nuevo creyente no podrá captar la verdadera fuente de poder capaz de transformar vidas que el misionero menciona. Simplemente verá al misionero como una persona extraordinaria a la que nunca podrá imitar, o, peor aún, como a una persona secular a quien no desea imitar.

 # 4 Oración *por* los nuevos creyentes. En el transcurso de los movimientos de plantación de iglesias nadie sufre tanto como los primeros convertidos al movimiento. Las cartas de los misioneros están llenas de pedidos para que las iglesias oren por Amal, que ha sido encarcelado, o por Mohamed, cuya familia amenazó con matarlo. Los movimientos nuevos de plantación de iglesias a menudo pasan por un crisol de pruebas en las que los primeros creyentes son perseguidos y a veces asesinados. Si la iglesia sobrevive esta prueba inicial, entonces el movimiento de plantación de iglesias no está muy lejos. Si Satanás puede aplastar los primeros frutos, entonces el movimiento morirá.

 # 5 Oración *de* los nuevos creyentes. En cada movimiento de plantación de iglesias la oración poderosa fluye a través de la vida de los creyentes y sus iglesias, al mismo tiempo que la poderosa actividad de Dios inunda la vida de ellos. Los vicios se quebrantan, las enfermedades se sanan, la oposición es aplastada y las personas son transformadas. A menudo la oración venía acompañada por la profunda seguridad de que Dios había puesto su mano sobre el pueblo. Es el tiempo *de ellos*, el día señalado para su salvación. Esto crea una fuerza muy poderosa dentro de las personas. Testifican con audacia, sintiendo que Dios está de su lado. No retroceden ante la persecución, confiados en que Dios está con ellos.

Finalmente, descubrimos que había algunos beneficios colaterales que surgían de la oración en un movimiento de plantación de iglesias, beneficios que no anticipamos encontrar, pero que emergieron como factores clave en el éxito del trabajo de muchos coordinadores de estrategia.

 # 6 Oración *entre socios*. Los coordinadores de estrategia en los movimientos de plantación de iglesias invariablemente tienen amplias redes de socios en todas partes del mundo. ¿Cómo desarrollan vínculos tan estrechos y rápidos, capaces de vencer enormes barreras de lenguaje, cultura y aún teología? El secreto es la oración. Los coordinadores de estrategia oran por socios y oran con socios. El llamado a la oración por los grupos étnicos no alcanzados es el imán que acerca en primer lugar a estas personas tan diversas, y el cemento que las une con el paso de los años.

 # 7 Oración *por más* obreros. Jesús nos dio una orden: "Pídanle, por tanto, al Señor de la cosecha que envíe obreros a

> su campo"[2]. La oración moviliza a los trabajadores para unirse a la obra. Más importante aún, la oración convoca nuevos obreros que salen *desde adentro* de la cosecha. Al mismo tiempo, crea un sentido de expectativa de parte de los misioneros y plantadores de iglesias para que estén alertas, buscando siempre los nuevos obreros y colaboradores que Dios está levantando. Estos nuevos colaboradores recibirán de otros la antorcha del liderazgo dentro del movimiento, y lo impulsarán al próximo nivel.

Nosotros oramos porque nuestra visión excede nuestra capacidad. La oración es un profundo grito de rebelión dentro del alma contra una determinada situación. Es ver a los perdidos de este mundo y exclamar: "¡Esto no glorifica a Dios, y por lo tanto, por la gracia de Dios, debe cambiar!". La oración viene de Dios y asciende nuevamente a Dios intercediendo por aquellos que no le conocen. La oración extraordinaria establece un fundamento firme para el movimiento de plantación de iglesias.

2. Evangelismo abundante

Si la oración relaciona al movimiento de plantación de iglesias con Dios, entonces el evangelismo lo conecta con la gente. Esencial en todo movimiento es el principio de sembrar abundantemente. Así como la naturaleza requiere que un árbol largue miles de semillas para producir un solo retoño, o que un cuerpo humano genere cientos de óvulos para formar un solo bebé, lo mismo sucede con el evangelismo. En los movimientos de plantación de iglesias encontramos cientos y miles de personas que escuchan el evangelio cada día, y en medio de esta abundante siembra, una cosecha en aumento comienza a surgir.

La sabiduría convencional en Occidente a menudo ha enseñado un patrón razonable pero mucho menos efectivo para trasmitir el evangelio. "Uno primero tiene que ganarse el derecho de compartir su fe", dice el modelo tradicional. "Una vez que se desarrolla cierta

---

[2]Mateo 9:38.

amistad y queda demostrado que uno es realmente diferente, el amigo perdido preguntará qué es lo que hace nuestra vida tan especial. Entonces, podremos hablarle de Jesús".

Un apasionado participante de los movimientos de plantación de iglesias denunció este modelo occidental. "Nosotros enseñamos que no se trata de uno, o de ganarse el derecho de compartir la fe. Jesús ganó ese derecho cuando murió en una cruz por todos nosotros. ¡Luego nos mandó que testificáramos a otros!".

Si el principio natural de sembrar abundantemente para cosechar abundantemente es real, también lo opuesto es real: *si sembramos escasamente, cosecharemos escasamente*. En aquellos lugares donde gobiernos hostiles o presiones sociales han tenido éxito en sofocar el testimonio cristiano, los movimientos de plantación de iglesias nunca han despegado del suelo. Esta sencilla verdad es muy poderosa y, sin embargo, muchos misioneros bien intencionados lograron todos sus altos ideales, *excepto* este.

Un colega que trabaja en un país del Medio Oriente expresaba así su frustración sobre la falta de semillas sembradas en su país: "En mi país todos dicen: 'Todavía no estamos cosechando nada, pero estamos sacando las piedras del campo'. La verdad es que ni siquiera han comenzado a sembrar las semillas. Si uno les pregunta, contestarán: 'Todavía estamos limpiando los campos para plantar el evangelio. Estamos levantando piedras, levantando piedras, levantando piedras' ".

—¡ESTOY CANSADO DE LEVANTAR PIEDRAS! —exclamó. Si Dios lo quiere, ¡él puede transformar estas piedras en hijos de Abraham! ¡Dejemos de levantar tantas piedras, y comencemos a hablar a otros de Jesús!

Para recordarles la importancia de la siembra abundante del evangelio, muchos coordinadores de estrategia muestran un cartel de una página en sus oficinas donde Dios dice: *¿Cuántos de mi pueblo escucharán el evangelio hoy?* Si un movimiento está por formarse, entonces la respuesta debe ser miles y miles.

En los movimientos de plantación de iglesias hay como un zumbido en el aire que habla de Jesús, la salvación, el arrepentimiento, volver a Dios y una nueva vida en Cristo. Uno de los coordinadores de estrategia que trabaja en una zona de Asia central donde está surgiendo un movimiento exclamó:

—Este es el lugar más sensible que he visto en mi vida. Aquí responden muy bien. El periódico estatal reportó el año pasado que 5.000 musulmanes adultos en la ciudad capital se han convertido al cristianismo. Entonces la legislatura dictaminó que evangelizar a las personas era algo ilegal. Sin embargo, dejaron abierta una escapatoria, diciendo que podían responder a cualquier pregunta sobre el cristianismo.

—¿Y cómo ha afectado esto a la propagación del evangelio?

—No lo ha detenido en lo más mínimo —se sonrió. Déjeme contarle. Una persona estornuda. Alguien le dice: "Dios te bendiga", y un tercero responde: "¿Qué puedo hacer para ser salvo?".

El coordinador de estrategia quizá exageraba un poco, pero no mucho.

En los movimientos de plantación de iglesias el evangelismo personal y el evangelismo en masa se refuerzan y contribuyen el uno al otro. El evangelismo en masa siempre contiene vías de reabastecimiento para asegurar que ninguno que se acerca para recibir a Cristo se vaya sin ser discipulado, mientras que el evangelismo personal anima al nuevo creyente a compartir su fe con su familia y sus amigos.

Cantidad *y* calidad

Si la cantidad de proclamación del evangelio es de suma importancia, la calidad de la comunicación no se puede quedar atrás. En su definición más sencilla, evangelismo significa proclamar el evangelio, compartiendo las buenas nuevas del regalo de una nueva vida que encontramos en Jesucristo. Si fuera tan sencillo, sin embargo, podríamos traducir simplemente Juan 3:16 a todos los idiomas del mundo y arrojar los panfletos desde varios aviones.

Muchas veces los misioneros son desviados de un movimiento evangelístico con preguntas que cuestionan si un grupo étnico *responde* mejor o peor a las buenas nuevas. Este tipo de preguntas a menudo están relacionadas no tanto con el mensaje, sino con el mensajero.

El verdadero evangelismo va más allá, de la proclamación a la *comunicación*. Comunicación significa que alguien tiene que oír y comprender lo que se está proclamando. Muchas veces, el cambio sutil de la proclamación a la comunicación real gatilla una respuesta previamente ausente. La comunicación efectiva requiere comprender el idioma y el enfoque del mundo de las personas que uno está tratando de alcanzar.

Jesús dijo: "Cuando sea levantado de la tierra, atraeré a todos a mí mismo"[3]. El desafío es levantar a Jesús de una manera que no sea oscurecido por las barreras culturales que pueden evitar que todos los pueblos lleguen a conocerle.

Descubrir el enfoque en cuanto al mundo de los grupos étnicos puede ayudar a quitar esas barreras. Comunicar el evangelio requiere que penetremos la mente de aquellos a los que estamos tratando de alcanzar, y eso es imposible si no aprendemos el idioma y la cultura de la gente.

Una de las muchas ilustraciones del campo de trabajo que enfatiza la importancia del estudio del concepto específico del mundo de un grupo étnico nos llega desde Kenia. Dos grupos del norte de Kenia compartían el mismo origen y el mismo idioma. Parecían idénticos para los observadores externos, con la única excepción de que uno de los grupos habitaba en las tierras bajas mientras que el otro residía en las montañas adyacentes.

Durante años, los misioneros habían usado el mismo método para ambos grupos, con resultados completamente distintos. Los de las tierras bajas respondían bien al evangelio, y como resultado había entre ellos muchas iglesias. La tribu de la montaña no respondía en absoluto. Los misioneros habían esperado que los de las tierras bajas llevarían el evangelio a las montañas para alcanzar a estos primos tan resistentes.

A pesar de años de esfuerzos, la tribu de la montaña continuaba mostrando muy poco interés en el evangelio. Entonces los misioneros comenzaron a investigar el concepto del mundo de las dos tribus. De esta manera descubrieron la razón para la falta de res-

---

[3]Juan 12:32.

puesta de la tribu de la montaña. Descubrieron que en siglos anteriores la tribu de las tierras bajas había estado involucrada en el tráfico de esclavos, realizando a menudo expediciones por las montañas para apresar a los que allí vivían. Esta historia victimaria había dejado una huella imborrable en la tribu de las montañas. Ellos no podrían recibir las buenas nuevas de parte de sus vecinos.

Una vez que los misioneros descubrieron esta barrera histórica, tuvieron oportunidad de superarla utilizando otros mensajeros que llevaron el evangelio a las montañas.

La demanda de una comunicación efectiva del evangelio ha llevado a grandes avances en lo que hoy se llama *contextualización,* que es presentar el mensaje eterno del evangelio en la forma cultural y ambiental de las personas a las que se pretende alcanzar.

Los participantes de un movimiento de plantación de iglesias típicamente logran lo mismo a través del *elemento nativo*, transfiriendo la responsabilidad de comunicar el evangelio a aquellos que lo presenten naturalmente, a través de su propia perspectiva local. Aunque los misioneros generalmente comienzan la evangelización de un grupo étnico, en los movimientos de plantación de iglesias los evangelizadores primordiales son siempre los mismos nuevos creyentes, porque ellos contextualizan el evangelio mejor que ninguno.

3. Establecimiento intencional de iglesias reproductivas

Intuitivamente, uno puede asumir que la potente combinación de oración extraordinaria y evangelismo abundante tendría como resultado natural una espontánea multiplicación de iglesias. Muchos misioneros y plantadores de iglesias han sostenido este punto de vista, y quedaron sorprendidos y desilusionados cuando la multiplicación no se produjo. Lo que descubrimos en cambio fue que los movimientos de plantación de iglesias no surgían sin un deliberado compromiso de plantar iglesias reproductivas.

Una persona muy sabia dijo: “Ustedes probablemente lograrán exactamente lo que se propusieron lograr, nada más, ni nada menos”. Si su meta es lograr una traducción de la Biblia, probablemente lograrán producir una traducción de la Biblia. Si su meta es ministrar, probablemente lo conseguirán. Pero no pueden asumir que la traducción de la Biblia o el ministerio cristiano solamente tenga como resultado la plantación de una iglesia. Si usted quiere ver iglesias plantadas, entonces debe prepararse para plantar iglesias. El mismo axioma puede llevarse un paso más allá: "Si usted quiere ver plantadas iglesias *reproductivas*, entonces debe prepararse para plantar iglesias *reproductivas*".

En el movimiento bhojpuri de plantación de iglesias, por ejemplo, los misioneros habían estado trabajando en ese área por muchos años. Ellos eran modelos fieles y evangelísticos del amor y el servicio cristianos, pero carecían de una clara estrategia para plantar iglesias. Pero esto tomó un giro decisivo cuando el coordinador de estrategia organizó una escuela de entrenamiento intensivo para plantar iglesias. Como resultado de este entrenamiento práctico, los cristianos bhojpuri comenzaron a plantar iglesias. Hoy, parece que cada uno que trabaja entre el pueblo bhojpuri está comenzando nuevas iglesias.

Tanto los misioneros como los creyentes locales están comenzando a comprender la importancia de la plantación intencional de iglesias. Un buen número de agencias misioneras que anteriormente no se caracterizaban por plantar iglesias han comenzado a buscar activamente entrenamiento en esta área. Trabajando entre el pueblo bhojpuri, Juventud con una Misión lidera una de las denominaciones de iglesias más grandes. Casi desconocidos hasta el momento en este campo, hoy los misioneros de Juventud con una Misión se han convertido en fervientes estudiantes del establecimiento de iglesias, y están reproduciéndolas alrededor del mundo.

4. La autoridad de la Palabra de Dios

Mientras los movimientos de plantación de iglesias producen una múltiple reproducción de las mismas, ¿qué es lo que impide que el movimiento llegue a fracturarse en miles de herejías, como cuando una piedra golpea el parabrisas de un automóvil? Puede haber solamente una respuesta: *la autoridad de la Palabra de Dios*. Como una invisible espina dorsal alineando y sosteniendo el movimiento, el compromiso con la autoridad de la Biblia está presente en cada movimiento de plantación de iglesias.

Aún entre los pueblos mayormente analfabetos, para quienes la lectura de la Escritura es algo muy raro, los convertidos se apoyan firmemente en los audiocasetes de la Biblia, aferrándose a cada palabra. También han aprendido a enfrentar cada circunstancia de su vida preguntando: "¿Cómo puedo glorificar mejor a Dios en medio de esta situación?". Siguiendo este principio nunca se aventuran más allá de la autoridad bíblica.

Estas dos fuerzas gobernantes, la autoridad de la Biblia y el señorío de Cristo, se refuerzan mutuamente, como las vías paralelas de un tren, guiando el movimiento a medida que se desplaza y llega mucho más allá del control directo del misionero o los plantadores iniciales de la iglesia. Como esta guía interna es independiente del misionero, no requiere su presencia para avanzar. Aún sin el misionero, el movimiento no tiende a desorientarse porque esa orientación no deriva de una fuente externa, sino del sólido marco de la autoridad que tiene la Palabra de Dios y el señorío de Jesucristo.

Esto no significa que el misionero no tenga un rol en el discipulado de los nuevos creyentes o en el entrenamiento de los líderes de la iglesia. Él no es el que simplemente da cuerda al movimiento de plantación de iglesias como si fuera un juguete, para que comience a andar y dejarlo ir. El discipulado y entrenamiento de liderazgo están siempre en funcionamiento. Pero aún la enseñanza y el entrenamiento del misionero son evaluados por los mismos dos criterios: ¿son consistentes con la Palabra de Dios y con el señorío de Jesucristo? Cualquier enseñanza que se separa de estas dos vías, la Escritura y el señorío, es rechazada, ya sea que venga de un maestro hereje o del mismo misionero coordinador de estrategia.

Como consecuencia, los misioneros y plantadores de iglesias involucrados en estos movimientos aprenden rápidamente a desviar preguntas de doctrina que llegan a ellos para dirigirlas a estas dos vías. Cuando un nuevo creyente o un nuevo líder de la iglesia les pregunta: "¿Qué debemos hacer en esta situación?", en lugar de contestar con su propia fuente de sabiduría o entrenamiento, el plantador de iglesias sabiamente contesta: "Vamos a ver lo que dice la Palabra de Dios".

Aquellos que están navegando exitosamente por los movimientos de plantación de iglesias tienen la convicción unánime de que "debe ser la Palabra de Dios la que tenga autoridad sobre los nuevos creyentes y la nueva iglesia, y *no* la sabiduría del misionero o algún credo foráneo, y ni siquiera las autoridades de la iglesia local". Señalando continuamente la fuente de donde saca su propia autoridad, el plantador de iglesias está ejemplificando el modelo apropiado que deben seguir los nuevos creyentes, que pronto se convertirán en los nuevos portadores del movimiento.

Pueblos analfabetos

Muchos de los pueblos no alcanzados en el mundo son analfabetos. Los misioneros involucrados con los movimientos de plantación de iglesias han luchado mucho para vencer el desafío de los pueblos analfabetos. ¿Cómo hacen los evangélicos, que son fundamentalmente conocidos como la "gente del Libro", para multiplicarse entre personas que no pueden leer ni escribir? El analfabetismo no disminuye la importancia de la Biblia como fuente de autoridad; simplemente presenta nuevos desafíos para transmitirla.

Hay por lo menos cinco modelos que observamos en la transmisión de las enseñanzas bíblicas a las personas analfabetas del mundo de hoy.

1) **Memorización**. Aunque es un arte perdido en Occidente, la memorización de las Escrituras es todavía algo muy común en el mundo oriental. Esto es particularmente verídico entre los musulmanes, que tienen una larga historia memorizando todo el Corán. En un país musulmán del sur de Asia, donde la escasez de Biblias sumada al analfabetismo generalizado amenazaba el avance del movimiento de plantación de iglesias, los nuevos convertidos encontraron una ingeniosa solución: *¡rompieron sus Biblias en pedazos!* A uno de los creyentes se le entregó el Evangelio de Mateo y se le dijo: "Memoriza esto". A otro se le entregó Marcos, y así sucesivamente. Luego, cuando la iglesia se reunía, estas "Biblias vivas" eran llamadas para recitar fielmente las palabras de la Escritura.

2) **Audiovisuales**. Los misioneros han adaptado rápidamente la Biblia a formatos no literarios, como las Biblias en audio y la película *Jesús*, que han hecho llegar las Escrituras a todos aquellos que no podían leerlas.

3) **Narración de historias bíblicas**. Reconociendo que muchos grupos étnicos son esencialmente "culturas orales" que comunican grandes verdades a través de narraciones de historias, los misioneros y plantadores de iglesias han tomado las historias clave de la Biblia y las han traducido a breves historias orales que pueden recitarse ante una audiencia no literaria. Estas historias bíblicas han sido usadas para evangelismo, discipulado y capacitación de líderes. En los movimientos de plantación de iglesias, los narradores de historias no quedan satisfechos hasta que aquellos que las escucharon son capaces de repetirlas acertadamente, multiplicando así las grandes verdades de las Escrituras a través de toda la comunidad[4].

4) **Canciones**. Un ejemplo típico nos llega de un grupo africano de cultura oral, donde una misionera pasó varias semanas traduciendo el mensaje del evangelio a historias contadas en el lenguaje del corazón, para el pueblo al que estaba tratando de alcanzar. Mientras relataba las historias, uno de los miembros del grupo escuchaba atentamente, traduciendo su mensaje una vez más, pero en forma de canción.

   —Nuestro pueblo no sólo cuenta historias —explicó. Nosotros cantamos nuestras historias. Yo sé que es demasiado pedirle que usted nos enseñe canciones, pero ahora que nos ha dado la Palabra de Dios, nosotros la cantaremos a nuestros hijos y a nuestros nietos.

5) **Usando a la juventud educada**. El desafío del analfabetismo en un mundo crecientemente alfabetizado no está limitado so-

---

[4]Para más información sobre *Chronological Bible Storying* visite la red: www.ChronologicalBibleStorying.com.

lamente a aquellos que propagan el evangelio. Los gobiernos nacionales enfrentan el mismo desafío cuando quieren comunicar información importante relacionada con los impuestos, una nueva ley o guías para votar en las elecciones cuando todos en la villa son analfabetos. Le preguntamos a un evangelista rural cómo solucionan este problema localmente.

—Le piden a uno de los jóvenes de su familia que lea la carta o el mensaje frente a ellos —nos contestó. Lo mismo sucede obviamente con la lectura de la Palabra de Dios. A pesar del analfabetismo generalizado, hay algunos niños que están asistiendo a la escuela, donde aprenden a leer y escribir. Por lo tanto, no es raro que los ancianos de la villa llamen a los jóvenes que van a la escuela para que lean el *Libro de Dios*. De esa manera el anciano estará en condiciones de interpretar y aplicar lo que ha escuchado para beneficio de toda la comunidad.

Al tratar de alcanzar a los pueblos analfabetos, los participantes en el movimiento de plantación de iglesias encuentran el aliento necesario en el récord de rápida multiplicación de la iglesia que presenta el Nuevo Testamento. La vasta mayoría del mundo neotestamentario era analfabeta y, sin embargo, las Buenas Nuevas se diseminaron.

A veces surge la pregunta: "¿Por qué traducir la Biblia para este determinado grupo étnico, si la mayoría de ellos son analfabetos?". Una traducción es importante aunque el grupo no sepa leer ni escribir. En primer lugar, más culturas hoy han puesto su lenguaje en forma escrita por primera vez por un traductor de la Biblia que por cualquier otro medio. De esas traducciones iniciales de la Biblia han surgido tradiciones literarias enteras que han unido a todo un pueblo en un mundo radicalmente cambiante.

Más importante, la traducción de la Biblia al lenguaje del corazón provee una buena fuente de recursos para el evangelismo, el discipulado, y la capacitación de los líderes. De una de las traducciones del Nuevo Testamento al lenguaje del corazón, un misionero puede producir programas de radio con la historia del evangelio, testimonios en casete con promesas de las Escrituras, y aun videocintas de la película *Jesús* para que las personas puedan oír y responder a la historia del Salvador en su propio idioma.

5. Liderazgo local

Los misioneros que lanzaron exitosamente los movimientos de plantación de iglesias han aprendido a mantener a los extranjeros detrás del escenario. El mismo principio ha sido traducido en una importante consigna que acompaña ahora a los coordinadores de estrategia por dondequiera que van: "Los recursos están en la cosecha". Este axioma es un recordatorio continuo de buscar líderes locales que hagan el trabajo. Además provee una importante corrección para los misioneros extranjeros cuya estrategia descansa en la sólida ayuda de sus compañeros foráneos.

Los equipos más efectivos dentro de los movimientos de plantación de iglesias tienen relativamente pocos extranjeros, pero tienen una gran red de colaboradores locales. Los misioneros foráneos comprenden que su rol es pasar a los hermanos locales su visión, pasión y habilidades aprendidas, para servir junto con ellos.

Por lo tanto, en los movimientos de plantación de iglesias los participantes capacitan rápidamente a los líderes locales y les entregan el futuro del movimiento. Los primeros coordinadores de estrategia que aprendieron esta lección lo hicieron más por necesidad que por razonamiento misiológico. Cuando se enfrentaron al increíble desafío de alcanzar a millones de personas perdidas, no tuvieron otra alternativa que buscar colaboradores dentro del mismo pueblo que estaban tratando de alcanzar.

El principio 222 mencionado en el caso de estudio del movimiento de plantación de iglesias en Camboya (capítulo 5), también se ha generalizado. Los participantes de movimientos de plantación de iglesias han aprendido esto: *Nunca hagan algo ustedes mismos; siempre tengan a un hermano a su lado para convertirse en ejemplos y mentores de esa persona mientras trabajan juntos.* En cada situación la meta es transferir el impulso de la visión al corazón y la vida de aquellos que están siendo alcanzados.

Pasar la antorcha

Descansar en los líderes locales puede llegar a ser muy difícil para los misioneros. Aún hoy, algunos insisten en pastorear las nuevas iglesias que ellos ayudaron a plantar. De la misma manera, otros misioneros todavía quieren que las iglesias madres manden un pastor ordenado en un viaje itinerante, para proveer a las nuevas iglesias que están surgiendo con los ritos del bautismo y la Cena del Señor. Este patrón de dependencia externa nunca ha producido un movimiento de plantación de iglesias.

Aquellos que son reacios a transferir este tipo de autoridad señalan rápidamente las instrucciones en 1 Timoteo 3:6, donde Pablo le dice a Timoteo que un obispo "no debe ser un recién convertido...". Sin embargo, la iglesia de Timoteo ya estaba lo suficientemente bien establecida como para hacer referencia a muchos creyentes capacitados (ver 2 Timoteo 2:2). En ese ambiente, era natural que Pablo delegara la conducción a aquellos que habían estado más cerca al mensaje original entregado por los apóstoles, pero *en ningún lugar* Pablo pone la autoridad de la iglesia en manos de los de afuera.

Cuando se comienza una nueva iglesia, Pablo no duda en colocar líderes locales inmediatamente. En Hechos 14:23, inmediatamente después de ganar a los convertidos de Listra, Iconio y Antioquía de Siria, Pablo y Bernabé "en cada iglesia nombraron ancianos y, con oración y ayuno, los encomendaron al Señor en quien habían creído". De la misma manera, Pablo exhorta a Tito a nombrar ancianos, hombres del lugar con familias, conocidos por todos, para cada ciudad de Creta[5].

Al reunirnos con el grupo de trabajo del movimiento de plantación de iglesias le hicimos esta pregunta: "¿Cuando pasan la antorcha a los nuevos líderes?".

La respuesta fue unánime: "En un movimiento de plantación de iglesias uno comienza con la antorcha en las manos de ellos". El asentimiento y la aprobación alrededor del salón dieron testimonio de esta experiencia compartida. Por supuesto, esto solamente es

---

[5]Tito 1:5, 6.

posible cuando las iglesias están enraizadas en la obediencia a la Palabra de Dios y a toda una vida comprometida con el discipulado.

Nombrar líderes locales en lugar de apoyarse en el liderazgo de los de afuera permite que sucedan varias cosas importantes:

1) Establece claramente que todos somos pecadores; todos somos salvos por gracia; todos somos igualmente capaces de ser usados por Dios.

2) Refuerza el concepto de que el cristianismo no es una religión occidental, sino una expresión del cuerpo de Cristo dada a *todos* los creyentes.

3) Evita establecer un estándar de liderazgo inalcanzable. La mayoría de los misioneros que plantan iglesias tienen mucha más experiencia y entrenamiento bíblico que lo que una primera generación de nuevos creyentes puede lograr. Pero no debemos olvidar que pasaron muchas generaciones hasta que los occidentales desarrollaran las oportunidades de entrenamiento que tenemos hoy. Los nuevos creyentes no necesitan pensar que tienen que alcanzar el mismo nivel de educación para poder guiar al pueblo de Dios.

Un líder de iglesia africano lo dijo muy bien: "Nosotros pensamos en ustedes, los misioneros, con gran aprecio y afecto. Como ante aquella persona que nos enseñó a conducir un automóvil por primera vez, estamos agradecidos por lo que nos han enseñado. ¡Pero francamente no quisiéramos que nuestro instructor estuviera sentado con nosotros cada vez que nos ponemos detrás del volante!".

6. Liderazgo laico

En los movimientos de plantación de iglesias, los laicos están claramente en el asiento del conductor. Hombres y mujeres comunes, sin pago alguno, no profesionales, son los que están liderando las iglesias. ¿Por qué es tan importante el liderazgo laico? Hay varias razones:

1) **Por razones prácticas**. Un movimiento que produce miles de nuevas iglesias necesita miles de nuevos líderes, y la fuente más grande para encontrar esos líderes es la propia membresía de la iglesia local. Para producir nuevos líderes, uno debe pescar en la laguna más grande de candidatos.

2) **Por razones teológicas**. El liderazgo laico está firmemente fundado en la doctrina del *sacerdocio del creyente*, la doctrina más nivelada que se ha formulado jamás. Después de siglos de confianza y seguridad en la pequeña tribu de los sacerdotes levitas, Dios miró a la iglesia y dijo: "Ustedes son pueblo escogido, real sacerdocio..."[6].
   No es que el cristianismo no tenga estatus especiales para los líderes religiosos; es que ahora *cada* cristiano tiene el estatus especial de ser un sacerdote de Dios, el Señor. Cada creyente está plenamente capacitado con el derecho y la responsabilidad de guiar a los perdidos a la salvación y a la madurez en Cristo.

3) **Siguiendo el modelo de Jesús**. El propio ejemplo de Jesús llamando a hombres y mujeres para que le siguieran no ha sido ignorado por los participantes de los movimientos de plantación de iglesias. Es un gran alivio apoyar el deseo de un nuevo creyente de convertirse en un siervo útil como líder de la iglesia, señalándole el ejemplo de los doce y de todos aquellos que los siguieron.

4) **Por razones de retención**. Alrededor del mundo, la invitación a la salvación que ofrece el evangelio ha resultado ser mucho más atractiva que su llamado a una vida de discipulado dentro de la iglesia. Pocas semanas después de convertirse en nuevos cristianos, muchos de los creyentes salen por la puerta de atrás y nunca más se sabe de ellos. Poner a los hombres y mujeres laicos a trabajar dentro de la iglesia ha probado ser

---

[6] 1 Pedro 2:9.

uno de los medios más efectivos de "cerrar la puerta de atrás" a los miembros de la iglesia, y asegurar toda una vida de íntima participación dentro del cuerpo de Cristo.

5) **Por razones de relevancia**. En la estructura de la iglesia tradicional, un clérigo es separado de la congregación tanto en términos de educación como de trabajo. En la Iglesia Católica Romana a esto se le agregan los votos de celibato. En los movimientos de plantación de iglesias, los pastores permanecen como uno más entre la gente, compartiendo su estilo de vida y sus luchas. Esto significa que si las personas son predominantemente granjeras, los líderes serán granjeros. Si las personas son urbanas, los líderes serán urbanos. Si las personas son analfabetas, los líderes también serán analfabetos. Si las personas son sordomudas, los líderes serán sordomudos.

6) **Por razones económicas**. Muchos movimientos de plantación de iglesias han surgido de países en desarrollo, donde los recursos financieros son mínimos. Usando múltiples líderes laicos y reuniéndose en los hogares, estos recursos financieros limitados son utilizados en misiones y ministerios, en lugar de salarios y propiedades.

El liderazgo laico no excluye los ministerios profesionales. Puede haber clérigos profesionales, ordenados y entrenados en un seminario o quizá coordinadores de estrategia que estén involucrados en puntos clave del movimiento —como en el caso de muchas redes que se extienden a través de células en los hogares— pero en el filo del crecimiento son siempre los laicos los que abren camino.

Para que los movimientos de plantación de iglesias puedan apoyarse de una manera efectiva sobre el liderazgo laico deben estar presentes dos factores muy importantes:

Primero, las iglesias deben permanecer lo *suficientemente pequeñas* como para que uno o varios líderes laicos puedan manejarlas. Cuando las iglesias exceden los 20-30 miembros y comienzan a usar un edificio separado, la tarea se convierte en algo demasiado grande como para que un laico pueda liderar sin tener que dejar su trabajo secular.

Segundo, los líderes de las iglesias deben *aprender toda la vida*. En los movimientos de plantación de iglesias, los líderes laicos típicamente tienen un hambre insaciable de entrenamiento. Los participantes de movimientos de plantación de iglesias han aprendido a alimentar y nutrir continuamente a los líderes existentes, y a los líderes potenciales, con entrenamiento mientras-trabajan y también en-el-momento-justo (vamos a discutir esto en profundidad más adelante). Programas de mentoría, de capacitación de liderazgo rural, escuelas de entrenamiento pastoral, materiales de entrenamiento grabados y a través de Internet, estudios bíblicos y talleres pastorales, todo esto contribuye a la capacitación del liderazgo.

7. Iglesias en las casas

Las iglesias en los movimientos de plantación comienzan como pequeños compañerismos de creyentes que se reúnen en ambientes naturales, como casas o sus equivalentes. Entre el pueblo maasai, las reuniones se llevan a cabo debajo de los árboles, y entre los kui en patios abiertos. El elemento clave en cada uno de estos movimientos de plantación de iglesias fue comenzar con una íntima comunidad de creyentes que no fueran inmediatamente inmovilizados con los gastos o el mantenimiento del edificio de una iglesia.

Reunirse en grupos pequeños[7] ciertamente tiene implicaciones económicas. Liberar al nuevo movimiento de la carga de financiar un edificio y un clérigo profesional no es un obstáculo fácil de superar. Pero hay más. Las iglesias en las casas crean una atmósfera que fomenta la formación de un movimiento de plantación de iglesias. Consideremos los siguientes beneficios.

1. Las responsabilidades del liderazgo permanecen pequeñas y manejables.

2. Si surgen herejías, quedan confinadas al pequeño tamaño de

[7]Analizaremos la diferencia entre iglesias en las casas e iglesias célula en el capítulo 13, *Preguntas frecuentes*.

la iglesia en esa casa. Como una pérdida que aparece en el casco de un barco grande, la herejía puede quedar sellada dentro de un pequeño compartimiento sin hacer peligrar el todo.

3. Uno no se puede esconder dentro de un grupo pequeño, ampliando así el rendimiento de cuentas.

4. El cuidado de los miembros es más fácil, porque entre todos se conocen bien.

5. Como la estructura de la iglesia en una casa es muy sencilla, es más fácil reproducirla.

6. Los pequeños grupos tienden a ser mucho más eficientes en la evangelización y asimilación de nuevos creyentes.

7. Las reuniones en las casas colocan a la iglesia mucho más cerca de los perdidos.

8. Las reuniones en las casas se amalgaman con la comunidad de tal manera que se hacen menos visibles a la persecución.

9. Su base en el hogar mantiene la atención de la iglesia sobre los temas de la vida diaria.

10. La propia naturaleza de multiplicar rápidamente las iglesias en las casas promueve también el desarrollo rápido de nuevos líderes.

Es importante comprender el rol que tienen las iglesias y células en pequeñas casas en la vida de un movimiento de plantación de iglesias. Ahora es fácil ver por qué los misioneros que quieren comenzar uno de estos movimientos sin células ni iglesias en las casas tienen tanta dificultad para hacerlo.

8. Iglesias plantando iglesias

Los movimientos de plantación de iglesias no florecen totalmente hasta que las iglesias comienzan espontáneamente a reproducirse entre ellas. Viajando entre el pueblo khmer en Camboya, cada una de las iglesias en las casas daba testimonio de iglesias adicionales que ellos comenzaron el año anterior. Entre el pueblo bhojpuri, cada iglesia promediaba cuatro nuevas iglesias que estaban comenzando. Muchos líderes chinos de las iglesias en las casas enseñaban a su rebaño que el gozo más grande era entrenar a alguien para comenzar una nueva iglesia en su hogar.

En la mayoría de los movimientos de plantación de iglesias que hemos estudiado ya había algunas iglesias presentes en los grupos étnicos antes de que llegara el primer misionero. Por alguna razón, sin embargo, esas iglesias se habían estancado y ya no se reproducían. El misionero, generalmente un coordinador de estrategia, traía una nueva visión, pasión y entrenamiento para plantar iglesias.

A medida que el movimiento ganaba fuerza, el misionero desaparecía en el trasfondo y las iglesias mismas comenzaban a reproducir nuevas iglesias. Sólo cuando el movimiento alcanza este estado de reproducción exponencial es cuando logra todo su potencial.

Los participantes de movimientos de plantación de iglesias miran la cuarta generación de reproducción de iglesias como signo de que el movimiento está desarrollándose bajo su propio impulso. Uno de ellos explicaba: "Cuando veo que una iglesia que yo ayudé a comenzar produce una iglesia hija que a su vez reproduce otra que engendra otra iglesia más, entonces sé que cumplí con mi trabajo. Mientras este patrón de reproducción continúe, yo puedo irme a otros centros poblados menos alcanzados y saber que la obra continuará sin mí".

En los movimientos de plantación de iglesias, los misioneros avanzan conscientemente a través de un proceso de cuatro pasos: *Modelar, Ayudar, Mirar y Dejar.* En primer lugar, ellos modelan o ejemplifican un tipo de patrón de evangelismo, discipulado y plantación de iglesias que quieren que los nuevos creyentes imiten. Luego ayudan a los nuevos creyentes a seguir este modelo. Más tarde, miran para ver si sus protegidos son capaces de reproducir de una manera efectiva lo que han aprendido y experimentado. Cuando ven que sus estudiantes utilizan los mismos patrones reproductivos, comprenden que es tiempo de dejarlos.

—Alejarse puede ser muy difícil para los misioneros, pero es absolutamente esencial —explicaba uno de ellos. De lo contrario la iglesia seguirá mirando al misionero en lugar de mirar al Señor y a sus propios líderes buscando una dirección en el futuro. La partida garantiza la viabilidad local de la iglesia.

Alejarse no significa que el misionero se retira. Por el contrario, él o ella están libres para dirigirse hacia otro sector menos alcanzado de la población, para comenzar de nuevo el proceso.

9. Reproducción rápida

Los movimientos de plantación de iglesias reproducen iglesias rápidamente. Por supuesto, la palabra "rápido" no siempre está bien definida. Pero los misioneros que plantan iglesias a menudo hablan de esto en términos de nacimiento, preguntando: "¿Cuánto tiempo hace falta para que nazca una nueva iglesia?". Este período de gestación varía alrededor del mundo, de la misma manera que varía en el reino animal. Los elefantes típicamente requieren 22 meses para producir un retoño, mientras los conejos pueden producir una nueva cría cada tres meses.

¡Los movimientos de plantación de iglesias se reproducen como conejos! Mientras una gestación saludable dentro de un ambiente controlado puede producir una nueva iglesia cada tres o cuatro años, un movimiento de plantación de iglesias puede ver el comienzo de una nueva obra cada tres o cuatro meses. Más aún, como las nuevas iglesias salen de cada iglesia en lugar de salir del misionero que las plantó, la reproducción se multiplica en forma exponencial.

Para esta clase de multiplicación, la reproducción rápida debe edificarse sobre los valores fundamentales que tiene cada iglesia que es plantada. Entre el pueblo quekchí (capítulo 8), si una iglesia no se reproducía después de seis meses, era considerada una iglesia enferma. Muchas de las redes de iglesias células extendidas por todas partes no permiten que una célula continúe en el hogar si no es capaz de crecer y multiplicarse después de un año de existencia.

El paradigma de la reproducción rápida se presenta en abierto contraste con la visión más tradicional de que una iglesia primero debe ser lo suficientemente grande y madura como para poder darse el lujo de sacrificar a algunos de sus miembros y enviarlos a comenzar un nuevo trabajo. En los movimientos de plantación de iglesias, madurar en Cristo es un proceso que nunca se acaba, y que es estimulado en lugar de amenazado al comenzar nuevas iglesias. En estos movimientos, tanto la capacitación de los líderes como el discipulado de cada miembro están basados en las estructuras existentes de la vida de la iglesia, junto con la pasión de comenzar nuevas iglesias.

Cuando el discipulado y la capacitación de líderes impregnan el ADN de las primeras iglesias, estas transferirán naturalmente este ADN a sus retoños. Lo opuesto también es verdad. Cuando uno enseña a las nuevas iglesias a trabajar por muchos años bajo un pastor misionero mientras esperan a su propio líder entrenado en el seminario; y luego requiere que la iglesia compre su propio edificio para llenarlo por último con suficientes miembros que diezmen y paguen por todo lo anterior, uno no puede esperar que generen iglesias hijas que se reproduzcan rápidamente. La reproducción rápida comienza con el ADN de la primera iglesia.

En un movimiento de plantación de iglesias, el cuerpo de Cristo reclama el mismo sentido de urgencia que caracterizó a las iglesias de los Evangelios y del Nuevo Testamento. La reproducción rápida indica que en el movimiento están presentes varias dinámicas saludables:

1) El movimiento ha ido más allá del control del misionero o cualquier otra persona de afuera.

2) El movimiento tiene su propio impulso interno.

3) Los nuevos creyentes creen ardientemente que su mensaje es tan importante que debe ser diseminado rápidamente.

4) Se confirma que los campos están listos para la siega.

5) Todos los elementos foráneos a la iglesia —y que no pueden reproducirse fácilmente— han sido eliminados.

Los misioneros experimentados en movimientos de plantación de iglesias nunca admiten sacrificar la ortodoxia para tener una reproducción rápida. Por el contrario, han aprendido a introducir los controles teológicos dentro del ADN de cada iglesia, en lugar de tratar de reforzarlos continuamente desde afuera.

10. Iglesias sanas

¿Qué clase de iglesias encuentra usted en los movimientos de plantación de iglesias? Esa es una pregunta que muchos desde afuera quieren hacer. Contestando a esta pregunta, el panel de participantes de movimientos de plantación de iglesias usó varias palabras para describir la naturaleza de las iglesias en los movimientos que ellos han conocido. Nosotros podemos agrupar esas cualidades bajo el rubro *iglesias sanas*.

Un coordinador de estrategia lo resumió así: "Yo puedo poner estas iglesias frente a cualquiera de las iglesias de Occidente y ver cómo se destacan. Son más vibrantes, más comprometidas con la Palabra de Dios, más sufridas... y muchas cosas más".

Uno puede perdonar el orgullo de este misionero al hablar del carácter de estas iglesias. Viene de un agudo conocimiento no sólo de su valentía heroica al enfrentar tremendas persecuciones, sino también de la triste realidad de un cristianismo occidental anémico.

¿Cuáles son las señales de una iglesia sana? Bueno, uno no las mide por el número de Escuelas Dominicales, el tamaño de su congregación o las credenciales de los líderes empleados por la iglesia.

En el libro *Iglesia con propósito*, Rick Warren recuerda a la iglesia un estándar más bíblico para medir la salud de la iglesia. Delineando el Gran Mandamiento de Cristo y la Gran Comisión, Warren señala cinco propósitos en una iglesia sana[8]:

1) Compañerismo
2) Discipulado
3) Ministerio
4) Evangelismo/misiones
5) Adoración

---

[8]Rick Warren, *Iglesia con propósito* (Miami: Editorial Vida).

Las iglesias sanas exhiben estos cinco propósitos de una manera natural, porque ellos fluyen de la identidad de la iglesia con el Cristo vivo. Jesús dotó a la iglesia con estos propósitos cuando formuló el Gran Mandamiento: "Ama al Señor tu Dios con todo tu corazón, con todo tu ser y con toda tu mente... Ama a tu prójimo como a ti mismo"[9], y la Gran Comisión: "Vayan y hagan discípulos de todas las naciones, bautizándolos... y enseñándoles a obedecer todo lo que les he mandado"[10].

Cuando se les preguntó, los misioneros que fueron testigos de movimientos de plantación de iglesias opinaron unánimemente que las iglesias en estos movimientos exhibían cada uno de estos cinco propósitos.

—Todos están allí —fue su respuesta, pero algunos de esos propósitos se ven diferentes a los de Occidente.

Esta diferencia era particularmente pronunciada en el área de ministerio. Un coordinador de estrategia comentaba:

—Su tipo de ministerio es más cercano al que encontramos en el Nuevo Testamento. Ellos sanan a los enfermos, echan fuera demonios, y comparten de su pobreza con aquellos que están en necesidad—. Esto suena bastante sano.

Por supuesto que la última prueba de la salud de una iglesia es: ¿Glorifica a Dios? ¿Revelan y exhiben estas iglesias la naturaleza de Dios como se revela en Jesucristo?

Con esta definición de salud, cada uno de los movimientos de plantación de iglesias que hemos estudiado recibe un puntaje muy alto. Esta fue la misma clase de pregunta que el encarcelado Juan el Bautista hizo a los discípulos en relación a Jesús: "¿Eres tú el que ha de venir, o debemos esperar a otro?".

La respuesta de Jesús a los discípulos de Juan todavía nos enseña algo hoy. Les dijo: "Vayan y cuéntenle a Juan lo que están viendo y oyendo"[11].

Jesús estaba diciendo: "Si mis palabras y mis hechos no les re-

---

[9]Mateo 22:37-40.
[10]Mateo 28:19, 20.
[11]Mateo 11:2-6.

velan toda la gloria de Dios, entonces ustedes deben buscar a alguien más".

De la misma manera, nosotros debemos preguntarnos: "¿Es la gloria de Dios, su verdadera naturaleza como se revela en la persona de Cristo, evidente en estos movimientos?". La respuesta se ve en millones de personas cambiadas, cuerpos y almas sanados, fervor por la santidad, intolerancia del pecado, sumisión a la Palabra de Dios y visión para alcanzar a un mundo perdido.

Hay mucho más que podemos aprender de los movimientos de plantación de iglesias repasando nuestras observaciones de los casos de estudio, pero antes de hacerlo, volvamos a la Biblia para ver qué tiene que decir sobre los movimientos de plantación de iglesias.

12

¿Qué dice la Biblia?

Es maravilloso saber que tantas personas han llegado a conocer a Cristo y que nuevas iglesias están surgiendo alrededor del mundo. Esta razón solamente debería ser suficiente para que abrazáramos los movimientos de plantación de iglesias. Pero como pueblo del Libro estamos comprometidos a filtrar nuestra comprensión del mundo a través de la Palabra de Dios.

Mientras lo hacemos, seguiremos la tradición de los cristianos del primer siglo, como aquellos en Berea, que examinaban las Escrituras para ver si era verdad lo que se les anunciaba[1]. Entonces, ¿qué dice la Biblia sobre los movimientos de plantación de iglesias? ¡Dejemos que comience el diálogo bereano!

Usted puede buscar *exhaustivamente* en su concordancia y no encontrar en ningún lado ni una sola referencia a los "movimientos de plantación de iglesias". Al mismo tiempo, el mundo del primer siglo estaba invadido de nuevos convertidos y múltiples iglesias locales plantando iglesias; en resumen, movimientos de plantación de iglesias.

Los orígenes de los movimientos de plantación de iglesias se remontan a la vida y enseñanzas de Jesús mismo. Ese mismo Cristo que mentoreó a un pequeño grupo de seguidores, se movió de un lugar a otro por la campiña de Palestina, ejemplificó la oración y la fidelidad a las Escrituras, adoró en hogares y zonas montañosas, realizó señales y prodigios, y comisionó a sus discípulos como los primeros misioneros, es el Cristo de los movimientos de plantación de iglesias.

---

[1]Hechos 17:11.

Lucas, compañero de viaje del apóstol Pablo y autor de la porción más larga del Nuevo Testamento, claramente relacionó el ministerio terrenal de Jesús con los movimientos de plantación de iglesias que le siguieron.

En su segundo volumen, el *libro de Los Hechos*, Lucas escribe a Teófilo: "...en mi primer libro me referí a todo lo que Jesús comenzó a hacer y enseñar"[2]. La implicación es inevitable. Si el volumen 1, el *Evangelio de Lucas*, cubre todo lo que Jesús *comenzó* a hacer y enseñar, entonces su secuela, el *libro de Los Hechos*, describirá lo que Jesús *continúa* haciendo y enseñando a través de su cuerpo, la iglesia. Entonces no debe sorprendernos que las características que marcan los movimientos de plantación de iglesias hoy puedan remontarse, a través del Nuevo Testamento, a la propia vida y enseñanzas de Jesús.

Vamos a mirar algunas de estas características.

Visión

Los participantes de un movimiento de plantación de iglesias a menudo hablan de su visión o su visión final. Esto describe lo que esperan ver cuando la visión de Dios para su pueblo o ciudad se lleve a cabo. Un hermano lo dijo así: "Si no puedes verlo antes de verlo, nunca vas a verlo".

Jesús llenó a sus discípulos de grandes expectativas y la visión final que podría lograrse. Él les enseñó a orar por la realización de esta visión: "Venga tu reino, hágase tu voluntad, en la tierra como en el cielo"[3].

Después que los 72 misioneros regresaron de su misión, Jesús pareció gritar de gozo: "Yo veía a Satanás caer del cielo como un rayo"[4]. En Apocalipsis 12, el apóstol Juan vio la misma imagen: "Porque ha sido expulsado el acusador de nuestros hermanos, el que los acusaba día y noche delante de nuestro Dios"[5].

---

[2]Hechos 1:1.
[3]Mateo 6:10.
[4]Lucas 10:18.
[5]Apocalipsis 12:10.

Jesús claramente inició el derrocamiento del *príncipe de este mundo;* esto continuó por medio de la iglesia primitiva y, a través de los movimientos de plantación de iglesias, esta divina subversión continúa aún hasta nuestros días[6].

Jesús preparó a sus discípulos para esperar aún milagros más grandes que los que él mismo había hecho. Él también estableció un estándar de cosecha que excedía por mucho las expectativas normales. En su parábola de los talentos, Jesús enseñó a sus discípulos que Dios espera un retorno exponencial de su inversión[7]. Esta expectativa de una gran cosecha posibilitó a un abigarrado grupo de 120 seguidores a salir del aposento alto y tratar de ganar el mundo entero para Cristo.

Después de caminar con Jesús por tres años y luego presenciar su muerte, sepultura y resurrección, los discípulos estaban listos para recibir el mandato de la Gran Comisión de ser testigos... hasta los confines de la tierra[8]. Jesús llenó a sus seguidores con la visión y la anticipación de los movimientos de plantación de iglesias que siguieron. ¿Qué otras características de los movimientos de plantación de iglesias podemos encontrar en la iglesia primitiva y en las enseñanzas de Jesús?

Oración

La oración, el elemento distintivo de los movimientos de plantación de iglesias, tiene profundas raíces en la iglesia del Nuevo Testamento que dirigió sus pasos hacia el estilo de vida que Jesús modeló para sus discípulos: "Muy de madrugada, cuando todavía estaba oscuro, Jesús se levantó, salió de la casa y se fue a un lugar solitario, donde se puso a orar[9]. "Esta clase de demonios", les enseñó, "sólo puede ser expulsada a fuerza de oración"[10]. Su última cena fue orquestada alrededor de las oraciones que deberían repe-

---

[6]Juan 12:31; 16:11; 14:30; 2 Corintios 4:4; Efesios 2:2.
[7]Lucas 19:11-27.
[8]Hechos 1:8.
[9]Marcos 1:35.
[10]Marcos 9:29.

tir hasta su regreso[11]. Y luego en el huerto, "les dijo: 'Oren para que no caigan en tentación'. Entonces se separó de ellos a una buena distancia, se arrodilló y empezó a orar..."[12]. Y para continuar con el patrón de toda su vida, las últimas palabras de Jesús sobre la tierra fueron una serie de oraciones apelando a su Padre[13].

Siguiendo a su Señor, la iglesia primitiva nació en medio de la oración en el aposento alto[14]. Ellos frecuentaban el templo para orar[15], dedicaban sus líderes a la oración y al ministerio de la Palabra[16], y se reunían diariamente en sus hogares para partir el pan y orar juntos[17].

Entonces no tiene que sorprendernos que los movimientos de plantación de iglesias de hoy en día estén impregnados en la oración mientras viven el legado que Cristo introdujo en el fundamento de la iglesia hace unos dos mil años.

Evangelismo abundante

Jesús infundió a la iglesia primitiva la pasión por el evangelismo que fluía naturalmente de Aquel que comenzó su ministerio anunciando "las buenas nuevas de Dios"[18]. En medio de su ministerio, Jesús envió a 72 de sus seguidores "de dos en dos delante de él a todo pueblo y lugar a donde él pensaba ir", instruyéndoles: "Sanen a los enfermos que encuentren allí y díganles: 'El reino de Dios ya está cerca de ustedes' "[19].

Antes de anunciar la Gran Comisión final de predicar el evangelio por todo el mundo, Jesús relacionó su retorno al cumplimiento de este mandato evangelístico: "Y este evangelio del reino", dijo el Señor, "se predicará en todo el mundo como testimonio a todas las naciones, y entonces vendrá el fin"[20].

---

[11] 1 Corintios 11:23-26.
[12] Lucas 22:40, 41.
[13] Mateo 27:45-50.
[14] Hechos 1—2.
[15] Hechos 3:1.
[16] Hechos 6:4.
[17] Hechos 2:40.
[18] Marcos 1:14.
[19] Lucas 10:1, 9.
[20] Mateo 28:19, 20 y Mateo 24:14.

La iglesia primitiva obedeció estas palabras con pasión. Desde el Pentecostés hasta el Apocalipsis, la iglesia ha llevado el evangelio de Jerusalén hasta los confines de la tierra, anticipando ese retorno de Cristo. Pablo tipificó la filosofía de la iglesia primitiva hacia el evangelismo abundante en su primera carta a los corintios cuando les recordó: "El que siembra escasamente, escasamente cosechará, y el que siembra en abundancia, en abundancia cosechará"[21].

Pablo, recién convertido, se aventuró hacia el sur para llegar a Arabia, y hacia el norte para llegar a Damasco, en Siria[22], y luego a las fronteras de Asia escita. Lo sorprendente es cuántas veces descubrió que el evangelio ya lo había precedido. El cristianismo ya estaba bien establecido en Roma antes de que Pablo se aventurara a viajar allí. El gran centro cristiano de Alejandría produjo a personas como Apolos, aunque no hay ningún récord de cómo o cuándo llegó el evangelio. Pablo comisionó a Tito para que nombrara ancianos en cada ciudad de Creta, una isla relativamente remota en las afueras de la costa de Libia. Sólo Dios sabe cómo llegó el evangelio a este punto tan distante[23].

Durante el medio siglo en que se escribió el Nuevo Testamento, el evangelio llegó desde el Gólgota hasta Gibraltar. El milagro de Pentecostés diseminó el mensaje y a sus mensajeros hacia el este hasta el imperio persa, hacia el oeste hasta el norte de África, hacia el norte atravesando el mundo grecorromano, y hacia el sur, hasta Egipto y Etiopía. Las tradiciones de la iglesia primitiva en las costas de Malabar, al sur de la India, atestiguan el celo misionero del primer siglo, que llevó el mensaje hasta los confines más remotos del mundo conocido en ese entonces.

Ese mismo celo por sembrar abundantemente el evangelio fluye a través de las venas de los movimientos modernos de plantación de iglesias. Los misioneros de nuestros días tratan de desarrollar maneras creativas para entrar a países restringidos, trabajar a través de los medios de comunicación masivos, y a través de los plan-

---

[21]2 Corintios 9:6.
[22]Gálatas 1:17.
[23]Tito 1:5.

tadores de iglesias itinerantes. Como Pablo, estos apóstoles de la fe del siglo XXI se han hecho "todo para todos, a fin de salvar a algunos por todos los medios posibles"[24].

Autoridad de las Escrituras

Los movimientos de plantación de iglesias están edificados sobre la autoridad de la Palabra de Dios. Esa es la vena que corre en profundidad a través de la vida de Jesús y de la iglesia primitiva. Todos los escritores de los Evangelios presentan la vida de Jesús como el cumplimiento de la Escritura, y Jesús mismo recordó a sus seguidores que "ni una letra ni una tilde de la ley desaparecerán hasta que todo se haya cumplido"[25]. Luego él advirtió a sus discípulos: "Todo el que infrinja uno solo de estos mandamientos, por pequeño que sea, y enseñe a otros a hacer lo mismo, será considerado el más pequeño en el reino de los cielos; pero el que los practique y enseñe será considerado grande en el reino de los cielos"[26].

Jesús ejemplificó la fidelidad a las Escrituras aún en sus momentos de prueba más profundos. Él contestó a las tentaciones de Satanás con versículos de la Biblia[27], y pronunció el lamento del Salmo 22 mientras se retorcía en agonía sobre la cruz[28]. Pero aun después de su muerte, sepultura y resurrección, Jesús dirigió a sus seguidores a las Escrituras para explicar lo que había pasado y lo que habría de venir: "Cuando todavía estaba yo con ustedes, les decía que tenía que cumplirse todo lo que está escrito acerca de mí en la ley de Moisés, en los profetas y en los salmos". "Entonces", dice la Biblia, "les abrió el entendimiento para que comprendieran las Escrituras"[29].

Al seguir este modelo de íntimo compromiso con la Palabra de Dios, los discípulos de Jesús comenzaron su propia predicación con la exposición de las Escrituras[30], y enfrentaron así finalmente el

---

[24] 1 Corintios 9:22.
[25] Mateo 5:18.
[26] Mateo 5:19.
[27] Mateo 4:6-10.
[28] Mateo 27:46 (citando el Salmo 22:1).
[29] Lucas 24:44, 45.
[30] Hechos 2:17-21, 25-28, 34, 35.

martirio —como en el caso de Esteban— con el eco de las palabras de Jesús: "¡Señor, no les tomes en cuenta este pecado!"[31].

Ellos recordaron a la iglesia la fuente divina de toda autoridad en las Escrituras, insistiendo en que: "Toda la Escritura es inspirada por Dios y útil para enseñar, para reprender, para corregir y para instruir en la justicia, a fin de que el siervo de Dios esté enteramente capacitado para toda buena obra"[32]. Y para no dejar ninguna duda, explicaron también que "ninguna profecía de la Escritura surge de la interpretación particular de nadie. Porque la profecía no ha tenido su origen en la voluntad humana, sino que los profetas hablaron de parte de Dios, impulsados por el Espíritu Santo"[33].

Cuando los participantes de movimientos de plantación de iglesias de nuestros días se niegan a aconsejar a los convertidos con sus palabras de sabiduría o doctrinas que aparecieron con el tiempo, sino que los dirigen a la Palabra de Dios, están recreando el modelo del Nuevo Testamento iniciado por Jesús y trasmitido a través de los apóstoles.

Modelos para la multiplicación

Jesús y la iglesia primitiva practicaban el crecimiento por multiplicación. En Lucas capítulo 5, Jesús escogió 12 discípulos. Según Lucas 9, él los envió y, aunque no lo dice este pasaje, leemos más adelante que su método era hacerlo de dos en dos. En el próximo capítulo, Lucas 10, Jesús envía a 72 discípulos. ¿De donde vinieron estos 72? Si comprendemos el principio de la multiplicación, es fácil imaginar que los 6 pares de discípulos originales hicieron lo que su Maestro les había mostrado: ellos discipularon a 12 más, y como resultado tuvieron 72 discípulos (6 x 12 = 72).

Si la multiplicación estaba verdaderamente en el centro del modelo de discipulado de Jesús, entonces tenemos que esperar que esos 72 discípulos (o sea 36 pares de creyentes) hubiesen producido 444 discípulos más (36 x 12 = 444). Si agregamos esos 444 a

---

[31]Hechos 7:60.
[32]2 Timoteo 3:16, 17.
[33]2 Pedro 1:20, 21.

sus 72 mentores, tendremos como resultado una iglesia primitiva de más de 500 discípulos de Jesús.

¿Fue este el patrón que siguió la iglesia primitiva? En su primera carta a los corintios, Pablo describe la comunidad que recibió a Jesús después de la resurrección: "Después se apareció a más de 500 hermanos a la vez..."[34].

¿Continuó el patrón de multiplicación después de la ascensión de Jesús? Vamos a ver. Si esos mismos 500 hermanos formaron equipos de dos en dos, e imitaron el modelo de Jesús de discipular a 12 convertidos cada uno, entonces produjeron 3.000 discípulos (250 pares x 12 = 3.000). En el mensaje de Pedro durante Pentecostés que aparece en Hechos 2:41, leemos que 3.000 recibieron el mensaje y fueron bautizados en un solo día. Algunos pueden preguntarse si Jesús realmente tenía una fórmula precisa para multiplicarse en grupos de 12, pero queda claro que Jesús intentó que sus seguidores se multiplicaran, ¡y multiplicarse fue lo que hicieron!

Preparación para la persecución

Los misioneros comprometidos con los movimientos de plantación de iglesias comprenden que la persecución puede ser la suerte que correrán aquellos que renuncian a este mundo y siguen a Jesucristo, y tratan de preparar a los nuevos creyentes para esta prueba. La preparación para la persecución en tiempos modernos extiende su larga sombra hasta los días de la cruz de Cristo.

Jesús advirtió a sus discípulos: "El discípulo no es superior a su maestro, ni el siervo superior a su amo"[35]. Jesús sabía que la perspectiva de comprender que "por causa de mi nombre todo el mundo los odiará"[36] podía servir como poderoso impedimento para una fe falsa o aún tímida.

Pablo exhibió la misma clase de osadía en medio de la persecución que marca a aquellos que han liderado y sufrido el costo de un movimiento de plantación de iglesias. Él le dice a los corintios: "He

[34]1 Corintios 15:6.
[35]Mateo 10:24.
[36]Mateo 10:22.

sido encarcelado más veces, he recibido los azotes más severos, he estado en peligro de muerte repetidas veces"[37].

El sufrimiento y la persecución estaban tan estrechamente ligados con la propagación del evangelio, que la palabra griega para testigo (*marturia*) se convirtió en sinónimo de muerte. Jesús sabía que esto iba a pasar, y presentó el desafío: "Si alguien quiere ser mi discípulo" —les dijo—, "que se niegue a sí mismo, lleve su cruz y me siga"[38].

Para Pablo, como para la iglesia primitiva, el sufrimiento era una parte tan integral de su vida en Cristo que lo llevó a decir: "Ahora me alegro en medio de mis sufrimientos por ustedes, y voy completando en mí mismo lo que falta de las aflicciones de Cristo, en favor de su cuerpo, que es la iglesia"[39]. De la misma manera Santiago, el hermano de nuestro Señor, exclamó: "Hermanos míos, considérense muy dichosos cuando tengan que enfrentarse con diversas pruebas"[40]. Y el autor de Hebreos desafió a la iglesia a imitar a "Jesús, el iniciador y perfeccionador de nuestra fe, quien por el gozo que le esperaba, soportó la cruz"[41].

La respuesta de la iglesia primitiva a la persecución puede resumirse en una sola palabra: *valentía**. Esta palabra aparece ocho veces en el libro de Los Hechos, cada vez asociada con la persecución o la oposición al evangelio.

Pedro estableció la pauta cuando oró: "Ahora, Señor, toma en cuenta sus amenazas y concede a tus siervos el proclamar tu palabra sin temor alguno. Por eso, extiende tu mano para sanar y hacer señales y prodigios mediante el nombre de tu santo siervo Jesús"[42].

Pablo reveló las profundas raíces de la valentía de la iglesia cuando escribió: "Así que, como tenemos tal esperanza, actuamos con plena confianza"[43].

---

[37]2 Corintios 11:23-25.
[38]Marcos 8:34.
[39]Colosenses 1:24.
[40]Santiago 1:2.
[41]Hebreos 12:2.
*Nota del Editor: a veces traducida "denuedo" o "sin temor".
[42]Hechos 4:29, 30.
[43]2 Corintios 3:12.

Al final del relato de Lucas sobre los comienzos de la iglesia, el modelo del testimonio valiente frente a una muerte segura se convierte en un tema recurrente para todo el libro, a tal punto que él puede concluir el *libro de Los Hechos* con esta declaración: "Y predicaba el reino de Dios y enseñaba acerca del Señor Jesucristo sin impedimento y sin temor alguno"[44].

En los movimientos de plantación de iglesias de la actualidad, los miembros de las iglesias son refinados por la persecución y definidos por su valentía. El tremendo precio que pagan por seguir a Cristo asegura la pureza del movimiento contra falsas motivaciones y conversiones nominales. Y los relaciona personalmente con la vida y la senda que marcó Cristo y también la iglesia primitiva.

Todo en familia

A diferencia de los modelos de conversiones individuales que en la actualidad vemos en Occidente, los movimientos de plantación de iglesias típicamente estallan dentro de un grupo étnico a través de las relaciones familiares. ¿Qué pasaba en el Nuevo Testamento? ¿Cuáles eran los patrones de trasmisión?

Aunque es verdad que el Nuevo Testamento menciona muchas conversiones individuales realmente dramáticas, las personas de esa época eran mucho más comunales para tomar decisiones. Esto permitía que fuera natural que el evangelio se extendiera a través de líneas familiares. Uno puede verlo en el intercambio entre María, la madre de Jesús, y su parienta Elisabet, que pronto daría a luz a Juan el Bautista[45]. Jesús utilizó más tarde esta relación al ir edificando su ministerio sobre la base del trabajo de su primo, el bautizador[46]. En el camino, los propios hermanos de Jesús aparecieron en su ministerio, y aún María, su madre, se encontraba en compañía de sus seguidores[47].

Cuando Jesús llamó a sus discípulos también existían conexio-

---

[44]Hechos 28:31.
[45]Lucas 1:36.
[46]Lucas 7:20-29.
[47]Mateo 13:55; Lucas 8:20.

nes familiares, cuando Andrés trajo a su hermano Pedro[48] y los hijos de Zebedeo, Jacobo y Juan, siguieron a Cristo juntos[49]. En un círculo más amplio, vemos otras conexiones familiares como los hermanos en Betania, María, Marta y Lázaro[50].

Después de la resurrección y la ascensión de Cristo, la extensión del evangelio continuó en aumento a través de una red natural de relaciones. Pedro predicó y bautizó a Cornelio y toda su familia[51]. Pablo hizo lo mismo con el carcelero de Filipo[52], y cuando encontró a Lidia, la vendedora de telas de púrpura en Tiatira, ella "fue bautizada con su familia"[53].

Desde Jesús y la iglesia primitiva hasta los movimientos de plantación de iglesias contemporáneos, el evangelio continúa fluyendo a través de los canales de hogares y relaciones de familia.

Poder divino en evangelismo y ministerio

Como en los movimientos de plantación de iglesias del presente, la proclamación del evangelio en el Nuevo Testamento iba mano a mano con las demostraciones divinas del poder de Dios a través de sanidades, exorcismos y señales milagrosas. Jesús encomendó a los 72: "Prediquen este mensaje: 'El reino de los cielos está cerca'. Sanen a los enfermos, resuciten a los muertos, limpien de su enfermedad a los que tienen lepra, expulsen a los demonios"[54]. Y pronto regresaron contando las cosas milagrosas que Dios había hecho a través de ellos[55].

Como era su costumbre, Jesús primero practicaba todas estas cosas antes de pedir a sus discípulos que las hicieran. Los evangelios usan la palabra "sanado" o sus equivalentes 39 veces, y en cada caso está asociada con la obra de Jesús. La iglesia que surgió después de la resurrección llevó a cabo esta misma práctica. Sana-

---

[48]Mateo 4:18.
[49]Mateo 4:21, 22.
[50]Juan 12:1-10.
[51]Hechos 10:24, 48.
[52]Hechos 16:31.
[53]Hechos 16:15.
[54]Mateo 10:7, 8.
[55]Lucas 10:17.

ron a los enfermos, echaron fuera demonios y aún resucitaron a los muertos mientras proclamaban las Buenas Nuevas de la salvación que Dios ofrece.

Estas prácticas, que se han convertido en algo completamente extraño entre muchas de nuestras iglesias cristianas contemporáneas, eran parte central del ministerio de Jesús y de la expansión de la iglesia del Nuevo Testamento. Y hoy están bien representadas en los movimientos de plantación de iglesias.

Persona de paz

Varios movimientos de plantación de iglesias que hemos examinado dan testimonio del método misionero de enviar iniciadores de iglesias a distintas villas en búsqueda de la "persona de paz", ese individuo que Dios ya ha escogido para recibir el mensaje del evangelio. La motivación de ellos es adherirse al modelo establecido por Jesús. Cuando Jesús envió por primera vez a sus discípulos como misioneros, los mandó de dos en dos y les encomendó que entraran a cada villa buscando a un "hombre de paz" que los recibiera junto con su mensaje[56].

Jesús prefiguró este método en su diálogo redentor con la mujer samaritana, un diálogo que lo obligó a quedarse en la ciudad por dos días y recoger una cosecha de "muchos más [que] llegaron a creer"[57].

Más adelante, Jesús parece haber tomado el mismo camino en relación con María, Marta y Lázaro: "Mientras iba de camino con sus discípulos, Jesús entró en una aldea, y una mujer llamada Marta lo recibió en su casa"[58]. La invitación llevó a una relación que cambió la vida de Marta y su familia.

¿Fue ésta una metodología aislada que Jesús empleó, o un método que él intentaba que la iglesia primitiva imitase? El modelo de enviar misioneros de dos en dos parece haber inspirado a Pablo a viajar siempre con un acompañante, ya fuera Bernabé, Silas, Lu-

---

[56]Mateo 10:1-16; Lucas 10:1-7.
[57]Juan 4:1-42.
[58]Lucas 10:38.

cas o Tito, cada vez que se aventuraba a un viaje misionero. Aunque no podemos saber la práctica de cada misionero, esto era lo que caracterizaba el modelo de Pablo.

¿Pero seguía también Pablo las instrucciones de buscar a un "hombre de paz"? En Hechos 16, él nos habla de una visión en la que un varón macedonio lo llama a venir y compartir el evangelio. Cuando Pablo llega a Macedonia, descubre que el hombre de paz que Dios tenía preparado era en realidad una mujer llamada Lidia[59].

Pedro evidenció la misma mentalidad cuando siguió la guía de Dios hasta Cornelio, un hombre de paz entre los gentiles, que vivía en la ciudad costera de Cesarea. Como en el caso de Lidia, Cornelio ya había sido escogido por Dios para recibir las Buenas Nuevas que el apóstol le traía[60].

Encontrar la persona de paz receptiva que Dios ya tenía preparada era más que una manera pragmática de evitar la persecución; era una demostración de obediencia a las enseñanzas y patrones modelados por Jesús. Esta misma motivación de obediencia ha introducido nuevamente la búsqueda del hombre de paz en los movimientos de plantación de iglesias de nuestros días.

Un movimiento de iglesias en las casas

En la actualidad, los movimientos de plantación de iglesias crecen mucho concentrándose en pequeños grupos que se reúnen en los hogares. Uno de los primeros modelos lo encontramos en el círculo íntimo de Jesús y sus doce discípulos. Aunque Jesús enseñaba y hacía milagros en lugares amplios y abiertos, él parecía reservar sus más preciosas enseñanzas para los momentos que pasaba a solas con su círculo íntimo. Aparentemente Jesús no tenía una casa propia, pero se sentía cómodo enseñando, evangelizando, sanando y discipulando en aquellos hogares a los que era invitado. Ya sea en la fiesta de la boda de Caná[61], la casa de Caper-

[59]Hechos 16:9-14.
[60]Hechos 10:1-31.
[61]Juan 2.

naúm donde sanó al paralítico[62], la casa de Zaqueo o la de Marta, María y Lázaro[63], Jesús llevó al cristianismo dentro de la casa.

La persecución de la iglesia primitiva impidió que los creyentes crearan grandes santuarios o catedrales. Reunirse en las casas fomentaba la intimidad y reforzaba el rendimiento de cuentas del pequeño grupo dentro de la iglesia. El Nuevo Testamento está lleno de referencias a iglesias que se reunían en las casas: Hechos 5:42 (*...de casa en casa...*); Hechos 8:3 (*Saulo... causaba estragos en la iglesia: entrando de casa en casa...*); Hechos 12:12 (*...a casa de María... donde muchas personas estaban reunidas...*); Romanos 16:5 (*Saluden igualmente a la iglesia que se reúne en la casa de ellos*); 1 Corintios 16:19 (*...la iglesia que se reúne en la casa de ellos*); Colosenses 4:15 (*...la iglesia que se reúne en su casa*); Filemón 2 (*...la iglesia que se reúne en tu casa*).

Cuando la iglesia creció y se convirtió en lo suficientemente fuerte como para construir sus propias catedrales y basílicas, quizá a fines del tercer o cuarto siglos, también comenzó a emplear clero profesional. Cuando la iglesia dejó el hogar, dejó también detrás algo vital: el contacto íntimo con cada faceta de la vida diaria. Hoy los movimientos de plantación de iglesias están introduciendo nuevamente esta dimensión perdida, trayendo la iglesia otra vez al hogar.

Conversión rápida

La respuesta rápida y las conversiones a gran escala han caracterizado cada uno de los movimientos de plantación de iglesias que hemos observado. ¿Es esto bíblico? Una vez más la senda nos lleva a Jesús, quien llamó a varios discípulos y ellos "al instante dejaron las redes y lo siguieron"[64].

Ya sea un ciego que fue curado o un recolector de impuestos contristado, Jesús llamaba a los pecadores al arrepentimiento y esperaba un respuesta inmediata. Esto animó a los apóstoles a se-

---

[62]Marcos 2.
[63]Lucas 10:38-42.
[64]Mateo 4:20, 21.

guir el mismo método. Cuando ellos llamaban al arrepentimiento, miles respondían.

Donald McGavran ha señalado la rápida respuesta que caracterizaba a los movimientos dentro de diferentes grupos étnicos en el Nuevo Testamento.

> Comenzó con un grupo grande, aproximadamente ciento veinte adultos sin contar los niños ni los dependientes. Pentecostés trajo unos tres mil más. Al poco tiempo el número de cristianos había escalado a cinco mil. Después de eso, está registrado que "seguía aumentando el número de los que creían y aceptaban al Señor... multitud de hombres y mujeres" (Hechos 5:14, 15). Un capítulo más adelante, leemos que "el número de los discípulos se multiplicaba considerablemente en Jerusalén, e incluso muchos de los sacerdotes [levitas] obedecían a la fe" (Hechos 6:7)[65].

Los cristianos occidentales de nuestros días que sólo han visto compromisos individuales con Cristo quizá tengan problemas para comprender esta espontánea y arrolladora respuesta al evangelio, pero era algo muy común en el mundo del Nuevo Testamento. Y es también común en los movimientos modernos de plantación de iglesias.

Múltiples líderes laicos

Los movimientos de plantación de iglesias están dirigidos por líderes laicos. Jesús fue uno de los pioneros de este movimiento laico cuando pasó por alto a los fariseos y saduceos para llamar a hombres comunes, pescadores, recaudadores de impuestos y rebeldes políticos. De este montón forjó una comunidad de discípulos que cambiaron el mundo.

Este modelo de liderazgo laico continuó en los años que siguieron a la resurrección de Cristo. La efectividad de estos laicos sorprendió a los judíos del Sanedrín: "Al ver la osadía con la que hablaban Pedro y Juan, y al darse cuenta de que eran *gente sin estudios*

---

[65]Donald McGavran, *The Bridges of God* (New York: Friendship Press, 1955), pp. 18, 19.

ni preparación, quedaron asombrados y reconocieron que habían estado con Jesús"[66] (cursivas nuestras).

En la iglesia primitiva, *haber estado con Jesús* era siempre más importante que las credenciales académicas. Al escoger a alguien que reemplazara a Judas Iscariote, el único requerimiento presentado fue que el candidato hubiera estado con Jesús desde su bautismo hasta su ascensión[67]. Pablo, que podría haber tenido razones para jactarse de su entrenamiento y credenciales, les dio muy poco valor al contrastarlas con el simple hecho de conocer a Cristo[68]. En su primera carta a los corintios, urge a sus lectores a tomar esa misma actitud: "Hermanos, consideren su propio llamamiento: No muchos de ustedes son sabios, según criterios meramente humanos; ni son muchos los poderosos ni muchos los de noble cuna"[69].

En lugar de ver esta falta de "noble cuna" como un impedimento para servir al Señor, Pablo la vio como una oportunidad para que Dios revelara su poder: "Pero Dios escogió lo insensato del mundo para avergonzar a los sabios, y escogió lo débil del mundo para avergonzar a los poderosos... a fin de que en su presencia nadie pueda jactarse"[70].

En los movimientos de plantación de iglesias, los laicos no solamente lideran las iglesias, sino que comparten ampliamente las responsabilidades con otros miembros. En el Nuevo Testamento, Pablo describe este mismo fenómeno cuando habla del "cuerpo de Cristo". En su carta a los efesios Pablo cataloga la amplitud del liderazgo laico: "Él mismo constituyó a unos, apóstoles; a otros, profetas; a otros, evangelistas; y a otros, pastores y maestros, a fin de capacitar al pueblo de Dios para la obra de servicio, para edificar el cuerpo de Cristo"[71].

La primera carta de Pablo a los corintios describe una iglesia en ebullición, con una membresía diversa y vigorosa:

---

[66]Hechos 4:13.
[67]Hechos 1:21, 22.
[68]Filipenses 3:8-11.
[69]1 Corintios 1:26.
[70]1 Corintios 1:27, 29.
[71]Efesios 4:11, 12.

> A unos Dios les da por el Espíritu palabra de sabiduría; a otros, por el mismo Espíritu, palabra de conocimiento; a otros, fe por medio del mismo Espíritu; a otros, y por ese mismo Espíritu, dones para sanar enfermos; a otros, poderes milagrosos; a otros, profecía; a otros, el discernir espíritus; a otros, el hablar en diversas lenguas; y a otros, el interpretar lenguas[72].

El Nuevo Testamento tiene un lugar para los roles de los distintos oficiales de la iglesia como diáconos, obispos, ancianos y pastores, pero también incluye funciones dinámicas para los apóstoles, evangelistas y profetas. En la iglesia del Nuevo Testamento había un lugar para cada tipo de participación. Pablo tuvo que exhortar a las iglesias a proveer fondos para los líderes con las enseñanzas del Antiguo Testamento: "No le pongas bozal al buey mientras esté trillando" y "El trabajador merece que se le pague su salario"[73]. Pero él mismo prefería trabajar cosiendo carpas para sostener su ministerio, y seguía a un Señor que sospechaba del "asalariado"[74], ya que él mismo no tenía "dónde recostar la cabeza"[75].

Demasiado pronto la iglesia abandonó su motor impulsado por laicos, y se volvió al clérigo profesional para que la guiara. La historia ha juzgado que estos profesionales guiaron a la iglesia a su etapa más oscura. En los movimientos de plantación de iglesias actuales, el poder de los laicos ha sido redescubierto y con él la vida de la iglesia del Nuevo Testamento ha renacido.

¿Pero fueron movimientos de plantación de iglesias?

El mundo del primer siglo tenía mucho en común con el siglo XXI. La *Pax Romana* del siglo primero es paralela a la *Pax Americana* del siglo XXI. Aún los famosos caminos romanos reflejan como un espejo nuestras propias rutas de Internet, ambos idealmente diseñados para llevar de un lado a otro el comercio, las ideas y el evangelio.

---

[72] 1 Corintios 12:8-10.
[73] 1 Corintios 9:9 y 1 Timoteo 5:18.
[74] Juan 10:12
[75] Mateo 8:20.

El primer siglo era plenamente consciente de los grupos étnicos y de la variada competencia de religiones y culturas. Sería difícil encontrar una herejía o persuasión filosófica moderna que ya no hubiese circulado durante el siglo primero. Cada fe competía con otras, y perseguía a los convertidos que abandonaban sus filas para unirse a este nuevo y emergente cuerpo de Cristo.

La guerra fría que ha dado forma a nuestra civilización moderna tuvo su paralelo en el enfrentamiento entre el imperio romano y el imperio persa durante el primer siglo. De la misma manera que ahora el cristianismo se ha expandido a través de los mundos soviético y occidental, así también penetró a aquellos gigantes del primer siglo.

No hay que sorprenderse, entonces, de que los que participan de un movimiento de plantación de iglesias contemporáneo encuentren en el Nuevo Testamento todo lo que necesitan como guía. Para aquellos que están propagando el evangelio y multiplicando comunidades de fe en medio de la persecución, el Nuevo Testamento se convierte en un mapa de ruta indispensable.

¿Pero fue el Nuevo Testamento el registro fiel de un movimiento de plantación de iglesias durante el primer siglo? Probablemente, porque las páginas del Nuevo Testamento revelan múltiples movimientos de plantación de iglesias que aparecieron alrededor del mundo conocido. En la primera carta a los tesalonicenses, Pablo se regocija porque "el mensaje del Señor se ha proclamado no sólo en Macedonia y en Acaya sino en todo lugar; a tal punto se ha divulgado su fe en Dios que ya no es necesario que nosotros digamos nada"[76].

En los últimos días de su ministerio, Pablo pudo decir:

> Así que, habiendo comenzado en Jerusalén, he completado la proclamación del evangelio de Cristo por todas partes, hasta la región de Iliria. En efecto, mi propósito ha sido predicar el evangelio donde Cristo no sea conocido, para no edificar sobre fundamento ajeno. Mas bien, como está escrito:

[76] 1 Tesalonicenses 1:8.

> "Los que nunca habían recibido noticia de él, lo verán;
> y entenderán los que no habían oído hablar de él".
>
> Este trabajo es lo que muchas veces me ha impedido ir a visitarlos.
>
> Pero ahora que ya no me queda un lugar dónde trabajar en estas regiones, y como desde hace muchos años anhelo verlos, tengo planes de visitarlos cuando vaya rumbo a España[77].

¿Por qué Pablo quería ir a España? Porque los movimientos de plantación de iglesias del primer siglo ya habían establecido el evangelio a través de la mitad oriental del mundo mediterráneo, con cientos de iglesias locales reproduciéndose a su paso.

Sí, es verdad que el término *movimiento de plantación de iglesias* no aparece en la Biblia. Pero habiendo repasado la evidencia bíblica, es claro que ríos de movimientos de plantación de iglesias fluyen a través del Nuevo Testamento, y que esos ríos emanan de la propia vida y ministerio de Cristo. Una vez que usted reconoce esto, es difícil que vuelva a ver la vida de su propia iglesia de la misma manera otra vez.

Los evangélicos de hoy quieren creer que su iglesia sigue el modelo del Nuevo Testamento. Ciertamente hay algo de verdad en esta aspiración. Sin embargo, hay demasiadas discrepancias entre el mundo de los evangélicos occidentales modernos y el del Nuevo Testamento.

Hoy, la iglesia del mundo del Nuevo Testamento es vagamente familiar para nosotros. La miramos como se puede mirar una fotografía que nos tomaron en nuestra niñez. La semejanza está allí, pero hay muchas cosas que han cambiado. Cuando examinamos los movimientos de plantación de iglesias, sin embargo, recordamos lo que la iglesia era en su juventud: vulnerable, fervorosa, fiel y explosiva. Para los cientos de miles que han experimentado los movimientos de plantación de iglesias alrededor del mundo hoy, el primer siglo ha llegado otra vez.

---

[77]Romanos 15:19-24.

13

En la mayoría de los movimientos de plantación de iglesias

Ahora que hemos examinado lo que dice la Biblia sobre los movimientos de plantación de iglesias, volvamos a las características que los describen y al ambiente en que se desarrollan. Hemos identificado diez elementos que parecen ser universales en cada movimiento, pero ¿qué otros factores contribuyen también?

Esta pregunta surgió de nuestro panel de participantes al ver nuestras pizarras garabateadas con muchos de los factores que estaban presentes en la *mayoría*, no en todos, los movimientos de plantación de iglesias. Honestamente no pudimos llamarlos elementos universales, pero dejarlos fuera de nuestro perfil descriptivo disminuiría grandemente nuestra comprensión de cómo Dios estaba obrando en esos movimientos.

El misionero que establece iglesias tiene influencia sobre algunos de estos factores, pero otros están fuera de su control. Vamos a mirar los diez factores frecuentemente involucrados.

En la *mayoría* de los movimientos de plantación de iglesias

1. **Clima de incertidumbre en la sociedad**
2. **Aislamiento de los de afuera**
3. **El alto precio de seguir a Cristo**
4. **Fe audaz, libre de temores**

5. **Patrones de conversión basados en la familia**
6. **Rápida incorporación de nuevos creyentes**
7. **Adoración en el lenguaje del corazón**
8. **Señales y maravillas divinas**
9. **Entrenamiento de liderazgo mientras trabajan**
10. **Sufrimiento de misioneros**

Examinemos cada uno de estos factores con detenimiento.

1. Clima de incertidumbre en la sociedad

Ya sea en los decadentes días del comunismo, en la época que sigue a la caída de un dictador, o en el caos cuando una antigua tradición se moderniza, los movimientos de plantación de iglesias parecen florecer en un estado de transición social, agitación o incertidumbre. Los movimientos de plantación de iglesias en Camboya siguieron al reino de terror del Khmer Rouge. En Asia central fue el colapso del comunismo soviético. En América Latina fue la concientización de que la vieja ideología socialista ya no podía sostenerse en pie contra las fuerzas del mercado global.

A veces el clima de malestar en la sociedad parece una condición permanente. Este es el caso de la agobiadora pobreza del estado de Bihar en la India, donde el caos social ha sido la norma por décadas. Durante siglos, los gitanos de Europa vivieron como parias sociales hasta que Dios los recibió en su propia familia a través de los movimientos de plantación de iglesias.

Para pueblos como los maasai, del este de África, la amenaza de la modernización fue suficiente para crear incomodidad, y la búsqueda de algo permanente y verdadero. La modernización todavía tiene que alcanzar muchos pueblos del interior de África, Asia y

América Latina, pero a medida que lo logre quebrantará viejos sistemas de valores y creará la apertura necesaria para una solución más significativa.

Hay más de 14.000.000 de refugiados en el mundo hoy, y un número aún mayor de personas desplazadas internamente, que escapan a la opresión y la estrechez económica. Como ya hemos visto en los campos de establecimiento de refugiados en Holanda, estos desplazados están buscando un nuevo punto de referencia para su vida. En Cristo pueden encontrar lo que están buscando.

Lamentablemente, lo opuesto también es verdad. La gran estabilidad social tiende a adormecer a la gente ofreciéndoles un falso sentido de seguridad. Se olvidan de que la vida es corta, y que debemos prepararnos para la eternidad. Esto crea un gran obstáculo en las afluentes sociedades de Europa occidental, Japón y los Estados Unidos, donde el bienestar económico sin paralelos ha fomentado un malestar espiritual también sin paralelos.

Por lo tanto, si la agitación social es precursora de los movimientos de plantación de iglesias, el mundo del siglo XXI presenta muchos candidatos —África, Asia, Europa Oriental, América Latina y el Medio Oriente— todos ellos temblando de incertidumbre, tambaleando con los cambios y maduros para recibir los movimientos de plantación de iglesias.

2. Aislamiento de los de afuera

Cada uno de los panelistas hubiera querido evitar esta parte. Después de todo, ellos también eran de afuera. Pero continuamos tropezando con este factor una y otra vez. Repasando la lista de movimientos de plantación de iglesias que estaban surgiendo alrededor del mundo, la evidencia acumulada mostraba que la mayoría de ellos estaban aislados del contacto con el mundo exterior.

Finalmente alguien preguntó:

—¿Es verdad que los movimientos de plantación de iglesias sólo ocurren en lugares difíciles de alcanzar para los norteamericanos?

Camboya, Mongolia, China, el territorio maasai, Asia Central, y los estados de Bihar y Orissa en la India, todos estos son lugares aislados del contacto exterior.

¿Es este aislamiento coincidente o instrumental en el desarrollo de los movimientos de plantación de iglesias? Quizá un poco de ambas cosas. Generalmente, los movimientos de plantación de iglesias ocurren en lugares donde los perdidos comienzan a acercarse a Cristo. Como la mayor concentración de perdidos está, casi por definición, aislada de las grandes concentraciones de cristianos en el mundo, no debe sorprendernos que la mayoría de los movimientos de plantación de iglesias ocurran en lugares remotos.

Una excepción pueden ser los gitanos de Europa occidental, cuyo movimiento ha florecido en varios países liberados de Europa. Sin embargo, aún entre los gitanos, los de afuera no han prestado debida atención al movimiento. Por el contrario, la mayoría de los misioneros que trabajan en Europa Occidental han evitado el ministerio entre los gitanos para dedicarse a trabajar con la mayoría de la población del país.

Muchos movimientos de plantación de iglesias aparecen en lugares aislados, y parece que allí sí hay una relación casual. El acceso fácil a los recursos evangélicos puede llevar rápidamente a una dependencia de los extranjeros que los ofrecen. Cuando esto pasa, la atención de los líderes de la iglesia local deja de concentrarse en los perdidos de su propio país y los recursos disponibles dentro de su cosecha, para hacerlo a las fuentes de recursos foráneos.

Esto no disminuye el rol vital que los de afuera pueden y deben tener en la vida de un movimiento de plantación de iglesias. Después de todo, el evangelio tiene que venir de algún lado. Cada uno de estos movimientos puede remontarse a alguien de afuera que penetró las dificultosas barreras que rodeaban a un pueblo no alcanzado para presentarles el evangelio.

3. El alto precio de seguir a Cristo

En la mayoría de los movimientos de plantación de iglesias hay un tremendo precio que pagar para llegar a ser cristiano. Este camino de sangre une a los mártires de hoy con aquellos de la iglesia primitiva quienes, como su sufriente Salvador, fueron obedientes hasta la muerte.

La persecución purifica a la iglesia, garantizando la legitimidad de su vida y testimonio. La persecución también filtra a los creyentes ocasionales. En los movimientos de plantación de iglesias esto pasa todos los días.

En un Café del norte de África, estaban conversando dos hombres de Argelia. Uno de ellos, Mohammed, había tomado una decisión. Llevaba colgada una cruz y tenía en su bolsillo un Nuevo Testamento. Su amigo, Ismael, continuaba indeciso. Había estado leyendo el Nuevo Testamento, creía en Jesús, pero no podía deshacerse de sus creencias musulmanas.

De pronto, tres policías de civil entraron por la puerta, tomaron a los dos hombres y los metieron en la parte de atrás de una camioneta sin identificación. Por los próximos tres días, Ismael y Mohammed permanecieron detenidos en el Ministerio de Seguridad Interna.

Cuatro días más tarde, Ismael fue liberado y reportó lo que había pasado.

—Mohammed y yo estábamos separados. Yo estaba solo en una habitación, con dos hombres del Ministerio del Interior.

—*¿Así que usted es cristiano?* —preguntaron.

Yo les dije que era musulmán como ellos.

—*¿Entonces por que lleva un Nuevo Testamento?*

Permanecí en silencio.

—*Dínos. ¿Quién tiene la razón? ¿Mahoma o Jesús?*

Yo titubeé y luego dije:

—*Los dos tienen la razón...*

Entonces uno de ellos me pegó en la cara, tirándome al suelo.

—*No* —me dijo. *Los dos no pueden tener la razón. Uno de ellos está en lo cierto y el otro está equivocado. ¿En quién cree usted?*

Ismael dijo que al mirarlo, tuvo la respuesta.

—*Jesús* —le dije—. *Jesús está en lo cierto.*

Días más tarde, Ismael quedó libre, pero nunca más volvió a ver a su amigo Mohammed.

Lo que le pasó a Ismael en 1996 pasa en los movimientos de plantación de iglesias todos los días. Los creyentes han perdido su trabajo, su familia, su libertad y muchos han sido asesinados. Pero ellos permanecen fieles a su compromiso aun hasta la muerte.

Mientras la persecución lleva a muchos de la incertidumbre a la fe, para otros, como al amigo de Ismael, Mohammed, la persecución los lleva a perder su propia vida.

4. Una fe audaz, libre de temores

La mayoría de los cristianos occidentales nunca conocerán el terror que rodea a los creyentes que viven en un ambiente de persecución. Bajo la ley islámica, un musulmán que se convierte del Islam a otra religión merece la pena de muerte. La mayoría de los países musulmanes hoy han firmado la *Declaración de Derechos Humanos* de las Naciones Unidas, que garantiza la libertad de conciencia y la libertad de convertirse a otra religión, pero esto significa muy poco en una aldea musulmana.

Un amigo egipcio que se convirtió del Islam lo explicaba de esta manera:

—Bajo la ley islámica —decía— mi sangre no está prohibida.

Él se dio cuenta de que mi expresión de incógnita mostraba que yo no entendía lo que quería decir, y entonces prosiguió:

—El Islam prohíbe el derramamiento de sangre, pero no de la sangre de un apóstata.

Para los creyentes secretos que viven en ambientes hostiles, el temor puede tener una calidad tangible. Crece más allá de la razón y sofoca la habilidad del cristiano de compartir su fe o aun proclamar públicamente su compromiso con Jesucristo. Si el temor vence, el movimiento de plantación de iglesias fracasa. Sin embargo, cuando los nuevos cristianos deciden testificar audazmente enfrentando la persecución, crean una atmósfera propicia que sostiene al movimiento de plantación de iglesias.

Visitando el creciente movimiento entre el pueblo maasai en 1999, me pidieron que hablara en una reunión de cristianos maasai que habían venido a la escuela de capacitación por una semana, para un entrenamiento de plantación de iglesias.

—Los maasai nunca experimentaron persecución —me dijo el misionero—. Ellos siempre han sido los perseguidores, y no los perseguidos. Pero si quieren seguir a Cristo, necesitan estar listos para enfrentarla. ¿Podría compartir con ellos algo de lo que los cristianos están viviendo en el mundo musulmán?

Me sentí contento de ayudar, pero algo intimidado por estos silenciosos y musculosos guerreros que habían apoyado sus lanzas contra la única puerta de entrada, y ahora estaban sentados en filas entre esa misma puerta y yo. Con aparente calma, me paré frente a ellos y durante la siguiente hora les hablé de amigos musulmanes que habían dado sus vidas a Cristo, y en consecuencia habían perdido su trabajo, su familia y aun su seguridad personal. Mencioné cómo cada uno de esos creyentes habían salido de su tormento mucho más comprometidos que nunca con Cristo, porque él había dado su vida por ellos y vivía ahora en su corazón.

Al terminar, me senté para esperar la conferencia del próximo maestro.

Antes que él pudiera presentarla, los maasai comenzaron a murmurar entre ellos. Luego uno, visiblemente agitado, se puso de pié, y luego otro hizo lo mismo. Nerviosamente le pregunté al misionero qué estaba pasando.

Entonces me dijo:

—Están haciendo una invitación. Todo aquel que desea seguir a Cristo aún en medio de la persecución, es invitado a pasar adelante.

En pocos minutos, cuatro hombres maasai que todavía no habían tomado una decisión por Cristo, pasaron adelante para decir: "Si esto es lo que significa ser cristiano, nosotros queremos estar con Jesús".

Su reputación de ser uno de los pueblos más temerarios de la tierra, ha colocado a los maasai en la cima. Pero su valentía los coloca firmemente junto a los nuevos creyentes que los movimientos de plantación de iglesias tienen por todas partes.

5. Patrones de conversión basados en la familia

La cantidad de conversiones que van siguiendo la línea familiar puede variar de cultura en cultura, pero en la mayoría de los movimientos de plantación de iglesias el evangelio fluye a través de distintas redes de relaciones familiares. Este patrón es tan importante como difícil de comprender para los cristianos occidentales. En Occidente, tenemos una fuerte tradición individualista. Las decisiones que cambian nuestra vida —el casamiento, las opciones de educación, la profesión— son todas vistas como decisiones personales. En realidad, si uno de los padres o cualquier otro miembro de la familia trata de influenciar demasiado una decisión, esa persona es considerada poco razonable y hasta cargosa.

Pero el resto del mundo no funciona de esa manera. Aquellos que quieren tomar decisiones sin considerar el consejo de su comunidad son generalmente individuos que ya están marginados por la sociedad, y sólo tratan de escapar. Demasiado frecuentemente los misioneros individualistas occidentales han tendido a trabajar con estas personas marginales para llevarlos a Cristo, sólo para comprobar después que el evangelio nunca va más allá de estas personas cuando quieren penetrar la comunidad.

Históricamente, esta tendencia ha llevado al éxodo de muchos de los convertidos de estos cristianos marginales que escapan de su sociedad para buscar una nueva vida en Occidente. Los misioneros hoy están tratando deliberadamente de evitar este tipo de extracción de convertidos, pero continúan buscando la manera de penetrar el centro cultural del grupo étnico en lugar de plantar una iglesia de personas marginadas en sus alrededores.

En los movimientos de plantación de iglesias, los nuevos creyentes toman la iniciativa llevando el evangelio a sus familias primero, aún frente a la persecución severa. Esto puede verse entre los creyentes de trasfondo musulmán en el oeste de África, entre los gitanos evangélicos de España, y a través de América Latina, Asia y África. Las reuniones en los hogares han acelerado en gran manera este patrón de conversiones basadas en la familia, llevando a menudo a la conversión de todo el clan.

En Pakistán, un misionero llamado Marcos cuenta la historia de los miembros de una familia extendida que llegaron de Afganistán para conocer a Cristo todos juntos el mismo día. Varios cristianos habían entablado amistad con el clan, y cada uno testificaba fielmente a los miembros de la familia. Los cristianos decidieron que siempre compartirían algo que Dios les hubiera enseñado en la

Biblia ese día. Con el tiempo, sintieron como algo natural entregarles una Biblia a cada miembro de la familia.

Una mañana, Alí, el padre de la familia afgana se acercó al misionero con mucho gozo.

—Señor Marcos, señor Marcos, anoche tuve un sueño.

Marcos le contestó:

—Cuéntame tu sueño, Alí.

Alí continuó:

—Anoche, antes de irme a dormir, puse la Biblia que usted me regaló debajo de mi almohada. Durante la noche un "ser lleno de luz" entró a mi cuarto. Entonces sacó la Biblia de debajo de mi almohada y la puso sobre la almohada.

Alí apenas podía contener su entusiasmo:

—¿Se da cuenta lo que eso significa? —preguntó.

Marcos le respondió sabiamente:

—Alí, ¿por qué no me dices lo que significa?

Entonces Alí contestó:

—¡Está bien claro! Dios me está diciendo que yo no puedo creer solamente parte de la Biblia. Tengo que creer todo.

Dios ciertamente le había hablado a Alí, pero él todavía no estaba listo para convertirse al cristianismo. Marcos podría haber forzado el tema y presionado para que Alí tomara una decisión. Sin embargo, afirmó la visión de Alí y lo animó a compartir las buenas nuevas con su padre.

Ambos sabían que el padre de Alí, el patriarca del clan, todavía vivía en el hogar y era una fuerza confrontadora al tomar decisiones en familia. Alí fue a la casa y le contó a su padre la historia de su sueño. Esa noche el padre de Alí tomó su propia Biblia y la colocó debajo de su almohada. A la mañana siguiente, el viejo patriarca reportó la misma revelación.

En una semana, todos los 13 integrantes del clan habían entregado su vida a Cristo.

Los misioneros de los movimientos de plantación de iglesias transforman los encuentros evangelísticos en tiempos de cosecha familiar, resistiendo la tentación de extraer a los convertidos uno por uno. Ellos han aprendido a dejar que el amor y el respeto natural que los miembros de la familia sienten unos por otros lleve a todo el clan a conocer a Cristo.

6. Rápida incorporación de nuevos creyentes

En la mayoría de los movimientos de plantación de iglesias, los nuevos convertidos son incorporados rápidamente a la vida y al trabajo de la iglesia. ¡No sólo se les da la bienvenida, sino que se los pone a trabajar!

En China, por ejemplo, los plantadores de iglesias deliberadamente canalizan a los nuevos creyentes hacia *nuevas* iglesias en lugar de asimilarlos en las viejas congregaciones. Esta integración los fuerza a tomar un rol activo en la vida de la iglesia, y ellos están listos para el desafío.

En India, un anciano entre los bhojpuri plantó 42 iglesias en su primer año de creyente; ¡nadie le dijo que necesitaba madurar en su fe primero!

En situaciones más tradicionales, las iglesias toman precauciones al asimilar a los nuevos creyentes, hasta probarlos primero. Los convertidos se destinan a los bancos, donde deben demostrar su conversión a través de años de fiel asistencia. Si el convertido pierde interés después de un tiempo, los fieles concluyen que su conversión no fue genuina, cuando, en realidad, puede ser que simplemente se haya aburrido. Este patrón ha llevado a un sorprendente índice de disminución de las iglesias evangélicas alrededor del mundo. La pasión y el celo del nuevo convertido es absorbida lentamente por los bancos de la iglesia hasta que el cristiano nominal y anémico finalmente se aleja. Los perdidos están encontrando que el mensaje del evangelio es poderoso en su apelación y en su habilidad para cambiar su vida, pero descubren que la vida en los bancos es menos satisfactoria.

En años recientes, las iglesias evangélicas han mejorado el entrenamiento de discipulado en un esfuerzo por conservar a los nuevos convertidos. Algunos de estos esfuerzos han probado ser muy efectivos, pero a menudo se concentran en el adoctrinamiento que tiene como resultado cristianos más educados, pero no necesariamente cristianos mejor asimilados.

En los movimientos de plantación de iglesias los convertidos en perspectiva a menudo comienzan sirviendo a Cristo aun antes de convertirse en sus seguidores. Un misionero del sudeste de Asia comenzó a reunirse regularmente con un grupo de doctores vietnamitas. Aunque ellos todavía no eran cristianos, se reunían semanalmente para orar, estudiar la Biblia y compartir la visión de lo que ellos percibían como el deseo de Dios para sus vidas y para su pueblo.

Luego de algunos meses, uno de los doctores dijo:

—Yo todavía no soy cristiano. Pero cuando lo sea, pienso que voy a ser la clase de cristiano capaz de traer a mi pueblo un movimiento de plantación cristiano tanto en este país como del otro lado de la frontera.

La visión de este médico precristiano sorprendió a todos menos al misionero.

—Esto es lo que pasa con los movimientos de plantación de iglesias —explicó—. Uno comienza a practicar el final desde el principio.

En la mayoría de los movimientos de plantación de iglesias, el bautismo no se dilata ni es seguido por largos períodos de prueba. Por el contrario, los nuevos cristianos inmediatamente comienzan a evangelizar a otros compartiendo las enseñanzas del discipulado que ellos mismos están recibiendo, y participando en la formación de una nueva iglesia en una casa.

El movimiento se concentra hacia fuera y tiene como meta comenzar nuevas obras y atraer a los perdidos, en lugar de mirar hacia atrás, añorando el pasado. Este énfasis de establecer nuevas iglesias en lugar de fortalecer la iglesia ya establecida está en abierto contraste con la práctica convencional, donde a menudo se asume que la iglesia no debe arriesgarse mucho con los nuevos creyentes.

7. Adoración en el idioma del corazón

La adoración en el lenguaje del corazón permite que el evangelio fluya libremente a través de un grupo étnico. Hay movimientos de plantación de iglesias que han surgido en diferentes grupos, y que todavía no tienen una Biblia traducida al lenguaje natal. Sin embargo, su adoración, canciones y oraciones se expresan en su "idioma del corazón".

En el culto de una iglesia cerca del mar Caspio, escuché los singulares coros de alabanza del pueblo azeri ascendiendo hasta el trono de Dios. Entrando en una habitación abarrotada y oscura de Addis Abeba, disfruté de un grupo de creyentes etíopes que cerrando los ojos levantaban sus manos santas y sus canciones de alabanza en el idioma amharic. En un centro de entrenamiento colmado de gente en Uttar Pradesh, India, fui arrastrado junto a cientos de creyentes del pueblo dalit que abrían sus corazones a Dios. Me he unido a los creyentes maasai riendo de gozo mientras cantaban y danzaban las grandes historias de la Biblia. En cada lugar, el ritmo y el flujo de la adoración era totalmente nativo, natural y poderoso.

Un colega misionero regresó de su visita a Myanmar, donde se reunió con un grupo de monjes budistas que recién se habían entregado a Cristo. Nunca habían escuchado himnos cristianos, pero no podían dejar de cantar salmos y oraciones a Dios.

—Si uno pudiera llamar a eso cantar —dijo el misionero—. Sonaban más a letanías budistas, pero todas sus palabras alababan a Dios.

Los misioneros que se toman el tiempo de adaptar el evangelio al lenguaje del corazón de un pueblo se están alineando con la manera en que Dios está trabajando. Sin embargo, adquirir el idioma del corazón de los pueblos todavía no alcanzados no es algo fácil.

La mayoría de los grupos étnicos menos alcanzados del mundo hoy lo son porque sus idiomas no pueden ser aprendidos en una escuela de la comunidad. A menudo estos idiomas no son escritos, y se ocultan detrás de otros difíciles lenguajes conocidos. En algunos casos, los idiomas de un grupo de personas no alcanzadas han sido prohibidos y catalogados como subversivos, como en el caso de los kurdos de Turquía, o los kabyle bereber de Argelia. Por muchos años, la posesión de literatura en estos idiomas podría resultar en encarcelamiento o deportación.

A pesar de conocer las ventajas de aprender el idioma del corazón, algunos misioneros sucumbían ante la tentación de proveer el evangelio en un lenguaje más conocido. El aprendizaje de un idioma es difícil y lleva mucho tiempo. Entonces estos misioneros hicieron un alto después de aprender los idiomas más conocidos como hindi, swahili, francés, ruso, chino o árabe, en lugar de penetrar a un nivel más profundo para presentar el evangelio en algunos de los cientos de idiomas del corazón.

La dificultad de aprender los idiomas de los grupos menos alcanzados del mundo hace que cuando estos reciben el evangelio en el idioma del corazón, su experiencia sea mucho más preciosa. Una mujer de una de las aldeas del sudeste de Asia pudo ver la película *Jesús* en su propio idioma.

—¿Quién es este Jesús —preguntó—, que conoce y habla mi idioma?

Entre los kabyle bereber del norte de África, su propio lenguaje ha sido suprimido por décadas, primero por los árabes y luego por los franceses. Hoy ellos pueden escuchar el evangelio a través de los programas de radio, leer la Biblia y ver la película *Jesús*, todo en su propio idioma kabyli. Es maravilloso ver cómo este pueblo, históricamente musulmán, ahora se está volviendo a Cristo.

8. Señales y maravillas divinas

Los movimientos de plantación de iglesias nacen y se nutren dentro de una atmósfera en la que Dios muestra su poder. Para algunos, el poder viene a través de la sanidad. Un amigo volvió recientemente de Bihar, India.

—Entrevisté a unos 50 cristianos —dijo—. Cada uno de ellos conoció a Jesús como sanador antes de conocerlo como Salvador.

Para otros, es la protección divina de Dios. Un creyente que vivía en un país desgarrado por la guerra civil comentó:

—En mi país, los fundamentalistas musulmanes y el gobierno se están matando unos a otros en una guerra que ya ha costado 100.000 vidas. Hasta hoy, Dios ha protegido a su iglesia; ni un solo creyente ha muerto como consecuencia de esta violencia.

Los misioneros que no están acostumbrados a ver señales y maravillas se han convertido a esta noción de la intervención directa de Dios en los asuntos del hombre. Un misionero norteamericano, que se graduó con las mejores calificaciones en su clase de universidad, entró a un nuevo mundo cuando llegó para sumergirse en la cultura china. Después de varios años, confesó:

—Todos los movimientos de plantación de iglesias que he visto en China están llenos de sanidades, milagros y hasta resurrecciones.

Otro misionero bautista que servía en la India, casi disculpándose comentó sobre una resurrección de entre los muertos que ocurrió en su grupo étnico.

En Bihar, India, la muerte de una jovencita en la aldea coincidió con la visita de un evangelista. Como era la costumbre, la muchacha fue colocada dentro de la bolsa de un sarcófago en preparación para la pira funeraria. Los activistas de un grupo militante de nacionalistas indios aprovecharon esta oportunidad para culpar al predicador itinerante. Los tristes moradores de la villa comenzaron a luchar entre la apelación que presentaba el mensaje del evangelio y su encadenamiento a las viejas tradiciones. Cuando una pandilla de pendencieros atacó al evangelista y comenzó a abusar de él, la jovencita en la bolsa del sarcófago se sentó repentinamente. Su familia corrió a sacarla de allí, y el evangelista fue liberado.

Otro plantador de iglesias aprendió a esperar algo milagroso.

—Cuando entramos en una aldea —explicaba— buscamos al hombre de paz que se convertirá en el líder de la nueva iglesia. Luego hacemos lo que Jesús ordenó en Lucas 10. Le proclamamos las buenas nuevas del reino, y oramos por la sanidad de su familia y de cualquier otro que la necesite. Dios no siempre sana, pero siempre se revela a sí mismo ante ellos. Nuestro trabajo es simplemente obedecer su mandato de proclamar y orar.

9. Entrenamiento de liderazgo mientras trabajan

El entrenamiento del liderazgo es vital para los movimientos de plantación de iglesias. Con nuevas obras que se reproducen rápidamente, hay una demanda sin fin para el entrenamiento de nuevos líderes. Por esa razón solamente, no causa sorpresa que los movimientos de plantación de iglesias hayan formado varios tipos de entrenamiento práctico y continuo mientras los líderes trabajan.

En Camboya, se llevaba a cabo en períodos de dos semanas a través de escuelas rurales de entrenamiento de liderazgo. Estas escuelas eran móviles, y podían ubicarse cerca del área de mayor necesidad y luego desmantelarse otra vez, hasta organizarse nuevamente en otra nueva sesión de dos semanas. En el movimiento de plantación de iglesias latinoamericano, vimos cómo las escuelas de misioneros laicos alimentaban el movimiento.

Entre el movimiento gitano, los líderes se desarrollaban dentro de la iglesia con pastores experimentados que mentoreaban a los aprendices que sentían el llamado de Dios para ser predicadores. En distintas partes de China, el desarrollo del liderazgo seguía a varios programas descentralizados que complementaban y a veces tomaban el lugar del entrenamiento ofrecido por los pocos seminarios que había en el país. En uno de los movimientos chinos, los pastores de las iglesias en las casas variaban el tiempo de sus cultos de adoración para poder asistir a otra iglesia y observar diferentes métodos de liderazgo.

Uno de los métodos de entrenamientos de líderes nativos más efectivo es el **modelo de la cascada**. Ampliamente usado en India, este modelo permite que el entrenamiento se multiplique sin depender de instituciones formales, usando distintos niveles descendientes de mentores, como en una cascada, que llevan el entrenamiento bíblico de un nivel a otro.

Un colega indio lo explicaba de esta manera:

—Yo me relaciono directa y únicamente con 24 hombres, a los que llamo "Entrenadores Maestros". Cada uno de estos Maestros mentorea a 10-12 entrenadores. A su vez cada entrenador mentorea a 10 pastores, y cada pastor a 10 miembros adultos de su iglesia. Lo que yo enseño a los Maestros Entrenadores, en dos semanas llega como una cascada a cada miembro de la iglesia.

Yo rápidamente hice algunos números y vi que él regularmente estaba entrenando a 36.000 personas.

—¿Cuán efectivo es todo esto? —le pregunté.

—Lo sabremos la próxima semana —me contestó.

—¿Y por qué?

—Porque la próxima semana estaré trayendo el segundo nivel de entrenadores para ver cuán efectivamente los está alcanzando el mensaje.

Para él, la inspección de calidad era tan importante como el modelo de entrenamiento en forma de cascada.

Este modelo tiene muchos beneficios:

a. Permite la multiplicación exponencial del entrenamiento, manteniéndose al día con la multiplicación exponencial de la iglesia.

b. Puede transmitirse con o sin materiales escritos, haciéndolo accesible tanto a entrenadores analfabetos como alfabetizados.

c. Es interpersonal y relacional. Como puede llevarse a cabo en restaurantes, parques públicos, o establecimientos de café en las veredas, permanece por debajo del radar de la oposición gubernamental.

d. Finalmente, el requerimiento de pasar inmediatamente a otros la enseñanza, hace que se refuerce en la mente y la vida de todos aquellos involucrados en el proceso.

10. Sufrimiento de misioneros

Mientras que los miembros del panel de movimientos de plantación de iglesias discutían los diferentes casos de los que habían sido testigos, un factor inevitable volvió a surgir una y otra vez. Muchos de los colegas misioneros que habíamos conocido, y que fueron instrumentos muy efectivos en esos movimientos, ya no estaban sirviendo como misioneros. Otros han continuado en el campo misionero, pero sólo después de haber pasado por tremendas calamidades.

Durante la década pasada, los misioneros o sus familias que han estado involucrados en estos movimientos, han sido alcanzados por lupus, múltiple melanoma, leucemia, cáncer de pulmón, linfoma, ataques de asma fatales, esclerosis, enfermedades del corazón, diabetes, problemas crónicos de espalda, fibrosis y signos de fatiga crónica, niños con defectos de nacimiento y colapsos nerviosos.

A veces los asaltos son tan insidiosos que sólo pueden atribuirse a Satanás. La familia de un misionero que servía en uno de los campos más difíciles del mundo vio cómo su ministerio se derrumbaba cuando el padre accidentalmente atropelló y mató a su pequeño hijo con su propio automóvil. El ministerio de otro misionero terminó cuando fue acusado de malversación de fondos durante los esfuerzos de ayuda y rescate después de una gran sequía. Nunca hubo dudas de que no se enriqueció personalmente, pero la aplicación de los fondos de una causa a otra empañaron la reputación de este misionero y temporalmente tuvieron que suspenderlo.

En otras instancias los misioneros involucrados con movimientos de plantación de iglesias tuvieron que dejar sus trabajos debido a la enfermedad de los padres o la necesidad de los hijos. Ha habido abandonos relacionados con conflictos interpersonales y la falta de habilidad para enfrentar un cambio de asignación.

La naturaleza del sufrimiento misionero ha sido tan diversa como puede serlo el sufrimiento mismo. El único lazo en común en este catálogo de sufrimientos es que cada misionero había estado relacionado con un movimiento de plantación de iglesias. Para muchos, aunque no para todos estos misioneros, el sufrimiento los sacó de su rol vital dentro del movimiento.

Reconocer que el sufrimiento es frecuentemente parte del ambiente de un movimiento de plantación de iglesias puede ayudarnos a prepararnos y armarnos contra esta amenaza. He aquí algunas de las cosas que los misioneros están aprendiendo a hacer para mantenerse en el servicio del Señor:

1) Busque un compañero al que pueda rendir cuentas, y con el que pueda compartir abierta y honestamente. Un buen compañero le dirá lo que necesita oír, y no sólo lo que le gustaría oír. Para buscar objetividad, ese compañero debe ser alguien que no sea el esposo o la esposa.

2) Comprométase con la disciplina espiritual de un tiempo diario devocional, y la involucración regular con una iglesia. Es fácil para aquellos en el "negocio espiritual" estancarse, o alterar su propio caminar con el Señor.

3) Comprométase con la disciplina de ejercicios físicos regulares y una dieta apropiada. Los misioneros tienen el hábito de no establecer prioridades con sus propias necesidades físicas hasta que ya es demasiado tarde.

4) Ponga límites al número de noches de cada mes o cada año para estar fuera de su casa. Comprométase a pasar regularmente noches de citas y celebración con su pareja. Trabaje en su matrimonio con la meta de que este año sea mejor que el anterior.

5) Separe tiempo para sus hijos. Ponga las fiestas de la escuela y las vacaciones familiares en su calendario antes que cualquier otra cosa. Tráigalos a su círculo íntimo de oración. Cuando ellos vean el ministerio a través de los ojos suyos, capturarán su visión y se convertirán en los mejores miembros de su equipo.

6) Desarrolle una sólida red de apoyo en oración. ¡Vigile, luche y ore!

7) Manténgase humilde y agradecido porque Dios le ha permitido el privilegio de servirle. ¡Los misioneros que mantienen una postura de humildad y gratitud sirven más tiempo y viven más!

8) Recuerde que hay un Enemigo. El adversario no es de carne y sangre, sino que son principados y potestades, oscuridad espiritual en lugares altos. Entonces evite ver a los individuos —cristianos o no cristianos— como enemigos.

Estos principios están ayudando a proteger a los misioneros del

Maligno que querrá destruirlos. Resumiendo finalmente, no debemos sorprendernos por la medida de sufrimiento que acompaña la tarea misionera alrededor del mundo. El sufrimiento estaba en el ADN de nuestro Salvador, y naturalmente es heredado por nosotros, sus descendientes. Acercándonos más cerca a él también nos acercamos y nos unimos a aquellos nuevos creyentes cuyo sufrimiento a menudo excede el nuestro.

Varios pasajes de la Escritura cobran nuevo significado a la luz de la gran obra redentora de Dios por medio de los movimientos de plantación de iglesias, y a través de los sufrimientos que viven tantos hermanos y hermanas misioneros involucrados en estos movimientos. Uno de ellos se encuentra en el libro de Apocalipsis, y describe claramente nuestro propio tiempo:

> Han llegado ya la salvación y el poder y el reino de nuestro Dios;
> ha llegado ya la autoridad de su Cristo.
> Porque ha sido expulsado el acusador de nuestros hermanos, el que los acusaba día y noche delante de nuestro Dios.
> Ellos lo han vencido por medio de la sangre del Cordero y por el mensaje del cual dieron testimonio;
> no valoraron tanto su vida como para evitar la muerte.
> Por eso, ¡alégrense, cielos, y ustedes que los habitan!
> Pero ¡ay de la tierra y del mar! El diablo, lleno de furor, ha descendido a ustedes, porque sabe que le queda poco tiempo[1].

---

[1]Apocalipsis 12:10-12.

14

Los siete pecados mortales

La pregunta "¿Cómo comenzar un movimiento de plantación de iglesias?" quizá no es la correcta. Lo mejor sería preguntarse: "¿Qué está impidiendo que un movimiento de plantación de iglesias surja en este lugar?".

Durante los últimos años hemos descubierto quizá más maneras de obstaculizar un movimiento de las que podemos recordar. Pero también encontramos muchas otras formas de vencer esos obstáculos. Cuando Jesús se enfrentó a un demonio, lo expuso llamándolo por su nombre antes de echarlo fuera. El primer paso en vencer los obstáculos que se presentan en los movimientos de plantación de iglesias es identificarlos y luego traerlos a la luz, antes de echarlos fuera.

Vamos a llamar a estos obstáculos *Los siete pecados mortales de los movimientos de plantación de iglesias*.

Los siete pecados mortales de los movimientos de plantación de iglesias

El primer pecado mortal: Visión borrosa *(no se puede apuntar a lo que no se puede ver).*

El segundo pecado mortal: Mejorar la Biblia *(¿piensa que no puede hacerse? Mire y verá).*

El tercer pecado mortal: Seguir una secuencia *(centímetro a centímetro, paso a paso).*

El cuarto pecado mortal: Sal insulsa *(cuando la sal pierde su sabor).*

El quinto pecado mortal: Golosinas del diablo *(atajos para llegar a la gloria).*

El sexto pecado mortal: Secuestro foráneo *(¿quién está a cargo aquí?).*

El séptimo pecado mortal: Culpar a Dios *(¡desligarse divinamente de una responsabilidad sigue siendo desligarse!).*

El primer pecado mortal: Visión borrosa

"Donde no hay visión, el pueblo se extravía" dice el repetido proverbio, pero otra versión del mismo pasaje señala: "Donde no hay visión, el pueblo se desenfrena"[1].

Los movimientos de plantación de iglesias dependen de los esfuerzos cooperativos de muchos creyentes fervientes con diferentes talentos y temperamentos, que ponen a un lado sus diferencias para lograr el plan perfecto que Dios tiene para un grupo que todavía no ha sido alcanzado. Lo único que une a estos grupos tan diversos y los impulsa a superar sus diferencias, es una visión compartida. Sin una visión en común, se desviarían del objetivo y las personas que están tratando de alcanzar perecerían.

Los líderes misioneros están aprendiendo que deben formular y reformular la visión de un movimiento de plantación de iglesias. Deben repasar esta visión cada vez que los miembros del equipo se reúnan para discutir el trabajo y analizar el progreso pasado o planear el futuro. La visión y su logro se convierte en el punto central de referencia para evaluar todo lo que ese equipo hace.

Agudizar nuestra visión es ejercitar nuestra ***fe***. "La fe es la garan-

[1]Proverbios 29:18 en la Nueva Versión Internacional, en primer lugar, seguida por la Reina-Valera Actualizada.

tía de lo que se espera, la certeza de lo que no se ve"[2]. Tener una visión nos permite ver lo que va a suceder.

Si no creemos realmente que un movimiento de plantación de iglesias es posible, no tomaremos las acciones necesarias para ponerlo en existencia. Los participantes llegan a creer, ver, sentir y gustar este movimiento antes de que se convierta en una realidad.

John Basham, un coordinador de estrategia entrenado en Inglaterra, creó un ejercicio para desarrollar la fe que ayuda a los que se entrenan a tener una visión del movimiento de plantación de iglesias que puede ocurrir en su propio grupo. Cada mañana estudian los 28 capítulos del *libro de Los Hechos* para ver cómo se desarrollaron los movimientos de plantación de iglesias en el primer siglo. Luego, al terminar el entrenamiento, Basham dirige a los nuevos coordinadores de estrategia a escribir el "capítulo 29" de Los Hechos, que describe cómo un movimiento de plantación de iglesias alcanzará a sus propios grupos.

Este ejercicio conecta a los coordinadores de estrategia y sus ministerios con las raíces del Nuevo Testamento de las que emerge todo verdadero movimiento. Cada persona entrenada está continuando la obra redentora de Dios que nos llega a través de los siglos. Cuando un misionero llega a visualizar claramente un movimiento de plantación de iglesias, puede alinear a su equipo para que esto ocurra.

Si usted no tiene la visión de un movimiento de plantación de iglesias, seguramente no lo logrará. La visión es de vital importancia, *porque no se puede apuntar a lo que no se puede ver.*

El segundo pecado mortal: Mejorar la Biblia

¿Mejorar la Biblia? ¿Piensa que no puede hacerse? Tiene toda la razón. Entonces, ¿por qué seguimos tratando? A través de las edades, el pueblo de Dios ha tratado de usurpar esta autoridad expandiendo sus directivas. Jesús condenó esto en los fariseos cuando dijo: "Recorren tierra y mar para ganar un solo adepto, y cuando lo

---

[2]Hebreos 11:1.

han logrado lo hacen dos veces más merecedor del infierno que ustedes"[3].

Cuando tratamos de exceder los propios requerimientos de la Biblia para la vida cristiana, estamos imitando a los fariseos. Hay muchas maneras de cargar a los nuevos creyentes con legalismos extrabíblicos, pero dos de ellos son particularmente mortales para los movimientos de plantación de iglesias. Satanás sabe que si él puede distorsionar las enseñanzas de Dios sobre la **iglesia** y sobre el **liderazgo de la iglesia**, puede detener el flujo de nuevos creyentes al reino de Dios.

La Biblia tiene claros parámetros para definir una iglesia y su liderazgo. Cuando tratamos de mejorarlos, no estamos creando una iglesia mejor, sino una iglesia que es menos de lo que Dios intentaba. Los movimientos de plantación de iglesias a menudo son desviados por definiciones bien intencionadas, pero aumentadas de lo que es la iglesia, o por agobiantes requerimientos para el liderazgo de la misma.

En el Nuevo Testamento, Cristo identificó a la iglesia consigo mismo. Él pudo simbolizar esta realidad cuando dijo a sus discípulos: "Porque donde dos o tres se reúnen en mi nombre, allí estoy yo en medio de ellos"[4]. También lo confirmó con Saulo, el perseguidor de la iglesia, cuando le dijo: "Saulo, Saulo, ¿por qué me persigues?"[5]. Pablo tomó esta lección muy en serio, y a menudo comenzó a referirse a la iglesia como el *cuerpo de Cristo*, mientras identificaba a sus miembros como miembros de ese cuerpo[6].

En muchos campos misioneros ya antiguos, los plantadores de iglesias trabajan bajo el peso de años de definiciones tradicionales de la iglesia y del liderazgo de la misma. Esto sucede cuando cristianos bien intencionados llegan a creer que no son iglesia hasta que hayan sido constituidos como tales por la denominación nacional, o hayan alcanzado un cierto tamaño en la congregación, em-

[3]Mateo 23:15.
[4]Mateo 18:20.
[5]Hechos 9:4.
[6]1 Corintios 12:13 y Efesios 4.

pleado a un pastor graduado del seminario, conseguido una propiedad para la iglesia o construido un edificio. Todos estos requerimientos exceden y abruman el ideal bíblico.

Cuando hablamos del liderazgo de la iglesia, Jesús dio el ejemplo escogiendo a discípulos de todos los estratos de la vida. Pasó tres años caminando con ellos, y esto les dio licencia para liderar. Al escoger un reemplazo para Judas Iscariote, el único requerimiento establecido fue que el candidato debía haber estado con Jesús desde su bautismo hasta su ascensión[7]. Pablo nos ayudó a ver que pasar tiempo con Cristo tiene como resultado un carácter divino y que ese mismo carácter es el prerrequisito más grande para cualquier líder de la iglesia[8].

Para escapar de la trampa de este pecado mortal, los misioneros y plantadores de iglesias deben volver a la Biblia para definir la iglesia y el liderazgo de la iglesia. Irónicamente, algunos cristianos dicen que el literalismo bíblico produce legalismo, pero nada puede estar más lejos de la verdad. Un verdadero retorno a la Biblia libera tanto a la iglesia como a su liderazgo, mientras vence el segundo pecado mortal.

El tercer pecado mortal: Seguir una secuencia

Centímetro a centímetro, paso a paso... esta puede ser la manera de progresar en los esfuerzos humanos normales, pero es algo mortal para los movimientos de plantación de iglesias. Seguir una secuencia se refiere al pensamiento y la práctica que se adhiere a un proceso lineal, paso a paso.

Los misioneros piensan naturalmente en pasos que van en secuencia. Primero uno aprende el lenguaje, luego establece relaciones con la gente, luego comparte el testimonio, luego gana y discipula a los convertidos, luego los invita a formar parte de una congregación, luego levanta líderes, y luego comienza con todo otra vez. La secuencia es perfectamente lógica, pero puede llevar años desarrollarla. Y como sucede cuando se cae una estructura de do-

---

[7]Hechos 1:21-26.
[8]1 Timoteo 3.

minó, todo el proceso puede detenerse si una de las piezas no cae.

En 1962, la escritora cristiana de ciencia ficción Madeline L'Engle presentó a millones de lectores el concepto del tiempo arrugado. Su libro para niños del mismo nombre, presenta la pregunta: "¿Cuál es la distancia más corta entre dos puntos?" .

Los expertos en secuencias naturalmente responderán: "Una línea recta".

L'Engle tiene una perspectiva diferente. "La distancia más corta entre dos puntos no es una línea recta. Es una arruga[9].

Los coordinadores de estrategia comprometidos con movimientos de plantación de iglesias han aprendido a arrugar el tiempo, combinar múltiples pasos en un solo modelo. Ellos no esperan terminar con el paso 1 antes de comenzar con los pasos 2 hasta el 20. Han aprendido a arrugar esos pasos y unirlos de tal manera que se refuercen mutuamente.

Por ejemplo, ellos insisten en testificar desde el principio, aún antes de dominar el idioma (hagan la prueba. Es una muy buena manera de mejorar su habilidad con el idioma). Aprenderlo entre maestros en su zona de trabajo en lugar de internarse en escuelas remotas también presenta al misionero con una audiencia cautiva para compartir sus convicciones más profundas sobre el *evangelio* y la nueva vida en Cristo.

Mostrar cómo funciona la iglesia en una casa a los nuevos creyentes, a los que están buscando algo y a otras personas más, permite que los misioneros arruguen el tiempo que normalmente se requeriría para plantar una iglesia. Para cuando todos los participantes de la iglesia en una casa se conviertan, ya comprenderán cómo funciona una iglesia en las casas, y comenzarán a capturar la visión de alcanzar a toda su comunidad.

Algunos misioneros insisten en tomar el tiempo para "establecer un buen fundamento" con un grupo pequeño, en lugar de sembrar el evangelio ampliamente y facilitar un movimiento de plantación de iglesias. Tiempo no es una condición previa para un buen funda-

---

[9]Madeline L'Engle, *A Wrinkle in Time* (New York: Bantam, 1976), 224 pp.

mento; una sana doctrina y una sana práctica sí lo es. Por el contrario, una siembra lenta y una cosecha lenta comunican al que escucha que quizá el mensaje no es tan urgente, y entonces, ¿para qué molestarse respondiendo al mismo?

Cuando los misioneros cargan con el yugo de secuencias a seguir, pierden su sentido de urgencia. En los 16 capítulos del Evangelio de Marcos la palabra "inmediatamente" o sus equivalentes aparecen 17 veces, y siempre se usa en relación con Jesús, tanto en sus enseñanzas como en sus acciones. El Evangelio de Marcos revela algo de la pasión y la urgencia que Cristo sentía. Cuando nos acercamos en profundidad a su Espíritu, compartimos esta pasión y esta urgencia.

Pablo conocía bien este fervor. De la misma manera que Jesús dijo a sus discípulos: "Mientras sea de día, tenemos que llevar a cabo la obra del que me envió. Viene la noche cuando nadie puede trabajar"[10], también Pablo advirtió a los romanos: "Ya es hora de que despierten del sueño... La noche está muy avanzada y ya se acerca el día. Por eso, dejemos a un lado las obras de la oscuridad y pongámonos la armadura de la luz"[11].

Aunque nunca extraviados en una frenética conmoción de actividad, tanto Jesús como Pablo reconocieron que la vida sobre la tierra está definida por los límites del nacimiento y la muerte, y todo lo que está entremedio tiene que estar intensamente orientado con un propósito.

Los misioneros han aprendido a incorporar este sentido de urgencia a sus planes, con metas que se cumplan ambiciosamente entre tres y cinco años. Ellos se preguntan: "¿Qué es lo que se necesita para ver un movimiento de plantación de iglesias (este año, o de tres a cinco años)?". Al establecer fechas límites y metas específicas en su planeamiento mantienen el sentido de urgencia, sensibles a los millones que mueren cada año sin Cristo. Al aprender a arrugar el tiempo, las secuencias desaparecen para convertirse en arrugas.

---

[10]Juan 9:4.
[11]Romanos 13:11, 12.

El cuarto pecado mortal: Sal insulsa

El cristianismo que se ha comprometido con el pecado es como la *sal insulsa*, una fe que ha perdido su primer amor[12]. Cuando los misioneros tratan de lanzar un movimiento de plantación de iglesias entre un grupo étnico que ya conoce a los cristianos, y por esa razón los desprecia, el misionero se enfrenta con un serio desafío.

En su diario del viaje por el Camino de Seda que va desde Jerusalén a Mongolia, William Dalrymple registró una conversación que tuvo con un cristiano cultural de Siria llamado Krikor. Krikor percibió que Dalrymple era un buen compañero cristiano y por eso lo invitó a un club nocturno.

—Mi primo tiene un club nocturno. Es un lindo lugar. Muchas copas, muchas mujeres.

—Yo no sabía que Siria tenía vida nocturna —le dijo Dalrymple—. Yo pensé que los musulmanes no aprobaban esa clase de cosas.

—Es cierto. Pero este club es un club nocturno *cristiano*. No hay musulmanes. Es muy divertido.

Krikor sacó un casete de su bolsa, y le dijo al conductor que lo pusiera.

—Michael Jackson —dijo—. Música para cristianos.

Nos mostró la cruz que colgaba de su cuello, con una sonrisa cómplice[13].

Hay numerosos pecados de omisión y comisión que pueden presentar un cristianismo impotente ante los ojos de los perdidos. Cualquiera sea el pecado, cuando el cristianismo pierde su sabor, el misionero estratega enfrenta un gran obstáculo para el movimiento de plantación de iglesias. Afortunadamente, hemos aprendido también algunas estrategias efectivas para vencer este obstáculo.

La sabiduría convencional dice que uno siempre trabaja a través de la iglesia local para alcanzar a un grupo vecino. Aunque lógico e intuitivamente apropiado, este método a menudo no nace de la realidad. En muchas de estas circunstancias, la iglesia local es la prin-

---

[12]Apocalipsis 2:4.

[13]William Dalrymple, *In Xanadu: A Quest* (London: Lonely Planet Publications, 2000), pp. 54, 55.

cipal piedra de tropiezo que impide que vengan a Cristo las personas que no han sido alcanzadas.

A pesar de esto, algunos misioneros han pasado toda su carrera tratando de cambiar el rumbo de la iglesia local, en dirección a los perdidos. Otros se han ligado tan estrechamente con la iglesia local que terminan compartiendo sus mismas características insulsas.

Aún durante su vida, el apóstol Pablo vio el surgimiento del cristianismo insulso. Él dejó muy claro cómo los creyentes tenían que responder a aquellos que "aparentarán ser piadosos, pero su conducta desmentirá el poder de la piedad". Y llegó a decirle a Timoteo: "¡Con esta gente ni te metas!"[14].

La mejor manera de traer un cambio a esta decadente expresión del cristianismo es ofreciendo un cristianismo vivo y vibrante. Una vez que el auténtico cristianismo demuestra las virtudes de Cristo y comienza a atraer nuevos convertidos a su seno, los verdaderos cristianos en las iglesias nominales serán atraídos al movimiento como las polillas al fuego. Hemos visto muchos ejemplos de un cristianismo comatoso que despertó con el surgimiento de un movimiento de plantación de iglesias.

Diferente del cristianismo comatoso es otra expresión del cristianismo insulso: el cristianismo *contencioso*. Cuando hay varias denominaciones cristianas o agencias misioneras trabajando dentro de un grupo específico, no deben perder su precioso tiempo y energías peleando unos con otros. Esas distracciones invariablemente declaran la guerra a un movimiento de plantación de iglesias.

Siempre habrá puntos de desacuerdo entre los siervos del Señor. Aun los apóstoles Pedro y Pablo no permanecieron inmunes a este problema[15]. Pero si persiste, sin embargo, se convierte en una distracción para el movimiento de plantación de iglesias.

Jesús repetidamente confrontaba la barrera del cristianismo contencioso entre sus propios seguidores, recordándoles: "De este modo todos sabrán que son mis discípulos, si se aman los unos a los otros"[16].

---

[14] 2 Timoteo 3:5.
[15] Gálatas 2:11.
[16] Juan 13:35.

En su parábola del trigo y la cizaña, Jesús encaró el problema directamente. Reconociendo que un enemigo había sembrado la cizaña entre el trigo, los discípulos le preguntaron si podían arrancarla.

—No —contestó el maestro—, no sea que, al arrancar la mala hierba, arranquen con ella el trigo[17].

Jesús reconoció que nosotros no siempre somos capaces de distinguir entre todos aquellos que están en su servicio, por eso nos advirtió: "Dejen que crezcan juntos hasta la cosecha. Entonces les diré a los segadores: 'Recojan primero la mala hierba, y átenla en manojos para quemarla; después recojan el trigo y guárdenlo en mi granero"[18].

Uno de los mejores antídotos para el cristianismo contencioso es un carácter apasionado y victorioso. El diccionario define carácter como "conjunto de cualidades o circunstancias propias de una cosa, de una persona o de una colectividad, que las distingue, por su modo de ser u obrar, de las demás"[19].

El carácter de un equipo es como el aire que respiran: saludable o enfermizo, un carácter ganador o un carácter perdedor. A veces un equipo de cristianos no es capaz de identificar por qué razón no pueden progresar hacia su visión. Las actitudes, los métodos de operación y los ideales parecen estar en perpetuo conflicto. Quizá haya necesidad de una transfusión de carácter.

El carácter es inevitable. Puede ser un efecto secundario de la personalidad y las circunstancias, o puede ser una condición escogida de clima y trabajo. Los misioneros que saben cómo moldear ese carácter tienen una gran ventaja para mantener el sabor de la sal.

El quinto pecado mortal: Golosinas del diablo

Para un niño hambriento el sabor dulce de una golosina es algo

[17]Mateo 13:29.

[18]Mateo 13:30.

[19]Real Academia Española, Diccionario de la Lengua Española, vigésima seguna edición (Madrid, 2001), p. 445.

irresistible, pero ese azúcar lleno de energía no sustituye la buena nutrición necesaria para un prolongado crecimiento. De la misma manera hay virtudes cristianas *dulces* que Satanás puede usar para seducirnos y apartarnos de un movimiento de plantación de iglesias.

La golosina del diablo es engañosa, porque hace referencia a cosas buenas que tienen valor real, pero si esas cosas buenas nos apartan de nuestra visión de iglesias plantando iglesias, entonces se convierten en un desvío que debemos evitar. He aquí tres ejemplos de buenas virtudes cristianas que Satanás ha usado para distraer a los plantadores de iglesias de los movimientos de plantación.

1) Dinero: para pastores y edificios de iglesias.
2) Ministerio: como un fin en sí mismo.
3) Unidad: cuando es un pre-requisito para la acción.

El dinero no es inherentemente malo, pero tampoco es el fundamento para un movimiento de plantación de iglesias. Cuando los plantadores de iglesias foráneos usan fondos para contratar pastores y construir edificios, podrán ver rápidos resultados pero no verán un movimiento perdurable. Edificar un movimiento sobre fondos foráneos es como hacer funcionar una máquina con un cable de extensión que atraviesa el océano. Cuando al movimiento se le acaba el cable, deja de funcionar abruptamente. Un movimiento de plantación de iglesias debe tener un motor interno y también su propio combustible si quiere continuar floreciendo.

Dejar que un movimiento crezca con su liderazgo y sus recursos puede parecer más lento y riesgoso, pero ese riego bien vale la recompensa. En su clásico libro sobre misiología, Rolland Allen ofrecía una fábula instructiva.

> Se dice que cuando Dios anunció a los ángeles su propósito de crear al hombre a su propia imagen, Lucifer, quien todavía no había caído del cielo, protestó: *"Seguramente no le dará el poder de desobedecerle"*. Y el Hijo le contestó: *"Poder para caer es poder para levantarse"*. Lucifer no conocía el poder de levantarse, ni el poder de

> caer, pero las palabras 'poder de caer' se quedaron grabadas en su corazón, y comenzó a desear conocer ese poder... Al final, Satanás logró sus más grandes victorias sobre el hombre, no empujándolo hacia abajo, sino *induciendo a los siervos de Cristo a privar a los nuevos convertidos del poder de caer... para que él pudiera privarlos del poder de levantarse*[20].

Cuando los extranjeros se quedan mucho tiempo rehusando entregar las riendas del liderazgo de la iglesia, están privando a la nueva iglesia del poder de caerse *y del poder de levantarse*.

Otra de las cosas *buenas* que tienta a los plantadores de iglesias a desviarse del movimiento de plantación es el llamado al ministerio cristiano. Como Marta, que se ocupaba con muchas cosas, los cristianos pueden pasar toda una vida persiguiendo ministerios sin hacer que progresen nunca hacia un movimiento de plantación de iglesias.

La palabra "ministerio" literalmente significa "hacer las pequeñas cosas". El ministerio ocurre naturalmente donde están los cristianos, pero el ministerio no sustituye el establecimiento de iglesias que se multipliquen. Un misionero nunca debe limitarse a su propio ministerio personal, sino que debe mirar más allá del mismo para ver cómo contribuye al movimiento de plantación de iglesias.

En 1988, un joven brillante graduado del seminario, quien había desarrollado un amor ferviente por los pueblos de Afganistán, terminó exhausto después de años de dirigir equipos misioneros de verano a los campos de refugiados en la frontera entre Pakistán y Afganistán.

En lugar de continuar con su trabajo anual entre refugiados, el joven decidió convertirse en un coordinador de estrategia.

—Comprendí que las necesidades de estos pueblos no se acaban nunca —dijo—. Cuando voy a trabajar a los campos de refugiados, vuelco lo mejor de mí para amar y cuidar a estas personas desde la mañana muy temprano hasta muy tarde por la noche, pero

---

[20]Roland Allen, *The Spontaneous Expansion of the Church* (Grand Rapids, MI: Eerdmans, 1962), pp. 16, 17.

al finalizar el verano me doy cuenta de que las necesidades siguen apareciendo. Yo quiero convertirme en un coordinador de estrategia —explicaba—, para poder enfrentar las verdaderas razones del sufrimiento afgano. Estas personas necesitan a Jesús.

Parte de la vocación de un misionero es trabajar de tal forma que pueda dejar de ser necesario en el futuro. Si los misioneros se conforman año tras año cumpliendo un ministerio en lugar de mentorear, multiplicar y buscar ser sustituidos, se están quedando cortos en su visión y en su rol misionero.

Para resistir la tentación de este agotamimiento ministerial, los misioneros deben continuar haciéndose la pregunta estratégica: "¿Qué tiene que suceder para que se produzca un movimiento de plantación de iglesias entre este pueblo?".

Este cuestionamiento está en abierto contraste con la pregunta personal: "¿Qué puedo hacer yo?". La pregunta personal quizá lleve a un ministerio vital, pero no llega a captar todo lo que es necesario para estimular un movimiento de plantación de iglesias. En última instancia, la pregunta personal es sobre *mí*, pero la pregunta estratégica es sobre *ellos*.

La pregunta estratégica: "¿Qué tiene que suceder?", invariablemente lleva al misionero más allá de él mismo para comprender que se requiere una fuente de recursos mucho más grande para fomentar un movimiento de plantación de iglesias.

Otra buena distracción del movimiento de plantación de iglesias es el anhelo por la unidad cristiana. Este impulso ecuménico puede aparecer en asociaciones entre misioneros que demandan la unidad evangélica antes de buscar un movimiento de plantación de iglesias. O quizá aflore cuando los socios misioneros insisten en plantar solamente una iglesia nacional unificada que se levante sobre la segmentación de expresión denominacional.

Ambos impulsos ecuménicos tienen aspectos que pueden apelar a la gente. Después de todo, desde la oración de Cristo en Juan 17 hasta el escrito de Pablo en 1 Corintios 15, la unidad es exaltada como una virtud que no puede ser ignorada. Pero la unidad puede ser también algo cuya búsqueda consuma toda una vida.

Con aproximadamente 25.000 denominaciones cristianas en el

mundo hoy y más formándose cada año, no es muy posible que veamos el surgimiento de una iglesia cristiana unificada en un futuro muy cercano, a menos que Cristo regrese. Por el contrario, haremos bien en ver nuestra diversidad como una gran fuerza. Al permitir una tremenda libertad de perspectivas y diferentes énfasis dentro del cuerpo, la iglesia se transforma en algo imparable. Encerrar toda nuestra diversidad en la punta de una sola lanza puede hacer que en realidad sea más fácil para la oposición detenerla.

Los misioneros que buscan movimientos de plantación de iglesias han encontrado un balance entre la diversidad y la unidad en la imagen de un caleidoscopio. Un caleidoscopio tiene muchos pedazos de vidrios rotos, papeles de colores y trozos de metal, y se los mira a través de un prisma que los reconfigura en hermosos diseños que de otra manera no podrían detectarse. Los esfuerzos misioneros para alcanzar a un determinado grupo deben verse a través del caleidoscopio. Desde nuestro limitado punto de vista, los variados ministerios pueden aparecer conflictivos y sin valor, pero desde el punto de vista de Dios todos se unen para formar hermosos diseños de unidad que pueden estimular al movimiento de plantación de iglesias.

El sexto pecado mortal: Secuestro foráneo

Los orígenes del evangelio nos llegan desde otro mundo, pero los movimientos de plantación de iglesias son absolutamente locales en su desarrollo. No tienen una fragancia foránea. Su liderazgo es local; la comunidad adora en el idioma de su corazón; y se reúnen en sus propios hogares.

Hay por lo menos tres maneras en que el movimiento de plantación de iglesias puede sucumbir al secuestro foráneo: 1) forzando a los nuevos creyentes a cambiar su estilo cultural por otro foráneo, 2) creando comodidad con la dependencia foránea y 3) inyectando elementos foráneos en la vida de la iglesia que no puedan reproducirse localmente. Cualquiera de estos invasores del exterior pueden paralizar un movimiento de plantación de iglesias.

1) Cuando el evangelio se percibe como algo ajeno a la cultura o se ve como perteneciente a otro grupo étnico o cultural, el movimiento de plantación de iglesias enfrenta una batalla cuesta arriba.

Por siglos los musulmanes turcos de Asia Central han conocido el cristianismo como la religión de sus enemigos. Generaciones de conflictos con sus vecinos rusos y armenios, ambos pertenecientes a diferentes formas del cristianismo ortodoxo, los han dejado con muy poco deseo de saborear la fe cristiana.

En Asia central, todo turco que quería aceptar la religión cristiana tenía que abrazar la cultura y el idioma de sus enemigos históricos. Por lo tanto, convertirse en un creyente en Cristo era el equivalente de alta traición en contra de su propio pueblo.

Hoy, decenas de miles de turcos de Asia Central han vencido esta barrera y se han entregado a Jesucristo. ¿Cómo ha sucedido esto?

Los estrategas misioneros que están viendo movimientos de plantación de iglesias emergiendo en Asia Central han sido muy deliberados en sus esfuerzos de separar el mensaje del evangelio de las culturas rusa y armenia. Han presentado el evangelio consistentemente en el idioma del corazón de ese pueblo, y ayudado a plantar iglesias turcas dirigidas por líderes turcos que adoran en su propio idioma y estilo cultural.

2) Cuando los fondos foráneos ligan al movimiento con fuentes del exterior, los misioneros lo describen como "ayuda que duele". Cada vez que extranjeros bien intencionados proveen subsidios a pastores y construyen edificios locales para las iglesias, están drenando la iniciativa local. Cuando llega un desastre, toda ayuda para aliviarlo es apropiada, pero si continúa por mucho tiempo crea dependencia y, eventualmente, un grupo de marionetas que siempre necesitan de esa ayuda. Los líderes de las iglesias aprenden a mirar a los donantes en lugar de mirar al Señor y a los perdidos, al buscar una dirección para sus ministerios.

En Guatemala, Brasil, Honduras, Costa Rica, Rumania y Ucrania, varios movimientos de plantación de iglesias comenzaron a aflorar, pero tropezaron con la "ayuda" de los extranjeros. Un misionero en América Latina comentaba: "Es tan difícil criticar a estos amados hermanos, porque sus corazones están en el lugar correcto, pero su dinero y sus edificios están matando los movimientos de plantación de iglesias".

3) Cuando inyectamos elementos foráneos en la iglesia que los creyentes locales no pueden reproducir, estamos alienando el movimiento de plantación de iglesias.

En un viaje por América Latina con algunos líderes misioneros cristianos llegamos al hermoso edificio de una iglesia con ventanas de colores y grandes puertas de madera. El lugar estaba completamente limpio, las paredes de bloque habían sido recientemente blanqueadas y el techo de tejas estaba en perfectas condiciones. Cuando entramos encontramos un pequeño órgano electrónico, un piano y bancos de madera similares a aquellos que se usan en las iglesias norteamericanas de los pequeños pueblos.

El templo había sido edificado por voluntarios norteamericanos treinta años antes. Los miembros locales admiraban el edificio y lo mantenían con mucho cuidado. Pero nunca habían intentado comenzar nuevas iglesias, porque no podían conseguir ninguno de esos materiales. Bloques, tejas de cerámica, ventanas de colores estaban mucho más allá de su alcance. Ellos ni siquiera podían imaginarse cómo duplicar un piano o un órgano electrónico. Al mismo tiempo, creían que una iglesia *verdadera* tenía que tener todas estas cosas, y por lo tanto el movimiento murió antes de comenzar.

Los movimientos de plantación de iglesias toman la imagen de su contexto. Si en la aldea las casas se construyen con bambú, los edificios de las iglesias también deben ser de bambú. Si la gente vive en pequeños departamentos, el movimiento de plantación de iglesias debe llevarse a cabo en pequeños departamentos. Los misioneros que tienen éxito con estos movimientos han aprendido a comenzar el establecimiento de cada iglesia con la pregunta: "¿Pueden estos creyentes reproducir esta iglesia?". Si la respuesta es "No", entonces los elementos foráneos deben identificarse y descartarse, o simplemente cambiarse con elementos reproducibles.

El séptimo pecado mortal: Culpar a Dios

Muchos participantes de los movimientos de plantación de iglesias han llegado a la conclusión de que la barrera más grande para la existencia de los movimientos de plantación de iglesias es culpar a Dios por la ausencia de los mismos.

Ciertamente Dios está en el centro de cada uno de estos movimientos, pero también hay lugar para la responsabilidad humana, un lugar que Dios reserva exclusivamente para nosotros. Cuando los cristianos se quejan: "Quizá no sea el tiempo de Dios para ellos", están ignorando este elemento humano y culpando a Dios. Esta es una forma de desligue divino de toda responsabilidad y es probablemente la excusa más común ofrecida para no mejorar nuestra propia contribución al movimiento de plantación de iglesias. Desligarse divinamente sigue siendo desligarse. Simplemente suena más santo.

La verdad es que los movimientos de plantación de iglesias son un poco como la salvación personal. Por supuesto que Dios ya lo ha hecho todo, pagando el precio a través del sacrificio de su Hijo, pero él nos permite la libertad de responder y requiere de nosotros que actuemos para recibir ese regalo de la salvación. Lo mismo sucede con los movimientos de plantación de iglesias; son una cooperativa divina-humana. Sí, Dios está a cargo de todo, pero él tiene reservados muchos roles cruciales para nosotros. Nunca hemos visto un movimiento de plantación de iglesias sin participación y colaboración humanas.

Hay dos maneras en que vemos obrar al pecado de *culpar a Dios*. La primera ocurre en el esfuerzo puramente humano de querer hacer todo nosotros mismos, como si siguiendo una fórmula prescripta esta *debe* producir un movimiento de plantación de iglesias. Luego, cuando el movimiento no aparece, nos convertimos en resentidos, culpando a Dios por la falta de resultados.

La otra expresión viene cuando dejamos de lado la manera que Dios ha escogido para implementar estos movimientos. Nosotros hacemos lo que nos parece y piadosamente proclamamos: "Cuando Dios quiera crear un movimiento, él lo hará. No tiene nada que ver conmigo". Esta respuesta trae a mi memoria a un joven laico bautista en el siglo XVIII que propuso proveer medios misioneros para llevar el evangelio a la India. Las iglesias formales le reprendieron diciendo: "¡Siéntate, joven! Si Dios quiere salvar a los paganos, no necesita tu ayuda".

Esas son las voces que se opusieron a William Carey la noche anterior a su partida para la India, cuando se lanzó el movimiento misionero moderno. Cada vez que ignoramos medios y métodos para estimular los movimientos de plantación de iglesias, estamos en compañía de aquellos que sienten que los misioneros mismos eran un agregado innecesario a las intenciones soberanas de Dios.

Un amigo muy sabio me dijo:

—Nosotros tenemos que ver dónde está obrando Dios, y unirnos a él.

En Hong Kong, arriesgados capitalistas que amasaron una fortuna invirtiendo en la apertura de nuevos negocios en China, lo dijeron un poco más rudamente: "Si le sale humo, ¡tírenle queroseno!".

Este principio se aplica también a los movimientos de plantación de iglesias. Si Dios está atrayendo a las personas a la fe en Cristo dentro de un determinado grupo étnico, descubra primero lo que él está haciendo allí y luego descubra cómo usted puede unírsele en esta actividad divina.

Quizá usted reconozca algunos de estos siete pecados mortales en su propio ministerio. No se desanime. Por cada obstáculo que Satanás nos pone en el camino, Dios proveerá un puente para cruzarlo.

Diez mandamientos para los movimientos de plantación de iglesias

Al mirar hacia atrás y ver todo lo que hemos aprendido sobre generalidades, características y obstáculos, veamos si podemos resumirlo. Considere estos diez mandamientos para los movimientos de plantación de iglesias. Aunque no incluyen todo lo que vimos hasta ahora, sí abarcan los puntos más importantes. Quizá quiera reproducirlos como un regalo para su equipo o para sus colegas. Memorícelos. Viva por ellos, y déjelos vivir.

Diez mandamientos para los movimientos de plantación de iglesias

 # 1 Sumerja su comunidad en la oración.

 # 2 Sature su comunidad con el evangelio.

 # 3 Aférrese a la Palabra de Dios.

 # 4 Luche contra la dependencia foránea.

 # 5 Elimine todos los elementos que no pueden reproducirse.

 # 6 Viva la visión que desee lograr.

 # 7 Imprima el concepto de reproducción en cada creyente e iglesia.

 # 8 Entrene a todos los creyentes para evangelizar, discipular y plantar iglesias.

 # 9 Modele, ayude, mire y deje.

 # 10 Descubra lo que *Dios* está haciendo y únase a él.

En este momento probablemente usted tenga muchas preguntas para formular. Vamos a dirigir nuestra atención a algunas de las más frecuentes relacionadas con los movimientos de plantación de iglesias.

15

Preguntas frecuentes

Usted ha sido muy paciente. Ahora es tiempo de abrir el cajón de las preguntas. He aquí algunas de las más frecuentes relacionadas con los movimientos de plantación de iglesias.

1. ¿A qué llaman ustedes iglesia?

Esta es una buena pregunta. Si usted está pensando en torres coronadas por cruces, entonces no está pensando en movimientos de plantación de iglesias. Pero si piensa en dos personas en una habitación estudiando la Biblia, también se equivoca. Jesús dejó bien claro que la iglesia es la comunidad del nuevo pacto. Recordando a las doce tribus de Israel, escogió a doce discípulos para representar la creación de un "nuevo Israel". Luego Jesús se colocó a sí mismo en el centro de esa comunidad con estas palabras: "Porque donde dos o tres se reúnen en mi nombre, allí estoy yo en medio de ellos"[1]. Pablo capta esta verdad cuando se refiere a la iglesia como el cuerpo de Cristo. El cuerpo de Cristo está vivo y activo en los movimientos de plantación de iglesias.

De la misma manera que las iglesias alrededor del mundo son singulares, también lo son los movimientos de plantación de iglesias. Sin embargo, hay algunos elementos básicos que encontramos en cada uno, y hay otros elementos que son muy diversos.

---

[1]Mateo 18:20.

Elementos comunes a todos los movimientos de plantación de iglesias

- ▼ Todos observan el bautismo y la Cena del Señor (aunque la frecuencia varía: semanalmente, trimestralmente, anualmente).
- ▼ Todos se reúnen con regularidad (algunos el domingo, otros el viernes, y otros cada noche de la semana).
- ▼ Todos tienen alguna clase de organización (aunque varía; ver lo que aparece más abajo).
- ▼ Todos exhiben los cinco propósitos de una iglesia (evangelismo, ministerio, compañerismo, discipulado y adoración).
- ▼ Todos exhiben los *diez elementos universales* que describimos en el capítulo 11.

Diferencias en cada movimiento de plantación de iglesias

- ▼ Varían los tipos de organización del liderazgo (por ejemplo el comité central de siete miembros en Camboya; múltiples líderes en China; los imanes de Jedidistán; los pastores de América Latina).
- ▼ Varía el tamaño de las iglesias promedio (85 miembros en Bhojpuri; 30 miembros en Jedidistán; 45 miembros en Camboya; 10 adultos en Madhya Pradesh).

Aunque los elementos centrales del bautismo, la Cena del Señor y los cinco propósitos se encuentran en cada una de las iglesias, otros elementos han sido contextualizados, tomados de las Escrituras y luego adaptados a cada uno de los ambientes singulares. Esto es lo que vimos cuando la iglesia camboyana unió los siete diáconos de Hechos 6:5 con la noción comunista de un "Comité

Central", para producir un equipo de liderazgo pastoral llamado "Comité Central de los Siete Miembros". De la misma manera, el trasfondo musulmán de los creyentes de Jedidistán los impulsó a reunirse los viernes por la mañana, sentados en un círculo bajo la dirección del pastor al que llaman su *imán*. Al reunirse en los hogares, el tamaño de la iglesia típicamente se mantiene pequeño e íntimo, pero varía ampliamente de un promedio de 85 miembros en el movimiento bhojpuri, a 30 en Jedidistán, a 40-50 en Camboya. En Madhya Pradesh el plantador de iglesias Víctor Choudhrie descubrió lo que él llama el tamaño "óptimo" de iglesia.

¿Tamaño óptimo de iglesia?

En una entrevista, el doctor Victor Choudhrie comentó que diez miembros adultos era el tamaño *óptimo* para un movimiento de plantación de iglesias.

—¿Usted quiere decir el tamaño promedio de la iglesia? —le pregunté.

—No —me dijo—, el tamaño óptimo de iglesia.

—¿Y por qué?

—Porque eso es lo que la Biblia dice.

Mi expresión vacía apuró su explicación.

—Usted recuerda cuando el padre Abraham se encontró con dos ángeles en el camino. Ellos estaban yendo a Sodoma para destruirla. Abraham negoció con ellos diciendo: "¿Si encontraran 50 hombres justos destruirían esta ciudad?". Cuando ellos titubearon, les preguntó: "¿Y 40? ¿Y 30? ¿Y 10?". Hasta que los ángeles estuvieron de acuerdo: "Por 10 hombres justos, no destruiremos esta ciudad".

—Y por eso —continuó el doctor Choudrie—, nosotros les decimos a nuestros nuevos creyentes cuando llegan a diez miembros adultos: "Ahora ya tienen lo suficiente como para alcanzar esta aldea para Cristo, pero ¿qué sucederá con la siguiente aldea en el camino? Allí no hay creyentes. Seguramente dos de ustedes pueden ir, visitar esa villa, y compartir con ellos el evangelio".

Ya sean 10 miembros ó 10.000, la iglesia se caracteriza mejor —no por su tamaño o formato— sino por su fervoroso compromiso con el señorío de Jesucristo y el cumplimiento de su Gran Comisión. Estas pasiones gemelas son evidentes en todos los movimientos de plantación de iglesias.

2. ¿Cuál es el rol de los voluntarios en los movimientos de plantación de iglesias?

El solo nombre *voluntario* denota alguien que no es profesional, y en nuestra sociedad altamente profesionalizada, esto a veces conlleva una imagen negativa. Pero en la economía de los movimientos de plantación de iglesias, los aficionados (*amateurs*) no son negativos en absoluto. Debemos recordar que el galicismo *amateur* literalmente significa "alguien que lo hace por amor", en contraposición a alguien que lo hace por dinero. Vamos a mirar algunas de las razones por las que los voluntarios son tan valiosos para los movimientos de plantación de iglesias:

- Los voluntarios son importantes porque nos muestran un modelo del amor sacrificado y la obediencia a la Gran Comisión. No sólo no reciben ningún pago, sino que son ellos los que pagan por el privilegio de servir a Dios. Es de vital importancia que los nuevos creyentes de los movimientos de plantación de iglesias reconozcan que no todos los que sirven a Dios tienen un salario. Esto transmite un poderoso mensaje a los nuevos creyentes.

- Los voluntarios vienen de un mundo *real*. Son secretarias, granjeros, maestros, constructores, doctores, abogados y de muchas otras profesiones, que pertenecen a carreras seculares que existen en las sociedades de los grupos étnicos que están perdidos alrededor del mundo. Muchos voluntarios están usando ahora las conexiones de Internet para localizar los clubes, uniones y organizaciones cívicas que corresponden a su propia profesión antes de irse al exterior. Generalmente pueden organizar reuniones con sus contrapartes profesionales en las ciudades que están visitando. ¡Qué tremenda incursión para compartir el evangelio y establecer una relación continua con algún miembro clave de una comunidad perdida!

- Los voluntarios pertenecen al pueblo de Dios, y como pueblo de Dios poseen el mismo Espíritu Santo vibrante que caracterizaba al apóstol Pablo. Cuando se relacionan con los nuevos creyentes, les transfieren la certidumbre de que es el Espíritu Santo que convierte a una persona en siervo útil para Cristo, y no el entrenamiento profesional o la educacional que uno posee.

Hay muchas maneras en que los voluntarios pueden contribuir activamente con los movimientos de plantación de iglesias. Considere cómo Dios los está usando hoy:

1) Oración

Mucho antes de que los misioneros se arriesguen al contacto con los grupos étnicos no alcanzados por el evangelio, Dios está escuchando las plegarias de los diligentes guerreros de oración, que resuenan intercediendo por los perdidos. Con las nuevas posibilidades que ofrece el viaje aéreo internacional, muchos guerreros de oración están llevando la batalla a los campos de trabajo. En 1997 había dos iglesias con unos 40 creyentes en un país del norte de África de casi 9 millones de personas. En 1998 los misioneros hicieron un llamado mundial al cuerpo de Cristo para orar por los perdidos de esa nación. Sumado a muchas iglesias que se comprometieron a orar por ella, varios equipos de caminatas de oración llegaron al país para orar "en el lugar, viendo la situación"[2].

Un año después de este énfasis de oración, el número de creyentes aumentó un 500 por ciento y se formaron 13 nuevas iglesias. Cuando se le preguntó al misionero local cuál fue el giro decisivo, contestó sin titubear: "La oración".

Los equipos de caminatas de oración están en este momento por todo el mundo, en los Himalayas, cruzando el Sahara, sobre la Gran Muralla de China, y aún dentro de los seminarios del Islam. Una creyente de trasfondo musulmán de Mauritania expresó su gratitud

---

[2]Ver el libro de Randy Sprinkle, *Ore mientras camina* (El Paso, Editorial Mundo Hispano, 2002).

por las oraciones de los cristianos que, según ella, la llevaron junto con su familia a una fe en Cristo.

—Por muchos años —dijo—, todos ustedes oraron por mi país. Y esas oraciones llegaron hasta el cielo donde se quedaron como formando grandes nubes sobre el desierto. Hoy, esas oraciones están haciendo llover milagros por todo mi país. Mauritania se ha convertido en la tierra de los milagros.

2) Evangelismo

A medida que los voluntarios expanden su visión de lo que es posible, están haciendo importantes contribuciones al evangelismo entre los grupos no alcanzados. Cada año, cientos de voluntarios cristianos viajan a los puertos mediterráneos de Europa donde distribuyen Nuevos Testamentos, tratados evangelísticos y videocintas con la película *Jesús* en árabe, entre cientos de miles de musulmanes del norte de África que abordan las balsas de transporte para regresar a su tierra.

En los países comunistas de Asia, los turistas cristianos tienen la posibilidad de aventurarse en áreas restringidas para distribuir Biblias y casetes del evangelio entre los que viven en las aldeas. Estos valientes viajeros de Jesús han jugado un rol vital en los movimientos de plantación de iglesias que Dios está comenzando en lugares donde los misioneros tienen muy poca esperanza de lograr residencia.

Los miembros de las iglesias del mundo de habla inglesa* cuestionan naturalmente cuán efectivos pueden ser en evangelismo sin conocer el idioma local. ¡Dios parece haber oído sus preocupaciones y llenó el mundo de personas que hablan inglés! Tan prolífica es la extensión del idioma inglés, que en muchos países de Asia uno puede encontrar un "rincón donde se habla inglés" en cada pueblo o ciudad importante.

Ese es el rincón donde los estudiantes de inglés se relajan con una taza de café y miran pasar a los occidentales. Cuando ven un

---

*Nota del Editor: el autor está pensando en voluntarios de los Estados Unidos de América.

prospecto, lo saludan en inglés. Ese saludo amistoso en realidad es una invitación para practicar el idioma con ellos. Es también una increíble oportunidad para compartir las Buenas Nuevas de Jesucristo.

Otro idioma internacional que está creciendo mucho es el Internet. Escuchen lo que hizo un equipo de estudiantes de la escuela secundaria en un país musulmán del Medio Oriente. Viajando por una de las ciudades más grandes de Medio Oriente, los estudiantes y el líder de su equipo ubicaron en el mapa cada Café de Internet que había en la ciudad. La mayoría de las personas en Medio Oriente no tienen sus propias computadoras ni las conexiones de Internet necesarias. Por lo tanto, reciben de buen agrado la oportunidad barata y anónima de conectarse con el mundo cibernético a través de los Cafés de Internet, que son públicos.

Los estudiantes pasaron los días que siguieron visitando docenas de estos Cafés, conectándose a las computadoras y reprogramando todos los registros y lugares favoritos de pornografía, noticias y comercio, a sitios donde el evangelio, testimonios y aun la videocinta de la película *Jesús* podían encontrarse en el idioma árabe.

Más tarde, visitaron muchos quioscos de alquiler de videocintas en la ciudad. Generalmente son típicos locales con un solo empleado que alquila videocintas. Le mostraron al dueño la película *Jesús* y le dijeron que como ya se marchaban de la ciudad el siguiente fin de semana, preferirían no llevarse la videocinta de vuelta. Si a él le gustaría tenerla para alquilarla, con mucho gusto se la regalarían. Muy pocos de estos negociantes se negarían a recibir y distribuir una película sobre la vida del Profeta Jesús. Y el evangelio sigue avanzando.

3) Discipulado

"¿Cómo es posible que pueda discipular a otros, si ni siquiera conozco su idioma?". Una vez más, la extensión global del idioma inglés puede ayudar. Pero más importante es una definición mejorada de lo que es el discipulado. Entre los participantes de los movimientos de plantación de iglesias, el discipulado se describe cada vez más como *enseñar a otros a amar a Jesús de la misma manera que lo hace usted.*

Siguiendo el principio 222 de caminar con el nuevo creyente, no hay razón por la que cualquiera no pueda practicar este tipo de discipulado. Caminar con un nuevo cristiano, escuchar su testimonio, orar con él y expandir su visión para alcanzar al mundo perdido; estas son algunas de las maneras sencillas en que usted puede ayudar a discipular a un nuevo creyente en dirección a un movimiento de plantación de iglesias. Hoy, con la ventaja de las comunicaciones por Internet, usted puede continuar nutriendo y discipulando a esos creyentes aun después de haber regresado a su casa.

4) Plantación de iglesias

Los voluntarios se están volviendo mucho más audaces en su aspiración de ser parte de la misión de Dios. A medida que esto sucede, están dejando a su paso grupos de iglesias funcionando en las casas.

En el verano de 2000, un grupo de voluntarios trabajó con uno de los coordinadores de estrategia para conducir un instituto de "Inglés como segundo idioma" en una universidad local.

Aunque cada voluntario fiel y diligentemente cumplía con sus responsabilidades de enseñanza, tuvieron oportunidad de hacer mucho más. El lugar era idealmente apropiado para que ellos hablaran sobre su propia vida y —con Jesús en el centro de la misma— la conversación naturalmente giró en torno de él. Con el auspicio de la misma universidad, los maestros recibieron a los estudiantes en sus departamentos para tomar un té con galletas y conversar.

Esas reuniones por la tarde se convirtieron en oportunidades naturales para mostrar el modelo de lo que es una iglesia en una casa, completa con evangelismo, discipulado, adoración y entrenamiento. Y luego se volvieron tan populares con los estudiantes que los voluntarios pronto vieron la necesidad de conducir reuniones modelos de iglesias en las casas varias veces por día, para mantener el ritmo de los estudiantes interesados.

Como el trabajo estaba sumergido en oración, los estudiantes continuaban deseosos de aprender sobre Jesús y saber cómo ellos también podían convertirse en iglesias. Al final del verano, estos *amateurs* habían visto más de 90 nuevas iglesias en las casas, que nacieron de esas reuniones en el departamento.

Los resultados excedieron por mucho las expectativas del estratega que pidió a los maestros voluntarios. Él dijo:

—Esto es algo de Dios.

Cuando le pedimos más detalles, continuó:

—Nosotros sabemos que, de las 90 iglesias en las casas que comenzaron este verano, 30 de ellas más tarde se disolvieron. Pero también sabemos que varias de las otras iglesias en las casas se han multiplicado, formando nuevas iglesias.

Que Dios bendiga a estos *amateurs*.

3. ¿Cuál es el rol de los fondos foráneos en los movimientos de plantación de iglesias?

El dinero no es malo. El dinero extranjero no es malo. Pero si crea dependencia de los recursos de afuera causando que los líderes locales pongan su atención en el exterior antes de comenzar una nueva iglesia, entonces se convierte en un lastre para el movimiento.

Hace dos años, viajando por un país sudamericano con un obrero cristiano, observamos que esa zona respondía muy bien al evangelio. Más tarde ese día, nos reunimos con el secretario ejecutivo de la obra denominacional en esa provincia. Le preguntamos cuántas nuevas iglesias anticipaba abrir durante los próximos doce meses.

—Es fácil —nos dijo—. El hermano tal y tal (un voluntario norteamericano, constructor de templos) nos aseguró que estos equipos podrán construir 25 nuevas iglesias en doce meses. Por eso —concluyó orgullosamente—, vamos a comenzar 25 nuevas iglesias este año.

Los movimientos de plantación de iglesias prosperan entre los nativos. Deben tener un impulso interno si van a multiplicarse rápidamente dentro de grupo étnico. Una de las maneras más seguras de paralizar un movimiento es ligar la reproducción de iglesias a fondos foráneos. Cuando los pastores miran más allá de su propia membresía y de sus recursos locales para buscar salarios o edificios, drenan la vida del movimiento.

Entonces, ¿hay lugar para los fondos foráneos? Por supuesto que sí. Aunque los movimientos de plantación de iglesias deben desarrollarse con un impulso nativo interno, no pueden comenzar de esa manera. Deben recibir el evangelio desde afuera. Por esta razón los fondos para la evangelización inicial son tan importantes. ¡Los perdidos no van a pagar por su propia evangelización!

¿Qué cosas caen dentro de la categoría de evangelización primaria o inicial? Misioneros para grupos no alcanzados, traducción y distribución de la Biblia, producción y distribución de literatura evangélica, programas de radio y otros ministerios de comunicación masiva, centros y materiales de entrenamiento para plantación de iglesias, y nuevos programas de capacitación de liderazgo, todo esto requiere fondos externos para comenzar.

Los fondos foráneos también son apropiados como demostración de compasión cristiana hacia los pobres y los necesitados. Cuando se produce un desastre, estalla una guerra o el hambre azota a un país, es muy apropiado que los cristianos extranjeros demuestren su compasión a través de regalos de amor y de ayuda. Mientras no creen una medida de dependencia continua, estos ministerios de misericordia son un poderoso testimonio de la compasión de Cristo por aquellos que están pasando necesidad.

Para determinar cuándo se necesitan fondos foráneos, hágase la pregunta: "¿Es algo que beneficiará al movimiento, algo que los locales no pueden proveer por ellos mismos?".

La respuesta correcta puede establecer la diferencia entre un movimiento de plantación de iglesias y un acto de beneficencia.

4. ¿Cuál es el rol de los misioneros en los movimientos de plantación de iglesias?

Dado el obvio poder de Dios en estos movimientos de plantación de iglesias, algunos han cuestionado si el rol de los misioneros ha disminuido frente a esta nueva realidad. Nada puede estar más lejos de la verdad.

Lo que se requiere de los misioneros en un movimiento de plantación de iglesias no es un *nuevo* rol, sino regresar al *antiguo* rol. El libro clásico de Roland Allen[3] presenta bien el caso diciendo que en algún momento del camino, los misioneros dejaron de seguir el modelo de Pablo para cambiarlo por un modelo colonial.

El rol del misionero paulino levanta un liderazgo nativo y luego sigue avanzando para llegar a lugares donde la semilla del evangelio todavía no ha sido sembrada[4]. El modelo colonial se queda para gobernar el territorio conquistado en lugar de transferir la responsabilidad, visión e impulso a los nuevos cristianos que no comprenden por qué el mismo Espíritu Santo que vive en sus corazones no puede equiparlos para el liderazgo.

Los grandes misioneros siempre comprendieron la naturaleza transitoria de su rol. Juan el Bautista inició este sentir cuando dijo: "A él [Jesús] le toca crecer, y a mí menguar"[5].

Cada participante de un movimiento de plantación de iglesias reconoce que el éxito del mismo requiere todo lo que él pueda dar al enfrentar a un grupo de personas desprovistas de testimonio del evangelio. Sin embargo, cuando el mensaje echa raíces en ese pueblo, requerirá aún más esfuerzo para el misionero resistir los roles de liderazgo para sentarse en el asiento de atrás, cuando surjan los nuevos líderes.

5. ¿Cuál es el rol de la educación teológica?

Después de escuchar varios casos de estudio sobre movimientos de plantación de iglesias en una conferencia de presidentes de seminarios, directores académicos y profesores, el presidente de uno de los seminarios fue invitado a responder.

—¡Un movimiento herético —dijo—, *sigue* siendo herético!

Su punto era bien claro. Él creía que los seminarios tenían que prevenir que los movimientos de plantación de iglesias se convirtieran en movimientos heréticos.

---

[3]Roland Allen, *Missionary Methods: St. Paul's or Ours?* (Grand Rapids: Eerdmans, 1962).

[4]Romanos 15:20.

[5]Juan 3:30.

¿Son capaces los movimientos de plantación de iglesias de transmitir herejías? Por supuesto. ¿Son intrínsicamente herejes? Absolutamente *no*.

Los movimientos de plantación de iglesias son movimientos de multiplicación rápida de personas. Las personas pueden multiplicar la verdad o el error. El secreto de mantenerlos encaminados no es detenerlos lo suficiente como para entrenar a todos sus líderes antes de que se les permita reproducirse. El secreto de mantenerlos encaminados es infiltrar la fidelidad a las Escrituras en el ADN de los primeros modelos de iglesias reproductoras.

La infidelidad a la Palabra de Dios —no la educación o la falta de educación— es lo que lleva a la herejía. La historia cristiana nos enseña demasiado bien que muchos de los herejes más notorios tenían impecables credenciales y entrenamiento teológico en los seminarios más importantes.

Inyectar la obediencia a la Palabra de Dios en el ADN de la iglesia es indispensable para mantener encaminado un movimiento de plantación de iglesias, pero no es el final de la historia. Todo aquel que ha estado en el ministerio aunque sólo fuera unas semanas, sabe que hay infinidad de preguntas que se presentan y que requieren consejo, estudio y entrenamiento.

La necesidad de educación teológica y entrenamiento ministerial no se discute. Ambas cosas son muy necesarias. El dilema es cómo hacerlo mejor. En el pasado, los misioneros se apoyaban mucho en instituciones como el seminario, que estaba centralizado en ambientes urbanos. Para un pastor, tener educación de seminario significaba años de residencia lejos de su hogar y su pueblo.

Alrededor del mundo, los seminarios han sido eclipsados por la educación teológica descentralizada a través de centros de extensión y cursos por correspondencia. Los movimientos de plantación de iglesias están impulsando el paradigma del aprendizaje a distancia aún más, y los misioneros se debaten tratando de encontrar maneras innovadoras para que la educación teológica esté disponible para todos los cristianos, en todo momento.

Como un país movilizado para la guerra, los participantes en los movimientos de plantación de iglesias están explorando cada medio posible de educación teológica para mantener el ritmo de la rápida multiplicación de nuevas iglesias. Entre los métodos usados están los programas de radio, videocintass y audiocasetes, discos compactos y videodiscos, y el Internet. Cuando es posible, los misioneros organizan centros de entrenamiento móviles que ofrecen dos o tres semanas de cursos que pueden separarse o volverse a armar cada vez que sea necesario. En varios países restringidos hay un discreto pero constante flujo de estudios bíblicos para pastores que llegan a centros de distribución regionales, donde pueden ser reproducidos y diseminados por todo el país.

El temor a la herejía ha sido una de las razones por la que muchos evangélicos occidentales han optado por la creación de redes de iglesias células en lugar de iglesias independientes en las casas. Muchos de estos movimientos de iglesias células están bien estructurados, con lecciones bíblicas completas que emanan como en una cascada de una autoridad central de enseñanza. Sin embargo, esa misma estructura que previene las herejías puede también transmitir herejías; simplemente lo hace más eficientemente. En resumen, la búsqueda de una teología ortodoxa es un desafío que nunca termina. En cualquier cosa en que personas estén involucradas, el resultado puede ser incierto.

6. ¿Cuál es la diferencia entre las iglesias células y las iglesias en las casas, y cómo se relaciona cada una con los movimientos de plantación de iglesias?

Las iglesias en las casas y las iglesias células comparten muchas características en común, pero son fundamentalmente diferentes en su relación con los movimientos de plantación de iglesias. Las masas que están entregándose a Cristo en células que crecen día a día basadas en las megaiglesias del mundo, son evidencia de la obra de Dios. Sin embargo, estas células no constituyen iglesias nativas reproductoras. Están tan relacionadas como la música clásica y la música de jazz. Ambos tipos de música usan los mismos instrumentos, pero mientras la música clásica es altamente estructurada (como las iglesias células), el jazz disfruta de la libertad de pasearse por un amplio rango de posibilidades musicales (como las iglesias en las casas). Aunque las iglesias células disfrutan de muchas de las cualidades iniciales de los movimientos de plantación de iglesias, tienden a nivelarse debido a los controles internos asociados con el liderazgo centralizado.

Las iglesias en las casas son autónomas, y pueden ser lo suficientemente pequeñas como para reunirse en los hogares. Después de llenar su limitado espacio, crecen a través de la multiplicación, en lugar de aumentar su propia membresía. Cada iglesia en las casas tiene su propio liderazgo y deriva su autoridad directamente de Cristo, en lugar de buscarla en la jerarquía de la iglesia, y funciona en todo sentido como una iglesia.

Las iglesias células, por otro lado, son en realidad iglesias grandes que han organizado su membresía en pequeñas células que *no* funcionan conscientes de sí mismas como iglesias independientes. Las iglesias células derivan su autoridad del pastor principal cuya enseñanza llega al líder de cada una. Como las iglesias en las casas, las células pueden crecer a través de la multiplicación pero nunca rompen sus lazos con el liderazgo centralizado.

Las iglesias células comparten muchas de las cualidades que vemos en las iglesias en las casas que se multiplican en otros movimientos de plantación de iglesias alrededor del mundo. Están dirigidas por laicos, pero requieren un líder visionario bien entrenado detrás de la escena pastoreando el movimiento. Esta necesidad de un líder fuerte y visionario es un distintivo clave de las iglesias células y una de las razones por las que, a diferencia del movimiento de iglesias en las casas, las iglesias células se autolimitan. Por ejemplo, simplemente nunca hay suficientes líderes visionarios bien entrenados alrededor para crear un número masivo de iglesias células que alcancen a todo el mundo.

Como las iglesias en las casas, las iglesias células también tienden a ser homogéneas en su naturaleza, pero raramente tienen la visión de alcanzar a todo un grupo étnico o a toda una ciudad a través de la multiplicación de nuevas iglesias.

7. ¿Por qué no está sucediendo aquí?

Las increíbles historias de los movimientos de plantación de iglesias han dejado a más de algunos cristianos frustrados. Ellos dicen: "Es entusiasta leer sobre todo lo que Dios está haciendo en esas tierras tan lejanas, ¿pero por qué no está sucediendo aquí?".

Esta pregunta revela un anhelo ferviente de lo mejor que Dios tiene para el mundo perdido. Si la oración es *una protesta contra el statu quo*, entonces todos nosotros deberíamos estar clamando: "¿Por qué no está pasando aquí, Señor?".

A veces descubrimos que Dios está deseoso de que algo pase, pero la parte no cooperativa está en nosotros. ¿Cuántos de los elementos universales de los movimientos de plantación de iglesias están en este momento en juego en nuestros propios ministerios? ¿Cuántas de las características comunes se pueden encontrar? ¿Existe alguno de los siete pecados mortales que podemos identificar y quitar?

Al fin y al cabo, los movimientos de plantación de iglesias requieren la cooperación de tres partes: Dios, nosotros mismos y nuestra comunidad. Sólo uno de estos participantes está bajo nuestro control. Muchos de los grandes plantadores de iglesias han trabajado toda una vida sin ver un movimiento. No deberían sentirse ni culpables ni exasperados.

Al mismo tiempo, nosotros estamos ganando una comprensión nueva de esos movimiento con cada año que pasa. Este libro refleja un cuerpo en crecimiento que nos permite ver cómo Dios está obrando en estos momentos. El hecho de que no esté pasando donde usted está ahora no significa que no tendrá la posibilidad de ver estos brotes en los días venideros. Nunca deje de aprender. Nunca se dé por vencido. Nunca cese de protestar por la manera en que están las cosas.

8. Si conecto todos los puntos entre sí, ¿puedo hacer que esto suceda?

Nosotros hemos hablado de este tema anteriormente, pero vale la pena repetirlo. Seguir cada paso lo que aparece en este libro no garantizará que un movimiento ocurra. La obra de Dios no es ni mecánica ni mágica.

Dios recibe con agrado nuestra participación en sus actos poderosos, pero tenemos que hacerlo en sus propios términos. Nunca debemos engañarnos a nosotros mismos pensando que podemos ignorar la manera en que él está obrando y aún así esperar sus bendiciones.

La mejor analogía del movimiento de plantación de iglesias es probablemente el desafío de ganar para Cristo a un amigo inconverso. Como con todos los movimientos, Dios ya ha hecho el trabajo más importante a través de Jesús, pero nosotros tenemos un rol vital. La manera en que nos relacionamos con nuestro amigo y compartimos nuestra fe puede ser algo crítico en su respuesta. Al final, sin embargo, es la respuesta de esa persona al evangelio lo que cerrará el círculo. Lo mismo es verdad con los movimientos de plantación de iglesias.

9. ¿Pero durarán?

Esta pregunta nace de la preocupación de no ser como el hombre que rápidamente edificó su casa sobre la arena, sólo para descubrir que no le quedó nada cuando llegó la tormenta. La misma línea de pensamiento guía a los constructores de iglesias a construir edificios de piedras. El sentido es que los ladrillos y el cemento tangibles van a asegurar la permanencia de la obra.

El cuerpo de Cristo no depende de la permanencia de nuestras estructuras físicas, sino de su vitalidad espiritual. La evidencia más grande de esto es la misma vitalidad y perseverancia de la iglesia primitiva. Durante tres siglos floreció y se extendió a través del mundo conocido, sin una sola catedral o edificio permanente.

Los cristianos viviendo en tiempos hostiles dan crédito a ese flujo natural de iglesias en las casas que les ayudaron a sobrevivir las distintas oleadas de persecución. Permanecer pequeñas, descentralizadas y móviles, permite a estas iglesias estar siempre un paso más allá de sus perseguidores. Las iglesias en las casas están siempre adaptándose para enfrentar los desafíos que les presenta la vida. Algunas de estas iglesias rotan en su ubicación de semana en semana, para adelantarse a sus oponentes. Otras se desbandan completamente cuando cambian los patrones migratorios de sus trabajos, sólo para resurgir más tarde en otra parte del país.

Cuarta parte

Plataforma de lanzamiento

16

Herramientas prácticas

Usted ya ha analizado los movimientos de plantación de iglesias alrededor del mundo y ha sido testigo de la singularidad de cada uno de ellos y también de los elementos que tienen en común. Esperemos que, por sobre todo, haya aprendido que estos movimientos tienen sus raíces en la vida y en las enseñanzas de Jesús y son, en realidad, expresiones en el siglo XXI del mismo fenómeno que se extendió a través del mundo del Nuevo Testamento.

Quizá se esté preguntando cómo puede participar usted también de un movimiento de plantación de iglesias dentro de su comunidad. Ha sido paciente mientras suspendimos nuestro juicio de valores y pesamos toda la evidencia. Pero ahora que tenemos todos los elementos, es tiempo de poner nuestro discernimiento en acción.

En este capítulo, le daremos algunas herramientas prácticas para ayudarle a determinar su visión, evaluar dónde está su comunidad, y movilizarlos tanto a usted como a su equipo por el camino hacia un movimiento de plantación de iglesias.

Prepare el lugar

Si usted quiere ver un movimiento de plantación de iglesias, va a tener que preparar un lugar para el mismo. Una de las cosas más difíciles que tienen que hacer las personas bien intencionadas es dejar mucho de lo bueno que están haciendo para poder dedicarse a algo mejor. Quizá esto lo describa a usted mismo. Está entusiasmado con una nueva visión de posibilidades pero rechaza la idea de dejar atrás muchas cosas buenas que está haciendo.

Pero si lo que está haciendo ahora no lo ha llevado a un movimiento de plantación de iglesias, entonces quizá es tiempo de cambiar. Si continúa haciendo lo que está haciendo, continuará recibiendo lo que está recibiendo. Entonces, si todavía no está viendo un movimiento de plantación de iglesias con lo que está haciendo ahora, debe detenerse, preparar más espacio y probar algo nuevo. Recuerde que *una buena definición de enajenación mental es continuar haciendo lo que uno ha estado haciendo, esperando resultados diferentes*[1].

Comience por el final

El mejor lugar para comenzar con sus esfuerzos es al final, con la visión que Dios le ha dado. Evalúe todo lo que hace a la luz de esa visión. No tema cambiar de planes cuantas veces sea necesario. Recuerde que es mejor cambiar sus planes para que se adapten a su visión, que modificar esa visión para adaptarla a sus planes.

El 20 de julio de 1969, Neil Armstrong llegó a la luna, el último paso de un largo esfuerzo de colaboración de miles de hombres y mujeres. Pero todo este proyecto en realidad comenzó ocho años antes, el 25 de mayo de 1961, cuando John F. Kennedy lanzó el programa espacial Apolo con estas palabras: "Yo creo que esta nación debe comprometerse a lograr la meta, antes del fin de esta década, de poner un hombre en la luna y regresarlo con éxito a la tierra"[2].

En esencia, Kennedy estaba desafiando a la comunidad científica de Estados Unidos a contestar la pregunta: "¿Qué se necesita para concretar esta visión?". Él no les pidió que simplemente mejoraran su rendimiento actual, o que pensaran cuánto podían lograr en una década. Por el contrario, les señaló el logro de su visión.

Lo que usted espera alcanzar no es menos significativo que poner un hombre en la luna. Y debe comenzar en el mismo lugar: *con la parte final de una visión*. Comenzar donde usted está y com-

---

[1]Esta definición de enajenación se usa comúnmente en los talleres de entrenamiento de coordinadores de estrategia en el sudeste de Asia.

[2]Presidente John F. Kennedy, "Special Message to the Congress on Urgent Nacional Needs" (Mensaje especial al Congreso: Necesidades nacionales urgentes). Presentado ante una sesión conjunta del congreso. 25 de mayo, 1961.

prometerse a trabajar más o a hacer más, sólo lo llevará a la frustración y al agotamiento. En cambio, haga lo que hizo la NASA. Comience con la imagen de la visión lograda (un movimiento de plantación de iglesias), y luego ábrase camino hacia atrás paso a paso. Esto le ayudará a ver qué es lo que se necesita para cumplir su sueño.

La pregunta correcta: "¿Qué se necesita...?"

Los esposos Watson usaron este método cuando vieron el enorme desafío de 90 millones de perdidos entre el pueblo bhojpuri, en la India. David llamó a su ejercicio una fórmula generacional. Comenzando con la pregunta "¿Qué se necesita para alcanzar 90 millones de bhojpuri en *esta* generación (20 años)?"[3]. Desde ese punto de partida, desarrolló los siguientes cálculos:

Entre los bhojpuri, 90 millones de individuos viven en 172.000 aldeas. Cada aldea necesita por los menos una iglesia. Para alcanzar a las 172.000 aldeas bhojpuri en 20 años se requiere plantar 8.600 iglesias en las aldeas cada año. Por supuesto ningún coordinador de estrategia puede lograr esto por sí mismo, pero la obra no pertenece a un solo coordinador de estrategia o a un solo plantador de iglesias. El cuerpo de Cristo puede enfrentar este desafío. Con eso en mente, los esposos Watson diseñaron un plan estableciendo centros de entrenamientos de plantadores de iglesias que equiparan al cuerpo de Cristo para alcanzar a los 90 millones de bhojpuri. Cada centro podía entrenar a 40 plantadores de iglesias bhojpuri por año.

Ahora la visión estaba enfocándose mejor, moviéndose de lo imposible a lo posible. Para plantar 8.600 iglesias por año, se requerían 215 centros de entrenamiento que equiparan anualmente a 40 plantadores de iglesias. En 20 años la visión de 172.000 iglesias podría alcanzarse. En realidad, podrían lograr esta meta mucho antes, porque estaban plantando iglesias que a su vez plantaban iglesias. De pronto, la meta de 172.000 iglesias en las villas ya no pa-

---

[3]Más que ninguna otra, la pregunta *¿Qué se necesita...?* impulsa a los misioneros a vencer las limitaciones de la pregunta *¿Qué puedo hacer yo?*

recía tan traída de los cabellos. Hoy, ya hay casi un millón de creyentes bhojpuri persiguiendo la misma visión; lo que una vez parecía imposible se está convirtiendo en una realidad.

Trate usted mismo

Pídale a Dios que le dé la visión final que él tiene para su pueblo, ciudad o comunidad. Luego, partiendo desde ese punto, comience a trabajar hacia atrás. Hágase estas preguntas:

1. ¿Cuál es la visión de Dios para este pueblo, ciudad o comunidad?
2. ¿Cuántas iglesias serán necesarias?
3. ¿Cómo serán esas iglesias?
4. ¿De dónde vendrán los líderes?
5. ¿Qué necesitarán saber esos líderes?
6. ¿Cómo obtendrán el entrenamiento que necesitan?
7. ¿Cuánto durará este entrenamiento?
8. ¿Cuántos líderes e iglesias hay en este momento?
9. ¿Con cuánta rapidez se están entrenando nuevos líderes y se están plantando nuevas iglesias hoy?
10. A este ritmo, ¿cuánto se tardará en reproducir el número de iglesias necesario para cumplir con la visión que Dios tiene para el grupo, ciudad o comunidad?

Viva esa visión

Una vez que haya establecido qué se necesita, usted mismo puede comenzar a vivir y a ejemplificar la parte final de esa visión.

¿Cómo hacerlo? Formando y participando en el tipo de iglesias multiplicadoras en las casas que espera ver cuando el movimiento alcance su plenitud. El Apéndice 2 ofrece algunas pautas para formar la clase de iglesia que ya examinamos en el capítulo 4.

Al vivir su propia visión, usted comprenderá mejor los detalles y los matices de lo que está tratando de comunicar a otros. Y descubrirá que su propia iglesia en la casa lo acerca un paso más para capturar la visión de las iglesias que se multiplican en distintas casas, extendiéndose por toda su comunidad.

Practicar con este tipo de iglesia lo coloca en perfecta alineación con la visión que Dios le ha dado para un movimiento de plantación de iglesias, pero ¿qué pasa con su comunidad? ¿Cómo puede llevarlos desde donde están ahora hasta donde necesitan estar en relación al movimiento? En las próximas páginas le mostraremos cómo: 1) evaluar dónde están ahora, 2) identificar el espacio entre el lugar donde están ahora y el lugar donde necesitan estar, y luego 3) desarrollar estrategias para cerrar esas brechas.

¿Dónde están ahora?

Si usted no sabe a qué distancia está su comunidad de un movimiento de plantación de iglesias, ¿cómo puede llevarla hasta allí? Vamos a hacer un alto para determinar la distancia precisa entre dónde está su comunidad ahora y dónde necesita estar para lograr un movimiento de plantación de iglesias. ¿Cómo hacemos esto? Regresando a los elementos y características esenciales que ya hemos identificado.

Evalúe su comunidad a la luz de los diez elementos universales, diez características en común y siete pecados mortales. En la escala del uno al diez, diez siendo lo más alto, ¿cómo registraría el estatus de cada uno de estos elementos dentro de su comunidad? Después de hacer este ejercicio, pida a sus compañeros o colaboradores que hagan lo mismo. Luego comparen los resultados.

10 ELEMENTOS UNIVERSALES	1	2	3	4	5	6	7	8	9	10
Oración extraordinaria										
Evangelismo abundante										
Plantación de iglesias intencional										
Autoridad de la Biblia										
Liderazgo local										
Liderazgo laico										
Iglesias en las casas										
Iglesias plantando Iglesias										
Reproducción rápida										
Iglesias sanas										

10 ELEMENTOS COMUNES	1	2	3	4	5	6	7	8	9	10
Clima de incertidumbre										
Aislamiento										
Alto precio por seguir a Cristo										
Fe audaz										
Conversiones de familias										
Incorporación rápida de nuevos creyentes										
Lenguaje del corazón										
Señales y maravillas										
Entrenamiento mientras trabajan										
Sufrimiento de misioneros										

No todas las diez características en común están dentro de su poder de influencia. Por ejemplo, usted no puede promover un *clima de incertidumbre* o tratar de manufacturar *señales y maravillas*. Pero sí puede afectar muchas de estas características, como *evangelismo, oración y plantación intencional de iglesias*. Haciendo esto, alineará mucho más a su comunidad con la manera en que Dios está obrando en los movimientos de plantación de iglesias.

Finalmente, analice los siete pecados mortales. Quizá quiera repasarlos en el capítulo 14, y luego evaluar su estatus dentro de la comunidad. Invite a sus compañeros a completar este ejercicio junto con usted, para identificar las barreras que están impidiendo el cumplimiento de su visión.

7 PECADOS MORTALES	1	2	3	4	5	6	7	8	9	10
Visión borrosa										
Mejorar la Biblia										
Seguir una secuencia										
Sal insulsa										
Golosinas del diablo										
Secuestro foráneo										
Culpar a Dios										

Para permanecer consistentes con la manera que aparecen nuestros instrumentos gráficos, vamos a marcar estos siete pecados mortales de la manera *opuesta* a la que marcamos los primeros veinte elementos. Por ejemplo, señalar uno de los siete pecados mortales con una marca baja, indica que el obstáculo está teniendo un impacto significativamente negativo en su comunidad, mientras que una marca alta significa que no es un factor muy importante. Cuanto más alta la marca, menos barreras mostrará para un movimiento de plantación de iglesias dentro de su comunidad.

El resultado de este ejercicio le proveerá, casi instantáneamente, la imagen de su comunidad a través de los lentes de los movimientos de plantación de iglesias. Miremos un ejemplo:

IDENTIFICAR BRECHAS	1	2	3	4	5	6	7	8	9	10
Oración extraordinaria										
Evangelismo abundante										
Plantación de iglesias intencional										
Autoridad de la Biblia										
Liderazgo local				B	R	E	C	H	A	S
Liderazgo laico										
Iglesias en las casas										
Iglesias plantando Iglesias										
Reproducción rápida				B	R	E	C	H	A	S
Iglesias sanas										
Clima de incertidumbre										
Aislamiento				B	R	E	C	H	A	S
Alto precio por seguir a Cristo										
Fe audaz										
Conversiones de familias										
Incorporación rápida de nuevos creyentes										
Lenguaje del corazón										
Señales y maravillas										
Entrenamiento mientras trabajan			B	R	E	C	H	A	S	
Sufrimiento de misioneros										
Visión borrosa										
Mejorar la Biblia				B	R	E	C	H	A	S
Seguir una secuencia										
Sal insulsa										
Golosinas del diablo										
Secuestro foráneo										
Culpar a Dios				B	R	E	C	H	A	S

En este ejemplo, observe cómo se ve la comunidad en relación a un movimiento de plantación de iglesias. La *oración extraordinaria* está bien encaminada con 40 por ciento del ideal, pero el *evangelismo abundante* y la *plantación intencional de iglesias* apenas están comenzando, con resultados de sólo 1 de cada diez, o sea diez por ciento del ideal.

Cierre la brecha

Después de que usted y su equipo hayan evaluado su comunidad e identificado las brechas, ya están listos para entrar en acción. Estas brechas revelan dónde debe concentrar su atención. Esto es importante. Sin identificarlas, tenemos la tendencia de ir al ministerio que más nos apela, o comenzamos a gravitar alrededor de nuestros talentos y dones. La identificación de estas brechas permite que *su comunidad le hable* y le diga dónde se necesita que ocurran cambios, para poder alinearse con los principios de los movimientos de plantación de iglesias.

Una vez que las brechas hayan sido identificadas, crear una alineación es sólo un simple problema de establecer planes de acción para cerrar el espacio que existe entre donde la comunidad está ahora y la visión de Dios para ellos.

Estrategias para extender un puente sobre las brechas

¿Qué estrategias fortalecerán y alargarán los puentes (oración, evangelismo, etc.) apara que se cumpla la visión? ¿Qué estrategias

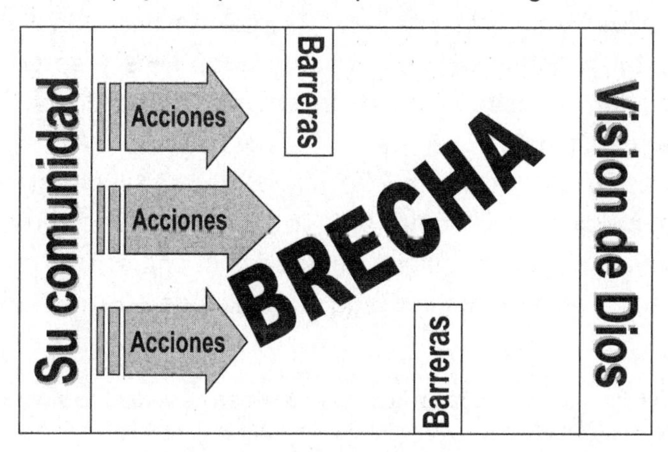

vencerán los obstáculos (por ejemplo, *los siete pecados mortales*) que usted enfrenta? Como cada comunidad es única, cada estratega deberá contestar a estas preguntas por sí mismo. Las estrategias para cerrar las brechas cobran la forma del plan que un buen equipo desarrolle, proveyendo un curso de acción verificable, y con una fecha específica para el cumplimiento de la visión.

Vamos a repasar lo que hicimos hasta ahora. Hemos clarificado la parte final de nuestra visión, hemos comenzando a practicar ese final nosotros mismos, hemos evaluado la distancia que tenemos que caminar para cumplir con esa visión, y hemos comenzado a desarrollar un plan maestro para acortar esa distancia. Ahora observemos un ejemplo concreto de cómo Dios usó a una pareja de siervos para estimular uno de los movimientos de plantación de iglesias más grandes de la historia.

La historia de los esposos Chen[4]

John Chen nació en Taiwán, hijo de un pastor bautista. Su padre se convirtió en un ejemplo para él, tratando de abrir una nueva iglesia cada año de su ministerio. Esta lección no pasó desapercibida para el joven John. Cuando él mismo se convirtió en pastor, siguió con el mismo modelo de producción, comenzando una nueva capilla cada año y guiando personalmente a Cristo entre 50 y 60 personas.

Después de dos décadas de pastorear y plantar iglesias, ministerio que lo llevó junto con su familia de Taiwán a Hong Kong y finalmente a los Estados Unidos, en 1995 se convirtió en misionero. En el año 2000, John contestó el llamado de Dios y se convirtió en coordinador de estrategia en un centro urbano de la República Popular de China.

China fue un desafío mucho mayor del que los esposos Chen habían imaginado. El centro urbano que él adoptó, y que nosotros llamaremos Nandong, estaba en ebullición, con casi 20 millones de hombres, mujeres y niños. Cada día, miles de nuevos trabajadores

---

[4]Todo lo que se menciona en la historia de Chen es verdad. Los nombres de las personas y los lugares han sido cambiados para proteger el ministerio.

migratorios llegaban a Nandong buscando trabajo y la oportunidad de una vida mejor.

En el verano de 2000, la familia Chen hizo su primer viaje a Nandong. Allí descubrieron una ciudad llena de fábricas y hacinada con miles de trabajadores. John recuerda: "Nos encontramos con tanta gente. No había tiempo para hacer el trabajo lentamente. Pero no sabíamos cómo hacerlo de una manera diferente".

Luego, en octubre de 2000, John y su esposa Hope entraron al entrenamiento de coordinación de estrategia, y comenzaron a aprender cómo Dios estaba obrando en los movimientos de plantación de iglesias. John comprendió entonces que no podía hacer las cosas solo, ni podía simplemente descansar en un grupo de plantadores de iglesias. Él tomó los principios de estos movimientos y comenzó a hacerse otras preguntas:

"¿Qué es mejor que plantar una iglesia?".

Respuesta: "Entrenar a otros para plantar iglesias".

"¿Y que es mejor que entrenar a otros para plantar iglesias?".

Respuesta: "¡Entrenar a los entrenadores para que entrenen a los plantadores de iglesias a plantar muchas más iglesias!".

Con esta fórmula exponencial, John el pastor y plantador de iglesias, se convirtió en John el entrenador y en un instrumento del movimiento.

John sabía que no todos estaban capacitados para ser plantadores de iglesias, pero al mismo tiempo sabía que Dios *podía* usar a cualquier persona. ¿Pero cómo determinar quién puede o no puede convertirse en un plantador de iglesias efectivo? En lugar de tratar de tomar una decisión anticipada, John decidió entrenar a *todos* para ser plantadores de iglesias y entrenadores. Los que implementaran el entrenamiento se convertirían en sus colaboradores en el movimiento; los que no lo lograran, se quedarían atrás.

John continúa con la historia:

"Yo sabía que mi esposa y yo podríamos llevar unas 30 personas cada uno a los pies del Señor en un año, pero sólo si cada creyente se comprometiera a traer a alguien a Cristo podríamos esperar alcanzar a los millones en Nandong". En noviembre de 2000, John comenzó su trabajo.

Entrenar a los entrenadores

Inicialmente, John encontró solamente tres ciudades en el distrito de Nandong con algunas iglesias, y una membresía total de 250 personas. John adoptó lo que en ese momento pensó era una meta muy ambiciosa: ver una iglesia plantada en cada una de las ciudades del distrito. ¡Eso significaría comenzar más de 200 nuevas iglesias! Cuando John compartió su meta con uno de los pastores locales, este movió la cabeza y le dijo: "¡Usted tendría que regresar a Hong Kong!". Luego de un poco de persuasión, el pastor accedió permitiendo que John enseñara una clase sobre plantación de iglesias a aquellos que estuvieran interesados. Los miembros de la iglesia eran en su mayoría granjeros que trabajaban en el campo todo el día, de modo que las clases tuvieron que programarse por las noches. En la primera sesión, 30 miembros estuvieron presentes.

Los esposos Chen comenzaron la clase compartiendo el desafío de su visión, pero la mayoría de los que escuchaban permanecían escépticos. John descubrió que había dos obstáculos que estaban impidiendo que cada uno de ellos se convirtiera en un evangelista efectivo. En primer lugar, no sabían qué decir, y en segundo lugar, no sabían a quién decírselo. John atacó el segundo obstáculo pidiéndoles que hicieran una lista con los nombres de todas las personas perdidas que conocían, y luego identificaran las cinco a las que Dios quería que testificaran primero.

Luego concentró su atención en el primer obstáculo. John les enseñó que cada uno de ellos tenía una historia única para contar. La historia de una persona se divide en tres partes: 1) cómo era antes de conocer a Cristo, 2) cómo conoció a Cristo, y 3) cómo ha sido su vida desde que conoció a Cristo. Luego John los instruyó a quitar el vocabulario religioso de sus historias.

—Nosotros ni siquiera lo llamamos un testimonio —explicó—. Un testimonio es para cristianos. Los que no son cristianos no saben qué es un testimonio, así que lo llamamos "nuestra historia".

John pidió que cada uno escribiera su testimonio en una sola hoja de papel.

Al principio, todos se sentían un poco nerviosos al contar su historia, pero John se las hizo leer en voz alta cinco veces y luego los invitó a contársela a otros, en grupos de tres. Al finalizar la primera clase, los granjeros se sintieron entusiasmados y confiados.

En las semanas que siguieron, John enseñó a su pequeño grupo seis lecciones de seguimiento diseñadas para arraigar a sus nuevos convertidos en el fundamento de la fe[5]. Al despedirlos, les dijo:

—Vayan esta semana y compartan su historia con las cinco personas de su lista. Si no pueden compartir con esas cinco, ¡busquen otras cinco! Cuando vuelvan la próxima semana, vamos a ver lo que Dios ha hecho.

Después de la primera clase, John descubrió que sólo 17 de los 30 alumnos de su clase habían compartido con alguien, pero uno de los granjeros lo había hecho con 11 personas. Para fortalecer su fe, John invitó a cada alumno a que compartiera con el grupo sus experiencias. De esa manera, escuchaban los pormenores y se animaban unos a otros. Después de la segunda lección, John insertó una dosis de responsabilidad al decirles:

—Si alguno decide no compartir con nadie esta semana, le pido que no venga a la próxima clase.

Esto mantuvo a los alumnos enfocados en hacer algo y no solamente en escuchar la palabra. Los resultados sorprendieron aun a los esposos Chen.

En enero de 2001 (dos meses después de iniciar la clase), ya habían comenzado 20 grupos pequeños que se habían convertido en iglesias. En mayo había 327 grupos pequeños y 4.000 nuevos creyentes bautizados, y las iglesias ya estaban desparramadas por 17 ciudades. A fines del año 2001, había 908 iglesias en las casas con más de 12.000 nuevos cristianos.

Regresaron con gozo

Como pasó con los discípulos de Jesús en Lucas 10, los nuevos entrenados descubrieron que en cada aldea que visitaban Dios ya había preparado a una persona de paz que estaba esperando

[5]Ver Apéndice 1.

escuchar la historia del evangelio. Un anciano granjero que nunca antes había plantado una iglesia comenzó 12 nuevas iglesias en dos meses y 110 en un año.

El estilo de vida de este anciano fue la piedra fundamental de su efectividad. Comenzaba cada día a las 5.00 h leyendo su Biblia hasta las 7.00 h, y luego trabajaba en el campo hasta las 17 h, cuando regresaba al hogar para cenar y pasar tiempo con su familia. A las 19 h. volvía a salir para "trabajar en el campo del Señor hasta la medianoche".

Este anciano granjero no es algo raro en lo que se ha convertido en el movimiento de plantación de iglesias más grande de la historia. En otra ciudad, una mujer de 67 años se convirtió al cristianismo, y en un año llevó al Señor a más de 60 familias.

—Yo le pedí que me llevara con ella para mostrarme cómo lo hacía —dijo John—. Ella comparte con la gente lo débil que era, y cómo Jesús la salvó. Luego los invita a un estudio bíblico en su hogar. Claramente, esta mujer ha sido ungida con el Espíritu Santo.

—Nosotros enseñamos a los nuevos creyentes cómo tener un estudio bíblico y momentos devocionales diarios, para que puedan hacer esto siempre. Luego les enseñamos qué es una iglesia, y cómo organizarse para poder crecer juntos en Cristo.

—Una vez —dijo John— perdimos a un obrero cristiano que trabajaba en una fábrica, y que había sido entrenado. Después de seis meses, lo encontramos otra vez; había sido transferido a una fábrica más grande, con 10.000 trabajadores. Durante esos seis meses, comenzó 70 grupos pequeños y vio reproducirse a diez generaciones (iglesias plantando iglesias).

Si uno le pregunta a John el secreto de este poderoso movimiento, se levantará los pantalones y mostrará los callos que se han formado en sus rodillas.

—Uno debe pasar por lo menos dos horas de rodillas en oración —responde.

John enseña a sus alumnos que oren para tener la unción del Espíritu Santo, que se pongan toda la armadura de Dios, que oren por los perdidos que están alrededor de ellos, que oren mientras van a testificar en cada situación, y que oren para que la sangre de

Jesús los proteja de todo lo que Satanás está arrojando contra ellos.

Después de dos horas de oración por las mañanas, John se va al campo de cosecha. Allí cada día testifica fielmente contando su historia, siempre buscando a las personas a quienes Dios ha llamado. John continúa entrenando a otros para que hagan lo mismo.

Para el año 2003, John estaba entrenando regularmente entre 300-400 plantadores de iglesias por mes.

—Uno nunca sabe a quiénes puede usar Dios —comenta sonriendo—, ¡así que nosotros entrenamos a todos!

El fervoroso compromiso de John para entrenar a todos es una de las razones por las que el movimiento ha hecho explosión mucho más allá de la visión original de tener 200 iglesias. Hoy el movimiento se ha extendido por varios distritos más, y no muestra señales de detenerse.

En realidad, de acuerdo a todas las indicaciones, el movimiento nandong todavía está tomando impulso. En el año 2001 se comenzaron 908 iglesias con 12.000 creyentes bautizados. Al año siguiente, los esposos Chen vieron 3.535 nuevas iglesias plantadas con más de 53.430 bautismos. Luego en los primeros 6 meses de 2003, el movimiento había producido 9.320 nuevas iglesias y 104.542 bautismos[6]. En este momento, John dirige a 15 entrenadores principales en 30 centros de entrenamiento que se reúnen en los hogares y en los edificios de las iglesias mientras el movimiento continúa creciendo.

Liderando a su equipo

La historia de John y Hope Chen revela lo que es posible lograr cuando miramos más alto y nos movemos más allá de nuestra zona

---

[6]Estos números, oficialmente reportados y confirmados, están en realidad por debajo de lo que aún está pasando dentro del movimiento nandong. El entrenamiento de los esposos Chen ha sido adoptado con mucha efectividad por otras denominaciones en el área de Nandong, y los esposos Chen han decidido no reportar esos otros números allí. Estas estadísticas adicionales hubieran aumentado el número total de iglesias y bautismos aproximadamente en un 40%.

de comodidad. Nosotros podríamos aprender mucho más de la experiencia de los esposos Chen[7], pero el motor y el combustible del movimiento de plantación de iglesias nandong no se encuentran en los currículos o las técnicas. Por el contrario, están detrás de la oración, la visión y la obediencia ferviente del líder y de su equipo.

Todo aquel que quiera ver el mismo tipo de movimiento que experimentaron los esposos Chen enfrentará los desafíos de desarrollar y liderar un equipo de colaboradores que tengan un mismo sentir. ¿Cómo se desarrolla un equipo así? Si usted quiere formar un equipo que tenga éxito, debe preguntarse si les ha dado los ingredientes necesarios: 1) visión, 2) entrenamiento, 3) pasión, 4) colaboradores y 5) rendimiento de cuentas. Si falta uno de estos componentes, no obtendrá los resultados deseados. Examinemos cómo cada uno de estos ingredientes contribuye a un movimiento de plantación de iglesias.

Ingredientes clave

1) **Visión:** Una clara visión final del movimiento de plantación de iglesias entre su grupo étnico o comunidad.

2) **Entrenamiento:** Pericia en evangelismo, discipulado, plantación de iglesias, entrenamiento y multiplicación necesarias para lograr la estrategia que llevará al cumplimiento de la visión.

3) **Pasión:** Reforzar mutuamente la visión del movimiento de plantación de iglesias. Recordarse unos a otros que, fuera de la salvación de Cristo, su comunidad está eternamente perdida.

4) **Colaboradores:** A menos que usted pueda entrenar a muchos colaboradores, sus sueños nunca se harán realidad. Re-

---

[7]Usted podrá encontrar un resumen completo del entrenamiento de Chen en el Apéndice 1.

cuerde: "Los recursos están dentro de la cosecha". Cada persona perdida es un convertido potencial y cada nuevo creyente es un colaborador potencial que necesita ser entrenado.

5) **Rendimiento de cuentas:** Establezca dentro de su equipo un sistema de rendición de cuentas que asegure que todos continúen multiplicándose en evangelismo, discipulado, plantación de iglesias y entrenamiento[8].

¿Qué sucede cuando falta uno de estos ingredientes? Si su equipo tiene entrenamiento, pasión, colaboradores y rendición de cuentas, pero no tiene clara la visión de un movimiento de plantación de iglesias, ¡su equipo experimentará mucha **confusión**!

Si tiene una visión clara, pasión compartida, un creciente número de colaboradores y también rendimiento de cuentas, pero le falta el entrenamiento necesario para lograr su visión, ¡su equipo estará lleno de **ansiedad** e **incertidumbre**!

Si su equipo posee la visión y el entrenamiento, además de los colaboradores que practican el rendimiento de cuentas, pero no siente una pasión real, pueden ocurrir algunos cambios, pero serán **muy lentos**.

Si su equipo tiene la visión correcta, el entrenamiento, la pasión y el rendimiento de cuentas, pero no tiene un número creciente de colaboradores sacados de la misma cosecha para entrenarlos, su equipo experimentará una gran **frustración**.

Finalmente, si provee a su equipos con liderazgo visionario, entrenamiento, pasión y colaboradores, pero falla en reforzar el rendimiento de cuentas, el equipo experimentará **resultados mixtos**, algunos buenos y otros malos.

Vamos a ver todos estos componentes representados en un solo gráfico.

---

[8]Variaciones de este modelo se han usado alrededor del mundo. El autor ha descubierto que uno de los principales pensadores en este área es la doctora Mary B. Lippitt, de Enterprise Management Ltd. y autora de *The Leadership Spectrum* (Imagen del liderazgo). Visite su sitio: www.enterprisemgt.com ó www.leadershipspectrum.com, octubre 2004.

Lista de verificación para el liderazgo del equipo: (Vea cómo los elementos faltantes traen resultados insatisfactorios)

Visión +	Entrenamiento +	Pasión +	Colaboradores +	Rendición de cuentas =	Progreso del MPI
	Entrenamiento +	Pasión +	Colaboradores +	Rendición de cuentas =	Confusión
Visión +		Pasión +	Colaboradores +	Rendición de cuentas =	Ansiedad
Visión +	Entrenamiento +		Colaboradores +	Rendición de cuentas =	Progreso lento
Visión +	Entrenamiento +	Pasión +		Rendición de cuentas =	Frustración
Visión +	Entrenamiento +	Pasión +	Colaboradores +		Resultados mixtos

Utilice este gráfico para recordar todo lo necesario al liderar un equipo. Cuando comience a ver confusión, ansiedad, progreso lento, frustración o falsos comienzos, lleve esos síntomas a las verdaderas raíces que los causan. Haga los cambios necesarios en su equipo de liderazgo y verá los resultados que usted desea.

Ahora ya tiene las piezas clave en su lugar: una visión firme, la comprensión de cómo puede participar de esa visión, una evaluación real de su comunidad en relación con esa visión, y la manera de guiar a su equipo para lograr esa visión. ¿Qué lo está deteniendo?

17

Un llamado a la acción

Usted ha llegado al final del libro, ¿y qué es lo que aprendió? ¿Qué diferencia va a hacer en usted y su comunidad por la eternidad?

Hemos visto una gran variedad de movimientos de plantación de iglesias, y otros que quieren serlo, que están surgiendo alrededor del mundo. Hemos remontado sus características hasta la iglesia del Nuevo Testamento, y hasta la misma vida y enseñanzas de Jesús. Hemos identificado elementos que son esenciales para cada movimiento de plantación de iglesias y explorado el contexto de los mismos tratando de respirar el mismo aire que los rodea.

Juntos hemos expuesto los siete pecados mortales que pueden sofocar un movimiento de plantación de iglesias antes que tenga oportunidad de florecer. Hemos analizado algunas de las preguntas más frecuentes que se formulan sobre estos movimientos, y esperamos haber llegado a las respuestas satisfactorias. Finalmente, hemos traducido lo que aprendimos a pasos prácticos que nos llevarán fielmente hacia un movimiento de plantación de iglesias.

¿Hacia dónde irá desde aquí?

La respuesta depende de dónde está usted en este momento, porque todos comenzamos en diferentes lugares. Usted puede ser un laico con mentalidad misionera, un pastor, un misionero o simplemente un cristiano que está convencido de que el ideal de Dios está allí, anhelando ser realizado. Quienquiera que sea, o dondequiera que esté, usted puede unirse a Dios para desarrollar movimientos de plantación de iglesias en su comunidad y alrededor del mundo.

Durante la década pasada hemos visto que la mayoría de los

cristianos que comparten el interés por los movimientos de plantación de iglesias están de alguna manera dentro del espectro que va de lo *retórico* a lo *real*. Hay cinco etapas o puntos importantes que marcan el progreso en el camino. Al examinar estas cinco etapas del avance de un movimiento de plantación de iglesias, trate de identificar dónde están usted y su equipo. Luego tome los pasos necesarios para ir hacia adelante.

Primera etapa: un compromiso retórico

La primera etapa es "hablar de lo hablado, sin caminar lo señalado". Las personas son rápidas para comprometerse con el lenguaje de los movimientos de plantación de iglesias. Oponerse a un movimiento de plantación de iglesias es como hablar mal de la madre o del pastel de la abuela; simplemente no sería lo correcto. Pero hay una gran diferencia entre aquellos que simplemente agregan los "movimientos de plantación de iglesias" a su retórica, y aquellos que toman en serio la necesidad de reformar sus vidas para contribuir a estos movimientos.

Los *habladores* son los que saltan para subirse al vagón a último momento, pero tienen muy poca idea de lo que está pasando realmente, y no tienen ninguna intención de cambiar de rumbo en su manera de hacer las cosas para abrir el camino hacia un movimiento de plantación de iglesias.

Segunda etapa: una visión en proceso

Y luego se deja de hablar. En algún lugar del camino, usted capta la visión del movimiento de plantación de iglesias. Quizá al leer un libro, o quizá al contagiarse del entusiasmo de alguien que está inmerso en un movimiento. O quizá al visitar un lugar donde ha surgido un movimiento de plantación de iglesias. Cualquiera sea la razón que lo haya gatillado, hay algo en este nuevo paradigma de posibilidades que le llama la atención. Y pronto la visión se transforma en una obsesión, el maravilloso descubrimiento de que esto sí puede ser posible en su propia comunidad.

La visión de un movimiento de plantación de iglesias es absolutamente esencial para que este se materialice, pero la visión sola no es suficiente. Algunas personas se estancan en esta etapa porque todavía no comprenden lo que necesitan hacer para ayudar a que esa visión se convierta en una realidad. Se pueden largar ciegamente en pos de un movimiento de plantación de iglesias, sin tener una idea del rumbo que deben seguir. O quizá pueden caer en la condición de desecharla divinamente, viendo este movimiento como una entera y exclusiva obra de Dios, sin comprender que Dios quiere usarlos a *ellos* para convertir en realidad esa visión. Cualquiera sea la razón que los mantiene en esta segunda etapa, la solución a esta visión en proceso es *obtener más entendimiento*.

Tercera etapa: fe buscando entendimiento

Cuando la visión abre paso al entendimiento comienza a desarrollarse un increíble sentido de propósito y autoridad. Cuando su obsesión se traduce en una comprensión de los principios que llevan a un movimiento de plantación de iglesias y de los obstáculos que se atraviesan en el camino, comprenderá que esto no es solamente un sueño, sino algo que Dios realmente quiere hacer dentro de su comunidad hoy.

El entendimiento viene a través de la observación diligente de lo que Dios está haciendo de y cómo lo está haciendo. Se basa en la convicción de que Dios quiere usarnos para cumplir su visión hacia un mundo perdido. Comprender un movimiento de plantación de iglesias no garantiza que usted verá ese movimiento, pero es un paso importante en el camino.

Cuarta etapa: seguimiento ferviente

Los tímidos pueden satisfacerse a sí mismos comprendiendo los movimientos de plantación de iglesias sin ni siquiera arriesgar algo para involucrarse fervientemente en uno. Pero aquellos que sí se arriesgan y aplican lo que han aprendido tienen la oportunidad de alcanzar la recompensa más grande, *aunque no siempre de una manera inmediata*.

Aquel que persigue fervientemente un movimiento de plantación de iglesias es como el hombre que descubrió un tesoro en el campo. Su pasión lo llevó a vender todo lo que tenía para comprarlo

(Mateo 13:44). Por otra parte, aquel que se detiene antes de llegar a ese seguimiento ferviente es como el joven rico, que se fue triste porque tenía muchas posesiones (Mateo 19:16-22). ¿Cuál de estos relatos lo describe a usted?

Habrá muchos fracasos en el camino hacia un movimiento de plantación de iglesias, Pero una cosa es cierta, sin un compromiso ferviente para implementar esa visión, nunca se convertirá en realidad.

Quinta etapa: montarse sobre la ola

Y luego sucede. Un día las iglesias que usted ha plantado y a las que pacientemente alimentó con visión, pasión y habilidades, comienzan a comprender el potencial que Dios les ha dado. Comienzan a multiplicarse, no lenta sino rápidamente, y con un celo que no se detendrá ante nada hasta que toda la comunidad esté llena de la gloria del Señor.

Aquellos que participan exitosamente de un movimiento de plantación de iglesias exhiben la satisfacción de un logro personal. Montarse a un movimiento de plantación de iglesias no es como montarse sobre un caballo. Uno nunca trata de quebrantar el deseo de uno de estos movimientos. Es más bien como montarse sobre una ola.

Aquellos que se montan sobre la ola de un movimiento de plantación de iglesias se llenan del increíble conocimiento del poder de Dios que fluye a través del movimiento a medida que Cristo transforma miles de personas y posibilita que nazcan cientos de nuevas y vibrantes iglesias. Llegan a comprender que su propia vida ha sido eclipsada por el movimiento mismo, como una semilla plantada en tierra que muere para poder transferir el ADN de su pasión, visión y habilidades a un campo de cosecha en continua expansión.

Los que participan de un movimiento de plantación de iglesias sienten un gozoso agotamiento. Han aprendido que todavía hay mucho por hacer en el curso del desarrollo del movimiento, mientras celebran y adoran al Dios sobre quien el movimiento descansa.

¡Usted *puede* llegar hasta allí desde aquí!

Un movimiento de plantación de iglesias puede parecer algo muy lejano en el horizonte desde el lugar donde usted se encuentra en este momento, pero usted *puede* llegar allí. Si comparte la misma visión, la visión de la rápida multiplicación de iglesias plantando iglesias a través de un grupo étnico, una ciudad o una comunidad, entonces puede acortar la distancia y ver cómo esa visión se transforma en una realidad. Compromiso retórico, visión en proceso, entendimiento, seguimiento ferviente, montarse sobre la ola: ¿Dónde está usted?

No puede pasar aquí. Es lo que decían en Vietnam hasta que lo vieron en Camboya. Es lo que decían en Camboya hasta que lo vieron en China. Es lo que decían en América Central hasta que lo vieron en Bogotá. Es lo que decían en Sudán hasta que lo vieron en Etiopía. Quizá es lo que están diciendo donde usted vive.

Satanás nos quiere mantener silenciosos y escépticos. Pero Cristo quiere que gritemos desde las alturas: *¡No sean incrédulos, sino hombres de fe!*

La duda es contagiosa. Pero también lo es la fe. Dios nos ofrece la oportunidad de creer y unirnos a él en cosas tan increíbles, *que no las creerán aunque alguien se las explique*. Bueno, ¿y usted? ¿Lo cree usted?

¡Miren a las naciones! ¡Contémplenlas y quédense asombrados! Estoy por hacer en estos días cosas tan sorprendentes que no las creerán aunque alguien se las explique. Habacuc 1:5

Epílogo

Los movimientos de plantación de iglesias revelan un nuevo entendimiento de cómo Dios está obrando en el mundo. A pesar de sus profundas raíces en el Nuevo Testamento, los movimientos de plantación de iglesias se presentan como un desafío ante muchas prácticas de la iglesia convencional de hoy. De todas maneras, estos movimientos han llegado para quedarse. Cada año su número aumenta, atrayendo a miles de almas perdidas hacia el reino.

Este libro ha respondido a la pregunta de *cómo* Dios está obrando en los movimientos de plantación de iglesias, y ha descubierto pasos precisos que podemos dar para alinearnos con Dios. De la misma manera que en muchas otras cosas en el mundo, sin embargo, él también nos da la libertad de rechazar su estilo. La decisión es nuestra, pero su obra continúa.

La historia está llena de oportunidades clave, momentos cuando una sola decisión determina si nos convertiremos en participantes o en observadores del curso de la historia. Entre muchos ejemplos está el rechazo inicial de los japoneses de las armas de fuego[1]. Las primeras fueron introducidas en Japón en 1543 por los viajeros portugueses. Los japoneses quedaron tan impresionados que las desarmaron cuidadosamente para analizar su construcción antes de proceder a copiarlas. Durante los años siguientes, los japoneses no sólo habían aprendido a fabricar sus propias armas, sino que habían mejorado grandemente esta tecnología, y para 1600 estaban fabricando las mejores del mundo.

Sin embargo, las armas de fuego pronto cayeron en desgracia en Japón. Una casta de guerreros japoneses, los samurai, eran numerosos y estaban bien establecidos en la sociedad. Ellos vivían y peleaban siguiendo códigos de conducta de sus antepasados, y todo esto había sido socavado por las armas de fuego. Con ellas,

[1]Jared Diamond, *Guns, Germs and Steel, a short history of everybody for the last 13,000 years* (London: Vintage, 1998), pp. 257, 258.

una simple lavandera podía hacer caer instantáneamente a un poderoso samurai; *¿y dónde quedaba el honor en todo eso?* De modo que, gradualmente, estas armas fueron eliminadas de Japón. En 1650, prácticamente ya no quedaba ninguna en el país, una condición que continuó hasta 1853, cuando la Flota del Pacífico del Comodoro Perry forzó a punta de cañones a esta aislada nación a abrirse.

En la historia de la salvación, hay mucho más en riesgo que aceptar o rechazar armas de fuego. El punto clave de la historia que aparece ante nosotros concierne el destino eterno de millones de personas. La pregunta que encaramos no es si el movimiento de plantación de iglesias es bueno o malo, sino si vamos a convertirnos en participantes o en observadores, que permiten que los movimientos de Dios se nos pasen de largo. La obra de Dios en estos movimientos es tan irrefutable como inevitables son los movimientos; nosotros somos el signo de interrogación.

David Garrison
India 2003

Recursos adicionales

Apéndice 1
Entrenamiento para entrenadores

Ninguna descripción escrita puede hacer justicia a la increíble efectividad del "Entrenamiento para entrenadores" de John y Hope Chen[1]. John ha tomado los altos ideales de los movimientos de plantación de iglesias para reducirlos a acciones sencillas que cada uno puede realizar. Sin embargo, ningún otro método ha logrado más nuevos creyentes ni más nuevas iglesias que este.

Si usted se encuentra luchando con algo del material, o deseando tener más explicaciones, no espere tener respuestas para todas sus preguntas. Sólo siga el consejo de John: "¡Simplemente hágalo!".

Creando el carácter de un movimiento de plantación de iglesias

1. Oración. John pasa dos horas por día en oración y enseña a sus estudiantes a hacer lo mismo. Ejemplificar la oración en su propia vida le permite entrenar a otros de una manera efectiva para que hagan lo mismo.

2. Guerra espiritual. John advierte a sus estudiantes que Satanás tratará de derrotarlos por cualquier medio. Su respuesta ante los ataques del maligno debe ser vigilar, luchar y orar.

3. Agradecimiento por *todas* las cosas. Según Romanos 8:28, John enseña a sus estudiantes a ser agradecidos por todo,

---

[1]Adaptado y condensado de *T4T: Trainer for Trainers*, de John Chen (seudónimo).

sabiendo que “Dios dispone todas las cosas para el bien de quienes lo aman, los que han sido llamados de acuerdo con su propósito”. El agradecimiento prepara al estudiante para los ataques y las calamidades inevitables que lo acompañarán en su ministerio. Sin un espíritu de agradecimiento por todo,

4. Satanás descubrirá alguna cosa por la que el estudiante dejará de servir al Señor y regresará a su estilo de vida pasivo.

5. Proverbios del movimiento de plantación de iglesias. John ha llenado sus sesiones de entrenamiento con proverbios, gemas de sabiduría, que comunican verdades muy importantes y a menudo pasadas por alto.

   a. La plantación de iglesias *no es* algo científico (entonces no se lo dejen a los expertos y profesionales; todos pueden plantar iglesias).
   b. ¡Simplemente háganlo! (Dios honra a los hacedores de su Palabra, y no a los que son simplemente oidores).
   c. Es un gran gozo llevar a alguien a Jesús; es un gozo mucho mayor comenzar una iglesia; ¡pero es un gozo aún mucho más grande entrenar a alguien para que comience una iglesia!

6. El entrenamiento es diferente a la enseñanza. La enseñanza transfiere conocimiento, pero el entrenamiento cambia el comportamiento. Los talleres de John enfatizan el entrenamiento.

7. Uno debe practicar lo que predica y predicar lo que practica. John nunca se satisface a sí mismo con simplemente instruir a otros. Un entrenador efectivo tiene que ser también un hacedor.

8. Cada persona con la que uno se encuentra está necesitando ser evangelizada o entrenada. Evangelice a los perdidos y entrene a los cristianos.

9. Comience entrenando a cualquier cristiano que esté dispuesto a ser entrenado. Sin embargo, el entrenamiento implica acción. Los estudiantes que no puedan cumplir con la tarea de compartir su historia sentirán vergüenza cuando no tengan nada que decir durante el momento de rendición de cuentas. Poco tiempo después dejarán de venir, permitiendo que los "hacedores de la Palabra" continúen.

10. El entrenamiento para entrenadores de John no reemplaza otros métodos de evangelismo efectivos. Por el contrario, los complementa. John y sus estudiantes continúan usando una amplia variedad de herramientas de evangelismo que incluyen la película *Jesús,* las *Cuatro leyes espirituales,* el *Cubo evangelístico, Evangelismo Explosivo*, y otros más.

Entrenando entrenadores

1. John inicia su sesión de entrenamiento en cualquier iglesia que le permita entrenar a sus miembros laicos. Comienza con el fundamento bíblico del mandato de Dios a cada cristiano de compartir el evangelio.

   a. El llamado de lo alto: Marcos 16:15; Isaías 6:8
   b. El llamado desde abajo: Lucas 16:27, 28
   c. El llamado desde adentro: 1 Corintios 9:16, 17
   d. El llamado desde afuera: Hechos 16:9

2. Luego, John explica que, de acuerdo a la Biblia, Dios ama a su familia y quiere que *usted* extienda la salvación del Señor hacia ellos.

   a. Noé: Génesis 17:11
   b. Abraham: Génesis 19:12-23
   c. Rajab: Josué 2:17-20
   d. El endemoniado geraseno: Marcos 5:19
   e. Cornelio: Hechos 10:23-27

f. Lidia: Hechos 16:14, 15
g. El carcelero de Filipos: Hechos 16:30-33

3. John luego enseña a sus estudiantes el carácter del hombre o la mujer que Dios quiere usar.

   a. Deben exhibir cualidades de fe y autosacrificio, ser guerreros espirituales, llenos de alabanza y agradecimiento.
   b. Deben depender de la sangre de Jesús cada día para su protección.

4. Luego John les habla de la naturaleza de la iglesia y los tipos de iglesias que prevalecen en la actualidad.

   a. Iglesia tradicional (con edificios y clero profesional).
   b. Iglesias célula (ver capítulo 8).
   c. Iglesias G-12 (grupos de 12).
   d. Iglesia de un movimiento de plantación de iglesias (solamente este modelo tiene potencial ilimitado para su reproducción).

5. Finalmente John contesta las cuatro preguntas que enfrenta cada cristiano que implemente los movimientos de plantación de iglesias.

Las cuatro preguntas

Pregunta 1: ¿Qué digo?

a. Usted cuenta su historia. Su historia es algo singular. No puede ser objeto de argumento o refutación. Consiste de tres partes: antes de Jesús, cómo conoció a Jesús, y después que Jesús llegó a su vida.
b. Su historia necesita reducirse a una presentación de 2 a 3 minutos con la menor cantidad posible de palabras religiosas. Los perdidos no conocen los términos religiosos.

c. Después de escribir su historia, practíquela repitiéndola en voz alta de 5 a 10 veces antes de abandonar la sesión de entrenamiento. Primero la repite ante el techo y ante el piso, y luego se separan en grupos de dos o tres donde pueden practicar unos con otros. Ofrezcan sugerencias entre ustedes para mejorar la presentación.

Pregunta 2: ¿A quién se lo digo?

a. Si usted no sabe exactamente a quién contarle la historia, probablemente no se la contará a nadie.
b. Haga una lista de todas las personas perdidas de su familia y de su comunidad inmediata.
c. Pida a Dios que le revele las cinco primeras personas con las que compartirá su historia *esta* semana.
d. Salga de la sesión de entrenamiento en espíritu de oración, pidiendo a Dios que le presente oportunidades para contar su historia a esas cinco personas esta semana.

Pregunta 3: ¿Qué le hace pensar que yo lo haré?

a. La rendición de cuentas es una parte del plan de Dios. Jesús sabe que nosotros tenemos la tendencia a evitar las cosas que nos hacen sentir incómodos; por eso envió a los discípulos de dos en dos y formó grupos de creyentes.
b. Durante la próxima reunión de entrenamiento todos contaremos las experiencias de compartir nuestra historia con las cinco personas escogidas.
c. La semana siguiente, aquellos que no compartieron su historia se sentirán incómodos. El proceso de autoselección ya está en marcha. Con el tiempo, aquellos que son hacedores de la Palabra servirán de ejemplo e inspiración a aquellos que quieran seguirlos, mientras que los que no ponen en práctica lo aprendido se quedarán en el camino.

Pregunta 4: ¿Qué tengo que hacer si dicen "Sí"?

a. Si responden que sí a su oferta de recibir a Jesús, ¡debe regocijarse! Luego puede ayudarlos a comenzar una breve serie de seis lecciones sencillas que los arraigarán en su nueva vida y marcarán un curso de relación con usted al involucrarse en este movimiento de plantación de iglesias.
b. Las seis lecciones no tienen nada de mágico. No hay un currículo especial. Siempre que sea posible, John trata de basarse solamente en las Escrituras. Estas lecciones pueden enseñarse diariamente, semanalmente o de cualquier otra forma. Es importante notar que al finalizar el período de las seis lecciones el nuevo creyente entrenado está preparado para unirse al movimiento de multiplicación.
c. Una vez completadas las seis lecciones, el nuevo entrenado estará participando de una iglesia activa (ver Apéndice 2 y capítulo 4), que asegurará su continuo crecimiento en Cristo y en la comunidad de la fe.

Las seis lecciones

Lección 1: Seguridad de la salvación

a. La nueva relación con Dios en Cristo que tiene el nuevo creyente es reconfirmada a través de las Escrituras.
b. Versículos clave para repasar y memorizar: Isaías 59:2; Efesios 2:8, 9; 1 Pedro 3:18; Juan 10:28; 2 Corintios 5:17; 1 Juan 1:9; 1 Juan 5:13.
c. El entrenador ayuda al nuevo creyente a crear un "Certificado de Nuevo Nacimiento" para guardar dentro de su Biblia. Muestra la fecha en que "Recibí a Jesús en mi corazón como mi Salvador. Él perdonó mi pecado, se convirtió en mi Señor y tomó control de mi vida. Ahora yo soy un hijo de Dios y un nueva criatura". Firmado:

____

Lección 2: Una vida de oración

a. El entrenador explica por qué necesitamos orar, el contenido de la oración, tres tipos de respuestas a la oración, y nuevas actitudes que resultan de la oración.
b. Por qué necesitamos orar: Lucas 18:1; Efesios 6:18; 1 Pedro 5:7; Jeremías 33:3; Hebreos 14:16; Filipenses 4:6, 7.
c. El contenido de la oración: 1 Juan 1:9; Filipenses 4:6, 7; Salmo 135:3; 1 Tesalonicenses 5:18; 1 Timoteo 2:1.
d. Tres respuestas a la oración – Sí, No, Espera.
e. Nuevas actitudes resultantes de la oración: Santiago 1:6; 4:2, 3; Salmo 66:18; 1 Juan 5:14; Lucas 18:1.

Lección 3: Tener un tiempo devocional diario

a. El entrenador explica: "Si realmente queremos conocer a Dios, necesitamos tener un contacto cercano y regular con él". Designen un horario cada día para tener un tiempo a solas con Dios.
b. ¿Qué podemos aprender sobre el tiempo devocional con Dios en estos ejemplos bíblicos?: Génesis 19:27; Salmo 5:3; Daniel 6:10; Marcos 1:35; Salmos 42:1, 2; 119:147, 148.
c. Herramientas sugeridas para el tiempo devocional: Biblia, lápiz y papel, un lugar tranquilo, un horario, un plan de lectura.
d. Preparación para el tiempo devocional: Salmo 119:18.

Lección 4: Comprendiendo y convirtiéndonos en una iglesia.

a. La iglesia no es un edificio. Es la morada "del Dios viviente" (1 Timoteo 3:15). La iglesia está compuesta de creyentes que pueden reunirse en sus propias casas.
b. ¿Qué nos enseñan estos versículos sobre la iglesia? Romanos 12:5; Efesios 1:23; Efesios 5:23.

c. La iglesia tiene cinco propósitos: Adoración (Salmo 149:1). Compañerismo (Hebreos 10:25). Enseñanza (Mateo 18:20). Evangelismo (Hechos 1:8). Ministerio (Mateo 22:38, 39; Romanos 12:9-13).
d. La iglesia tiene derechos y obligaciones: Bautismo (Mateo 3:15; Romanos 6:3, 4). Cena del Señor (Mateo 26:26-30; 1 Corintios 11:23-29). Diezmos y ofrendas (Levítico 27:30, 31).

Lección 5: Conocer a Dios

a. Dios, revelado en Jesucristo, puede ser radicalmente diferente al concepto de Dios que el nuevo creyente tenía en su vida anterior. Comprender a Dios es un camino que lleva toda la vida, pero el buen fundamento comienza aquí.
b. ¿Qué podemos aprender de la naturaleza de Dios en estos pasajes?: Jeremías 31:3; Efesios 2:4, 5; 1 Juan 3:1; Lucas 15:11-24; 2 Tesalonicenses 3:3; 2 Reyes 6:15-18; Daniel 3; 1 Corintios 10:13; Filipenses 4:19; Mateo 6:31, 32; Romanos 8:31-39; Hebreos 12:6, 7; 2 Timoteo 3:16; 1 Juan 4:4.

Lección 6: La voluntad de Dios para usted

a. En este momento el entrenamiento ha completado su círculo. Mientras el nuevo creyente se incorpora a una de las iglesias en las casas (ver Apéndice 2), está al mismo tiempo listo para unir sus fuerzas a las de usted y extender así las buenas nuevas de Jesucristo.
b. Regrese al comienzo de este entrenamiento y vuelva a caminar a través del mismo con el nuevo creyente. Asegúrese de contestar las cuatro preguntas que él o ella puedan tener.
c. Recuerde que los nuevos creyentes son los mejores evangelistas. Todos sus amigos todavía están perdidos, y su pasión por Cristo todavía está muy fresca.

Apéndice 2
Un modelo de iglesia digno de imitarse

Hay una gran variedad de modelos de iglesias nativas que pueden reproducirse. Uno de los más fáciles de implementar es el que encontramos en China (ver capítulo 4), y que es realmente una iglesia digna de imitarse. Recuerde sus características: estudio bíblico y oración en conjunto; obediencia como el signo del éxito de todo creyente e iglesia; un liderazgo múltiple y sin remuneración en cada iglesia; grupos de células de 10-20 creyentes que se reúnen en los hogares. Las iglesias con estas características pueden implementarse en cualquier parte.

Este tipo de iglesias generalmente se reúnen en la intimidad del hogar de alguna persona. Pueden comenzar con una comida compartida durante la cual los miembros disfrutan del compañerismo y comparten lo que Dios ha estado haciendo en su comunidad. La cena finaliza con un tiempo de comunión o de oración, seguido de la adoración en conjunto y el estudio de la Biblia.

Durante el tiempo de alabanza, el líder de oración puede pedir que compartan motivos de preocupación, y luego guiar al grupo a orar. Si están presentes otros tipos de líderes, ellos también compartirán sus diferentes ministerios teniendo como objetivo la edificación del cuerpo de la iglesia: palabras de profecía, cánticos de alabanza, reportes de evangelismo y ministerio. Después de esto el grupo estará listo para participar del estudio bíblico en conjunto.

¿Qué es un estudio bíblico en conjunto?

Una persona o varias personas juntas pueden liderar un estudio bíblico en conjunto. La clave de su éxito es involucrar a la mayor cantidad posible de participantes. Por lo tanto, usted necesitará tener preparadas varias preguntas que inviten a distintos tipos de comentarios. Cuando sea posible, comparta el rol de liderazgo con otros para poder desarrollar a los futuros líderes de estudio bíblico que necesitarán las nuevas iglesias.

He aquí algunas preguntas que podrán guiarlo a través del estudio, la aplicación personal y la transformación de la vida. Usted puede escoger una o todas para estimular el estudio.

I. Observación (¿qué dice el pasaje?)

¿Quién?
¿Qué?
¿Dónde?
¿Cuándo?
¿Cómo?
¿Por qué?

II. Interpretación (¿qué significa ese pasaje?)

¿Qué significó para la audiencia original?
¿Qué significa ahora?
¿Cuál es la idea principal?
¿Cómo se relaciona este pasaje con el resto del capítulo o del libro?
¿Qué otros pasajes de la Escritura pueden arrojar luz sobre este?

III. Aplicación (¿qué debo hacer?)

Enseñanza: *Qué debemos saber.*
Controversia: *Qué debemos evitar hacer o dejar de hacer.*
Corrección: *Qué debemos hacer diferente.*
Entrenamiento en lo correcto: *Qué debemos comenzar a hacer o continuar haciendo.*

IV. Discusión (animar a otros a comprometerse con la Escritura)

¿Qué es lo que más les gustó de este pasaje?
¿Qué es lo que no les gustó de este pasaje?
¿Qué es lo que se llevarían con ustedes o recordarían sobre este pasaje?
¿Cuál era la idea principal de este pasaje?
¿Qué deben hacer ustedes después de conocer este pasaje?

V. Desarrollo de un plan de aplicación (enfatizando la obediencia)

Decida qué se puede aplicar del estudio bíblico.
Pónganse de acuerdo comentando cuándo los miembros tendrán que obedecer.
Descubran cuándo será difícil obedecer.
Comenten dónde estarán cuando obedezcan.
Comenten a quién deberán enseñar lo que han aprendido.
Comenten cuándo y a quién tendrán que reportar sus progresos, y luego orar por ellos.

Apéndice 3
Un puente coránico

Antes de comenzar, dedique un tiempo para orar por los musulmanes y comprenda que Dios está obrando en esa comunidad. Ya hay "personas de paz" entre ellos que están abiertas a las buenas nuevas del evangelio.

Es mejor que no entre en conversación llevando una copia del Corán; eso simplemente puede llegar a ofender a los musulmanes. Por el contrario, pídales que abran su propia copia del Corán y lean el pasaje en cuestión. Eso los involucrará en la conversación e impedirá que usted les ofenda.

En su encuentro con los musulmanes, es mejor hacerles preguntas y permitirles que la verdad salga de ellos, que predicarles nosotros la verdad. No hay suficiente luz en el Corán para llevarlos a la salvación, pero hay suficientes parpadeos de verdad como para encontrar al "hombre de paz" que Dios tiene preparado en medio de ellos.

Recuerde que mientras usted se mantenga dentro del Corán y haga preguntas, ellos no podrán culparle ni atacarle por enseñar el cristianismo. Sin embargo, una vez que usted haya identificado al hombre de paz, podrá dejar atrás el Corán y enseñarles la Biblia.

Hay un pasaje del Corán en Sura 5, llamado "La mesa servida" que tiende un puente entre musulmanes y cristianos. "Los más amigos de los creyentes son los que dicen: 'Somos cristianos'. Es que hay entre ellos sacerdotes y monjes y no son altivos" (5:82)[1].

Es bueno saber que Mahoma no comenzó con un parcialidad

---

[1] Todas las citas del Corán están disponibles en formato electrónico: www.isna.net/library/Quran/spanish.asp

notoria contra el cristianismo. Con esfuerzo, quizá podamos edificar sobre este fundamento.

Prepare una traducción de vocabulario

Si quiere comunicarse con los musulmanes, necesitará adoptar un lenguaje que ellos puedan comprender. Aquí hay algunos de los términos básicos que son comunes a los musulmanes, y su equivalente en nuestro idioma.

Jesús = *'Isa*
Dios = *Alá*
Iglesia = *Jamaat*
Biblia = (ver abajo)
  Nuevo Testamento = *Injil*
  Antiguo Testamento = *Tora*
  Salmos = *Jobur*
Capítulo = *Sura* (Cada capítulo del Corán tiene su propio nombre; el capítulo 3, por ejemplo, es llamado *La Familia de Imran).*

Cuando usted mencione el Corán, debe ser consciente de que los musulmanes creen que el único verdadero Corán es el que está escrito en árabe. Cualquier traducción del Coránn la consideran una paráfrasis o desviación del original. Algunos pueden usar esto para desechar su explicación de que usted ha leído el Corán. Si esto sucede, trate de decir lo siguiente:

"Yo quiero dar un agradecimiento especial al rey Fahd de Arabia Saudita y a la Fundación Islámica por permitir que el Corán fuera traducido a distintos idiomas alrededor del mundo para comprenderlo mejor".

Luego comparta la siguiente historia:

> El dueño norteamericano de una fábrica de ropa escribió una carta en inglés a los trabajadores de la fábrica diciéndoles que debían dejar de fabricar camisas rojas y comenzar a fabricar camisas amarillas. Sumado a eso, por su arduo trabajo recibirían una bonificación a fin del mes. El gerente de la oficina leyó la carta en inglés a los tra-

bajadores (que no hablaban inglés), y luego la puso sobre la mesa frente a los empleados. Los empleados se sintieron contentos de recibir la carta, pero no cambiaron las camisas de rojo a amarillo. Cuando el dueño de la fábrica descubrió que todavía estaban produciendo camisas rojas, se enojó mucho con el gerente y con los empleados de la fábrica. Entonces decidió contratar un nuevo gerente y nuevos trabajadores.

"Qué afortunados somos porque el rey Fahd ha pagado para traducir el Corán a todos los idiomas del mundo". (Seguramente ellos estarán de acuerdo con eso).

Así el camino quedó preparado para que usted haga referencias al Corán en cualquier idioma.

Paso 1: Algunas frases introductorias

Después de una introducción amigable, hay varias maneras de comenzar una discusión fructífera. Puede decir: "Estuve leyendo el Corán y descubrí una verdad increíble que me da la esperanza de una vida eterna en el cielo. ¿Quiere leerme *La familia de Imran*, Sura 3:42-55?".

O puede decir: "Yo hablo mucho con musulmanes y cristianos sobre la paz y la salvación. ¿Puedo mostrarle lo que encontré sobre la paz y la salvación en *Imran* 3:42-55?".

Durante el feriado musulmán de Qurbani Eid (Fiesta del Sacrificio), que ocurre 40 días después de Ramadán, puede decir: "¿Sabe usted la oración correcta que tiene que hacer antes del sacrificio?".

Si no la sabe, dígale: "Ponga sus manos sobre el animal y dígale a Alá; 'Yo sé que soy pecador y que sólo merezco el castigo por mis pecados. Es mi sangre la que se requiere para el sacrificio. Sin embargo, en lugar de tomar mi sangre como castigo, sustituye la sangre de este animal".

Esto abrirá la puerta a la importancia del sacrificio de sangre en la expiación de Jesús.

Paso 2: Lo que el camello sabe

Los cristianos están acostumbrados a llevar a un nuevo creyente en perspectiva por el *Camino Romano*, a través de versículos del libro de Romanos que llevan a la salvación (Romanos 3:23; 6:23; 10:9, 10).

Cuando usted habla con un musulmán, deberá llevarlo por otro camino, al que llamamos *Camel* (Camello), por su acrónimo en inglés[2].

Los musulmanes árabes tienen un refrán que dice que Alá tiene 100 nombres; el hombre conoce 99 de esos nombres, pero sólo el camello conoce el nombre número 100 de Alá.

Elección

3:42, 43: En un momento oscuro de la historia del mundo, Alá hizo algo diferente. Habló a través de un ángel a una joven virgen llamada María. Le dijo que ella había sido escogida para un rol inusual.

3:44: El Corán dice que los ángeles echaron suertes para ver quién tenía el privilegio de cuidar de María durante el tiempo de la asignación que Alá le había encomendado.

Anunciación

3:45: Entonces Alá envió a sus ángeles para darle a María su mensaje. Alá le dijo que él pondría su Palabra (Verbo) dentro de María. “El Verbo de Alá” (*ruhollah*, en árabe) se convertiría en carne tomando la forma de un bebé. Alá le dijo a María que llamara al bebé ‘Isa Masih. Isa es Jesús, y Masih significa “El ungido o prometido”.

‘Isa sería honrado por todos los pueblos en este mundo y para siempre en los cielos. Finalmente, Alá dijo que ‘Isa sería uno de los más cercanos a él mismo.

---

[2]Nota del Editor: **Camel** es el acrónimo para **C**hosen (elegido), **A**nnouncement (anuncio), **M**iracles (milagros), **E**ternal (eterna) y **L**ife (vida). En la traducción al español hemos usado elección, anunciación, milagros y vida eterna.

3:46: Más aún, Alá dijo que el nacimiento de 'Isa sería un mensaje al mundo entero y que 'Isa sería uno de los buenos y justos.

3:47: María se quedó muy sorprendida con la noticia que Alá le había dado. Le dijo a Alá: "¿Cómo puedo tener un hijo, si no me ha tocado mortal?". Alá fue muy paciente con María, y le contestó: "Yo soy Dios, es fácil para mí hacer lo que quiero".

¿Por qué Alá querría que 'Isa naciera sin un padre? ¿Ha habido alguna vez algún otro profeta nacido sin padre? ¿Qué significa esto para todos los musulmanes?

Imran 3:59 dice que 'Isa es semejante a Adán, y eso es verdad, porque ambos profetas nacieron sin un padre.

¿Cuál es la diferencia de nacer sin un padre terrenal?

La respuesta es aparente cuando usted comprende que Adán antes de cometer su pecado en el huerto para convertirse a la maldad, caminó con Dios en el Edén. Adán pudo caminar y vivir con Dios porque no tenía ningún pecado. Adán, al principio, fue justo y santo porque heredó la naturaleza de justicia de su padre. Una vez que Adán desobedeció a Alá, él y todos sus descendientes dejaron de ser santos y ya no pudieron vivir junto al Dios santo.

En el Sura del Corán 20:121

El Corán
Libro de Imran 3:42-55

42. Y cuando los ángeles dijeron: "¡María!" Alá te ha escogido y purificado. Te ha escogido entre todas las mujeres del universo.

43. ¡María! ¡Ten devoción a tu Señor, prostérnate e inclínate con los que se inclinan!

44. Esto forma parte de las historias referentes a lo oculto, que Nosotros te revelamos. Tú no estabas con ellos cuando echaban suertes con sus cañas para ver quién de ellos iba a encargarse de María. Tú no estabas con ellos cuando disputaban.

45. Cuando los ángeles dijeron: "¡María!" Alá te anuncia la buena nueva de una Palabra que procede de El. Su nombre es el Ungido, Jesús, hijo de María, considerado en la vida de acá y en la otra y será de los allegados.

46. Hablará a la gente en la cuna y de adulto, y será de los justos.

47. Dijo ella: "¡Señor!" ¿Cómo puedo tener un hijo, si no me ha tocado mortal?" Dijo: "Así será. Alá crea lo que El quiere. Cuando decide algo, le dice tan sólo: "¡Sé!" y es.

leemos: "Comieron de él, se les reveló su desnudez y comenzaron a cubrirse con hojas del Jardín. y Adán desobedeció a su Señor, y se descarrió". De manera que si Adán fue expulsado del huerto por un solo pecado, ¿cómo vamos a entrar nosotros al cielo con nuestro libro completo de pecados?

Y este es el punto más importante: Ciertamente todos nosotros somos hijos de Adán, excepto uno: su nombre es 'Isa Masih. No todos los musulmanes estarán de cuerdo con el concepto del pecado desde el nacimiento, pero la mayoría admitirá que todos hemos pecado. ¡El Corán nos da una palabra de esperanza! Alá entregó el Verbo a María en forma de 'Isa. Él es el Verbo, la Palabra de esperanza para todo el mundo. En el Sura del Corán 21:91 leemos: "Y a la que conservó su virginidad (María). Infundimos en ella de Nuestro Espíritu e hicimos de ella y de su hijo signo para todo el mundo".

De acuerdo con el Corán, tanto María como su hijo recibieron la bendición de Alá. Alá respiró su Espíritu en ella. El Espíritu es nada menos que la esencia de la persona.

¿Comprende usted por qué me encanta leer el Corán? Este descubrimiento me ha dado más claridad. Pero espere, hay algo más...

> **48.** El le enseñará la *Escritura, la Sabiduría, la Tora y el Evangelio.*
>
> **49.** Y como enviado a los Hijos de Israel: "Os he traído un signo que viene de vuestro Señor. Voy a crear para vosotros, de la arcilla, a modo de pájaros. Entonces, soplaré en ellos y, con permiso de Alá, se convertirán en pájaros. Con permiso de Alá, curaré al ciego de nacimiento y al leproso y resucitaré a los muertos. Os informaré de lo que coméis y de lo que almacenáis en vuestras casas. Ciertamente, tenéis en ello un signo, si es que sois creyentes.

3:48: Alá enseñó a 'Isa todos los libros santos (que los musulmanes llaman *Kitabs*). Yo he leído aún más sobre 'Isa en la Tora y el Injil. Estos libros (*Kitabs*) han sido traducidos directamente de los idiomas originales y son dignos de confianza. Un amigo me dijo que leer todos los libros santos lo ha hecho sentir como un musulmán completo. ¿Y usted? ¿Ha leído *todos* los libros santos?

Milagros

3:49: Alá demostró su poder a través de 'Isa. El Corán dice que los leprosos fueron sanados, los ciegos recibieron la vista, los paralíticos caminaron otra vez y los muertos volvieron a la vida.

Una vez más, el Corán nos llena de esperanza. 'Isa tenía el poder de hacer que los muertos volvieran a la vida. ¡PODER SOBRE LA MUERTE, esto es increíble! Antes, yo pensaba que la muerte era el enemigo más fuerte en el mundo. Pero ahora comprendo leyendo el Corán que a 'Isa se le dio poder sobre la muerte. El mundo ha estado esperando por un profeta que pudiera conquistar nuestro peor enemigo, la muerte.

3:50: 'Isa dijo que su vida verificaba o confirmaba lo que los profetas habían dicho de él en los Kitabs (libros) anteriores. Los viejos profetas hablaron mucho de 'Isa Masih. Cuando leo los Kitabs encuentro más de 300 profecías sobre 'Isa dichas por los profetas. Por ejemplo, hay una que fue escrita 758 años antes del nacimiento de 'Isa y que dice: "El mismo Señor os dará una señal: 'He aquí que la virgen concebirá y dará a luz un hijo, y llamará su nombre Emanuel'". En el idioma original "Emanuel" significa: "Dios con nosotros".

> **50.** Y en confirmación de la Tora anterior, a mí y para declararos ilícitas algunas de las cosas que se os han prohibido. Y os he traído un signo que viene de vuestro Señor. ¡Temed, pues, a Alá y obedecedme!
>
> **51.** Alá es mi Señor y Señor vuestro. ¡Servidle, pues! Esto es la vía recta.
>
> **52.** Pero, cuando Jesús percibió su incredulidad, dijo: "¿Quiénes son mis auxiliares en la vía que lleva a Alá?" Los apóstoles dijeron: "Nosotros somos los auxiliares de Alá. ¡Creemos en Alá! ¡Sé testigo de nuestra sumisión!
>
> **53.** ¡Señor! Creemos en lo que has revelado y seguimos al enviado. Inscríbenos, pues, entre los que dan testimonio".

3:51: 'Isa dijo que el camino recto es adorar a Alá y solamente a él.

3:52, 53: Para lograr que todas las personas del mundo adoren solamente a Alá, 'Isa pidió algunos ayudantes. Un pequeño grupo de hombres se acercó, diciendo que eran musulmanes y que ayudarían a 'Isa. Dijeron que creían en el mensaje de Alá y en el mensajero que él había enviado. ¿Enviado de dónde? Obviamente enviado del cielo.

Vida eterna

3:55: es emocionante leer que los musulmanes (creyentes) que siguen a 'Isa y hacen su trabajo serán exaltados por encima de todos los que no creen en este mundo.

> **54.** E intrigaron y Alá intrigó también. Pero Alá es el Mejor de los que intrigan.
>
> **55.** Cuando Alá dijo: "¡Jesús!" Voy a llamarte a Mí, voy a elevarte a Mí, voy a librarte de los que no creen y poner, hasta el día de la Resurrección, a los que te siguen por encima de los que no creen. Luego, volveréis a Mí y decidiré entre vosotros sobre aquello en que discrepabais.

Ahora que se está acercando al final del camino, quizá encuentre que esta historia con aplicación le puede ser de mucha ayuda: "Si yo quiero llegar desde aquí a la ciudad capital, ¿a quién debo elegir para que me ayude? ¿A alguien que nunca ha estado allí o a alguien que conoce el camino y vive allí en este momento? De acuerdo con el Corán, 'Isa vino del cielo y hoy está en el cielo.

Finalmente, tengo dos preguntas para usted...

"¿Puede este profeta, 'Isa, ayudarlo a usted y a mí a llegar hasta Alá?".

"Este profeta, ¿puede mostrarnos a usted y a mí el camino a la vida eterna que pasaremos con Alá en los cielos?".

Vamos a repasar lo que el Corán dice sobre 'Isa

1) 'Isa nació sin un padre, y por lo tanto no heredó la naturaleza pecaminosa de Adán.

2) Alá le dio al bebé de María el nombre de 'Isa Masih'.

3) Desde su infancia, 'Isa vivió una vida justa y santa.

4) Alá le entregó a 'Isa el tremendo poder de sanar a los enfermos y volver a la vida a los muertos.

5) 'Isa tiene poder sobre nuestro peor enemigo, la muerte.

6) Alá mismo enseñó a 'Isa los Kitabs (Libros) Santos.

7) Si alguien quiere saber más de 'Isa debe leer los Kitabs Santos.

8) Los hombres que ayudaron a 'Isa en su ministerio de enseñar a los no creyentes a adorar al único y verdadero Dios fueron llamados "musulmanes".

9) Alá elevó a 'Isa a su nivel. Él vino de Alá y fue devuelto a Alá. 'Isa conoce el camino a Alá.

10) Los musulmanes que se unen al trabajo de 'Isa recibirán bendiciones de Alá y serán más bendecidos que los que no son creyentes en este mundo.

La última pregunta que usted debe esperar

Si usted llega a este punto, su amigo musulmán seguramente le preguntará: "¿Qué tiene que decir sobre Mahoma?".

Esta es una pregunta profundamente emocional para los musulmanes, y la mejor manera de contestarla es usando su propio libro santo, el Corán.

Conteste con una pregunta: "¿Qué dice el Corán? ¿Qué dice Alá sobre el profeta Mahoma?". Sura 46:9 dice: "Dí: 'Yo no soy el primero de los enviados (o profetas). Y no sé lo que será de mí, ni lo que será de vosotros. No hago más que seguir lo que se me ha revelado. Yo no soy más que un monitor que habla claro'".

Alá dice que Mahoma no es *nada nuevo* entre los profetas. Dice que Mahoma no sabe qué pasará con él y sus seguidores. También dice que Mahoma es un simple *monitor*.

Aunque quizá no quiera usarlo, debe saber que el Corán también menciona a Mahoma como un *pecador*. En *La Victoria*, Sura 48:1, 2 leemos: "Te hemos concedido un claro éxito. Para perdonarte Alá tus primeros y tus últimos pecados, perfeccionar Su gracia en ti y dirigirte por una vía recta".

Finalmente, dígales dónde pueden encontrarlo si necesitan hablar más sobre el tema. Deles a aquellos con los que está hablando la oportunidad de seguir conversando con usted sobre 'Isa a solas o en un grupo más pequeño. Muchos de ellos no querrán verlo otra vez, pero el "hombre (o la mujer) de paz" que Dios tiene preparado lo contactará más adelante y querrá saber mucho más sobre 'Isa Masih.

Cómo usar la Biblia con los musulmanes

Si todo va bien, una "persona de paz" se contactará con usted. Cuando esto suceda, quizá pueda mostrarle la película *Jesús* o presentarle sencillamente el evangelio. Nosotros no usamos el Corán para presentar el evangelio o discipular, pero aquí hay un par de versículos del Corán que ayudarán a su amigo musulmán a comprender que la verdad de Alá está perfectamente revelada en el "Libro que apareció antes (del Corán)".

En Sura 10:94 leemos: "Si tienes alguna duda acerca de lo que te hemos revelado, pregunta a quienes, antes de ti, ya leían la *Escritura*. Te ha venido, de tu Señor, la Verdad. ¡No seas, pues, de los que dudan!".

Alá le dice a Mahoma que si tiene dudas, debe preguntar a aquellos que leyeron el libro que existía antes que él, porque la verdad se encontraba en esas Escrituras. Él urge a Mahoma a no mezclarse con los que dudan.

Asegúrese de señalar que la Tora y el Injil que usted está compartiendo con su amigo haya sido traducido del lenguaje original y de los manuscritos más antiguos en existencia.

Finalmente, pida a su amigo que lea lo que dice el Corán en Sura 4:136:

> ¡Creyentes! Creed en Alá, en Su Enviado, en la *Escritura* que ha revelado a Su Enviado, y en la *Escritura* que había revelado antes.

> Quien no cree en Alá, en Sus ángeles, en Sus *Escrituras,* en Sus enviados y en el último Día, ese tal está profundamente extraviado.

Es común para los musulmanes alegar que el Libro "que vino antes", o Antiguo y Nuevo Testamentos, ha sido cambiado y corrompido, y por lo tanto ya no es confiable. Si surge este tema, refiéralos a su propio Corán, a *Los rebaños Sura* 6:114, 115 que dice:

> "¿Buscaré, pues, a otro diferente de Alá como juez, siendo Él Quien os ha revelado la *Escritura* explicada detalladamente?". Aquellos a quienes Nosotros hemos dado la *Escritura* saben bien que ha sido revelada por tu Señor con la Verdad. ¡No seáis, pues, de los que dudan!

De manera que Alá ha asegurado a Mahoma que el libro (la Biblia) fue dado por él; es perfecto, y nadie puede cambiarlo.

Ahora que ha descubierto al "hombre (o la mujer) de paz" debe cambiar de rumbo completamente, del Corán a la Biblia. Como hemos visto, el Corán tiende un puente muy efectivo entre los musulmanes y el evangelio, ¡Pero usted no querrá acampar en el puente!

Índice bíblico

Los diez elementos universales de los movimientos de plantación de iglesias

1. Oración extraordinaria

Salmo 2:8: Pídeme, y como herencia te entregaré las naciones; ¡tuyos serán los confines de la tierra!

Mateo 9:38: Pídanle, por tanto, al Señor de la cosecha que envíe obreros a su campo.

Marcos 1:35: Muy de madrugada, cuando todavía estaba oscuro, Jesús se levantó, salió de la casa y se fue a un lugar solitario, donde se puso a orar.

Marcos 9:29: Esta clase de demonios sólo puede ser expulsada a fuerza de oración —respondió Jesús.

Lucas 10:2: Es abundante la cosecha —les dijo—, pero son pocos los obreros. Pídanle, por tanto, al Señor de la cosecha que mande obreros a su campo.

Hechos 1:14: Todos, en un mismo espíritu, se dedicaban a la oración...

Hechos 3:1: Un día subían Pedro y Juan al templo a las tres de la tarde, que es la hora de la oración.

1 Tesalonicenses 5:17: Oren sin cesar,...

2. Evangelismo abundante

Mateo 28:19: Por tanto, vayan y hagan discípulos de todas las naciones,...

Marcos 1:38, 39a: Jesús respondió: Vámonos de aquí a otras aldeas cercanas donde también pueda predicar; para esto he venido. Así que recorrió toda Galilea, predicando en las sinagogas...

Marcos 16:15: Les dijo: Vayan por todo el mundo y anuncien las buenas nuevas a toda criatura.

Hechos 1:8: Pero cuando venga el Espíritu Santo sobre ustedes, recibirán poder y serán mis testigos tanto en Jerusalén como en toda Judea y Samaria, y hasta los confines de la tierra.

Hechos 17:17: Así que discutía en la sinagoga con los judíos y con los griegos que adoraban a Dios, y a diario hablaba en la plaza con los que se encontraban por allí.

Hechos 19:8, 10: Pablo entró en la sinagoga y habló allí con toda valentía durante tres meses. Discutía acerca del reino de Dios, tratando de convencerlos... Esto continuó por espacio de dos años, de modo que todos los judíos y los griegos que vivían en la provincia de Asia llegaron a escuchar la palabra del Señor.

3. Plantación intencional de iglesias multiplicadoras

Mateo 28:18-20: Jesús se acercó a ellos y les dijo: Se me ha dado toda autoridad en el cielo y en la tierra. Por tanto, vayan y hagan discípulos de todas las naciones, bautizándolos en el nombre del Padre y del Hijo y del Espíritu Santo, enseñándoles a obedecer todo lo que les he mandado a ustedes. Y les aseguro que estaré con ustedes siempre, hasta el fin del mundo.

Lucas 5:1-11; 9:1; 10:1; 1 Corintios 15:6; Hechos 2:41: De la misma manera que Jesús escogió a doce, ellos mismos se multiplicaron en 72, que a su vez se multiplicaron en 500, que luego se multiplicaron a 3.000.

Juan 15:8: Mi Padre es glorificado cuando ustedes dan mucho fruto y muestran así que son mis discípulos.

Hechos 9:31: Mientras tanto, la iglesia disfrutaba de paz a la vez que se consolidaba en toda Judea, Galilea y Samaria, pues vivía en el temor del Señor. E iba creciendo en número, fortalecida por el Espíritu Santo.

Hechos 16:5: Y así las iglesias se fortalecían en la fe y crecían en número día tras día.

4. Autoridad de la Palabra de Dios

Mateo 5:18: Les aseguro que mientras existan el cielo y la tierra, ni una letra ni una tilde de la ley desaparecerán hasta que todo se haya cumplido.

Lucas 24:27: Entonces, comenzando por Moisés y por todos los profetas, les explicó lo que se refería a él en todas las Escrituras.

Lucas 24:45, 46: Entonces les abrió el entendimiento para que comprendieran las Escrituras. Esto es lo que está escrito —les explicó—: que el Cristo padecerá y resucitará al tercer día.

Hechos 17:11: Éstos eran de sentimientos más nobles que los de Tesalónica, de modo que recibieron el mensaje con toda avidez y todos los días examinaban las Escrituras para ver si era verdad lo que se les anunciaba.

2 Timoteo 3:16, 17: Toda la Escritura es inspirada por Dios y útil para enseñar, para reprender, para corregir y para instruir en la justicia, a fin de que el siervo de Dios esté enteramente capacitado para toda buena obra.

Hebreos 4:12: Ciertamente, la palabra de Dios es viva y poderosa, y más cortante que cualquier espada de dos filos. Penetra hasta lo más profundo del alma y del espíritu, hasta la médula de los huesos, y juzga los pensamientos y las intenciones del corazón.

5. Liderazgo local

Hechos 6:3: Hermanos, escojan de entre ustedes a siete hombres de buena reputación, llenos del Espíritu y de sabiduría, para encargarles esta responsabilidad.

Hechos 14:23: En cada iglesia nombraron ancianos y, con oración y ayuno, los encomendaron al Señor en quien habían creído.

1 Corintios 14:26: ¿Qué concluimos, hermanos? Que cuando se reúnan, cada uno puede tener un himno, una enseñanza, una revelación, un mensaje en lenguas, o una interpretación. Todo esto debe hacerse para la edificación de la iglesia.

Tito 1:5: Te dejé en Creta para que pusieras en orden lo que quedaba por hacer y en cada pueblo nombraras ancianos de la iglesia, de acuerdo con las instrucciones que te di.

1 Pedro 4:10: Cada uno ponga al servicio de los demás el don que haya recibido, administrando fielmente la gracia de Dios en sus diversas formas.

6. Liderazgo laico

Mateo 4:18-20: Mientras caminaba junto al mar de Galilea, Jesús vio a dos hermanos: uno era Simón, llamado Pedro, y el otro Andrés. Estaban echando la red al lago, pues eran pescadores. "Vengan, síganme —les dijo Jesús—, y los haré pescadores de hombres". Al instante dejaron las redes y lo siguieron.

Marcos 3:18: Andrés, Felipe, Bartolomé, Mateo, Tomás, Jacobo, hijo de Alfeo; Tadeo, Simón el Zelote...

Lucas 5:30: Pero los fariseos y los maestros de la ley que eran de la misma secta les reclamaban a los discípulos de Jesús: ¿Por qué comen y beben ustedes con recaudadores de impuestos y pecadores?

Hechos 4:13: Los gobernantes, al ver la osadía con que hablaban Pedro y Juan, y al darse cuenta de que eran gente sin estudios ni preparación, quedaron asombrados y reconocieron que habían estado con Jesús.

1 Corintios 1:26: Hermanos, consideren su propio llamamiento: No muchos de ustedes son sabios, según criterios meramente humanos; ni son muchos los poderosos ni muchos los de noble cuna.

2 Corintos 3:4-6: Ésta es la confianza que delante de Dios tenemos por medio de Cristo. No es que nos consideremos competentes en nosotros mismos. Nuestra capacidad viene de Dios. Él nos ha capacitado para ser servidores de un nuevo pacto, no el de la letra sino el del Espíritu; porque la letra mata, pero el Espíritu da vida.

7. Iglesias célula en las casas

Jesús lleva la alabanza y la comunión con él dentro del hogar. Enseña, hace milagros, sana y es alabado en la casa de Pedro en Capernaúm (Marcos 2, 9), en las bodas de Caná (Juan 2), en el hogar de Zaqueo (Lucas 19) y en la casa de Marta, María y Lázaro (Juan 12).

Marcos 2:1, 2: Unos días después, cuando Jesús entró de nuevo en Capernaúm, corrió la voz de que estaba en casa. Se aglomeraron tantos que ya no quedaba sitio ni siquiera frente a la puerta mientras él les predicaba la palabra.

Lucas 10:7: Quédense en esa casa, y coman y beban de lo que ellos tengan, porque el trabajador tiene derecho a su sueldo. No anden de casa en casa.

Hechos 5:42: Y día tras día, en el templo y de casa en casa, no dejaban de enseñar y anunciar las buenas nuevas de que Jesús es el Mesías.

Hechos 8:3: Saulo, por su parte, causaba estragos en la iglesia: entrando de casa en casa, arrastraba a hombres y mujeres y los metía en la cárcel.

Hechos 12:12: Cuando cayó en cuenta de esto, fue a casa de María, la madre de Juan, apodado Marcos, donde muchas personas estaban reunidas orando.

Romanos 16:5: Saluden igualmente a la iglesia que se reúne en la casa de ellos.

1 Corintios 16:19: Las iglesias de la provincia de Asia les mandan saludos. Aquila y Priscila los saludan cordialmente en el Señor, como también la iglesia que se reúne en la casa de ellos.

Colosenses 4:15: Saluden a los hermanos que están en Laodicea, como también a Ninfas y a la iglesia que se reúne en su casa.

Filemón 1, 2: Pablo, prisionero de Cristo Jesús, y el hermano Timoteo, a ti, querido Filemón, compañero de trabajo, a la hermana Apia, a Arquipo nuestro compañero de lucha, y a la iglesia que se reúne en tu casa:

8. Iglesias plantando iglesias

Jesús esperaba que cada uno de sus discípulos llevara fruto (Lucas 19:13-26; Juan 15:8). Entonces los envió de dos en dos a las aldeas vecinas para establecer su reino (Marcos 6; Mateo 10; Lucas 10).

De la misma manera, equipó a la iglesia primitiva para extender el evangelio y establecer iglesias dondequiera que fueran.

Hechos 8:4: Los que se habían dispersado predicaban la palabra por dondequiera que iban.

Efesios 4:11, 12: Él mismo constituyó a unos, apóstoles; a otros, profetas; a otros, evangelistas; y a otros, pastores y maestros, a fin de capacitar al pueblo de Dios para la obra de servicio, para edificar el cuerpo de Cristo.

1 Tesalonicenses 1:8: Partiendo de ustedes, el mensaje del Señor se ha proclamado no sólo en Macedonia y en Acaya sino en todo lugar; a tal punto se ha divulgado su fe en Dios que ya no es necesario que nosotros digamos nada.

9. Reproducción rápida

Jesús llamó a sus discípulos a seguirle inmediatamente, y así lo hicieron.

Marcos 1:18: Al momento dejaron las redes y lo siguieron.

Marcos 1:20: En seguida los llamó, y ellos, dejando a su padre Zebedeo en la barca con los jornaleros, se fueron con Jesús.

Jesús atrajo a enormes multitudes de seguidores desde el comienzo de su ministerio.

Marcos 2:2: Se aglomeraron tantos que ya no quedaba sitio ni siquiera frente a la puerta mientras él les predicaba la palabra.

Hechos 2:47: ...Alabando a Dios y disfrutando de la estimación general del pueblo. Y cada día el Señor añadía al grupo los que iban siendo salvos

Hechos 14:21-23: Después de anunciar las buenas nuevas en aquella ciudad y de hacer muchos discípulos, Pablo y Bernabé regresaron a Listra, a Iconio y a Antioquía, fortaleciendo a los discípulos y animándolos a perseverar en la fe. "Es necesario pasar por muchas dificultades para entrar en el reino de Dios", les decían. En cada iglesia nombraron ancianos y, con oración y ayuno, los encomendaron al Señor en quien habían creído.

Hechos 16:5: Y así las iglesias se fortalecían en la fe y crecían en número día tras día.

Hechos 19:20: Así la palabra del Señor crecía y se difundía con poder arrollador.

10. Iglesias sanas

Jesús definió la iglesia en relación a sí mismo, como su cuerpo. Estaba edificada, no con ladrillos, sino con su Espíritu y el compañerismo de sus santos.

Mateo 18:20: Porque donde dos o tres se reúnen en mi nombre, allí estoy yo en medio de ellos.

En la iglesia primitiva, los edificios que conocemos hoy no aparecen por ninguna parte. Por el contrario, los creyentes adoraban en el lugar donde se encontraban: casas, sinagogas, templos, la orilla de un río. Lo que importaba era la vitalidad del cuerpo de Cristo.

Hechos 2:41-47: Así, pues, los que recibieron su mensaje fueron bautizados, y aquel día se unieron a la iglesia unas tres mil personas. Se mantenían firmes en la enseñanza de los apóstoles, en la comunión, en el partimiento del pan y en la oración. Todos estaban asombrados por los muchos prodigios y señales que realizaban los apóstoles. Todos los creyentes estaban juntos y tenían todo en común: vendían sus propiedades y posesiones, y compartían sus bienes entre sí según la necesidad de cada uno. No dejaban de reunirse en el templo ni un solo día. De casa en casa partían el pan y compartían la comida con alegría y generosidad, alabando a Dios y disfrutando de la estimación general del pueblo. Y cada día el Señor añadía al grupo los que iban siendo salvos.

1 Corintios 12:27: Ahora bien, ustedes son el cuerpo de Cristo, y cada uno es miembro de ese cuerpo.

Efesios 4:12: ...A fin de capacitar al pueblo de Dios para la obra de servicio, para edificar el cuerpo de Cristo.

Características adicionales de los movimientos de plantación de iglesias en la Biblia

1. Todas las personas *serán* alcanzadas

Salmo 67:3, 5: Que te alaben, oh Dios, los pueblos, que todos los pueblos te alaben.

Salmo 96:7: Tributen al SEÑOR, pueblos todos, tributen al SEÑOR la gloria y el poder.

Mateo 24:3, 14: ...Y este evangelio del reino se predicará en todo el mundo...

Apocalipsis 5:9: ...Y con tu sangre compraste para Dios gente de toda raza, lengua, pueblo y nación.

Apocalipsis 7:9: Una multitud tomada de todas las naciones, tribus, pueblos y lenguas; era tan grande que nadie podía contarla. Estaban de pie delante del trono y del Cordero...

Apocalipsis 15:4: ...Todas las naciones vendrán y te adorarán...

2. Respuesta valiente ante la persecución

Lucas 21:12-15: Pero antes de todo esto, echarán mano de ustedes y los perseguirán. Los entregarán a las sinagogas y a las cárceles, y por causa de mi nombre los llevarán ante reyes y gobernadores. Así tendrán ustedes la oportunidad de dar testimonio ante ellos. Pero tengan en cuenta que no hay por qué preparar una defensa de antemano, pues yo mismo les daré tal elocuencia y sabiduría para responder, que ningún adversario podrá resistirles ni contradecirles.

Hechos 4:13: ...Al ver la osadía con que hablaban Pedro y Juan...

Hechos 4:29: Ahora, Señor, toma en cuenta sus amenazas y concede a tus siervos el proclamar tu palabra sin temor alguno.

Hechos 4:31: ...Todos fueron llenos del Espíritu Santo, y proclamaban la palabra de Dios sin temor alguno.

Hechos 5:41: Así, pues, los apóstoles salieron del Consejo, llenos de gozo por haber sido considerados dignos de sufrir afrentas por causa del Nombre.

3. Dios mismo lo hará

Habacuc 1:5: Estoy por hacer en estos días cosas tan sorprendentes que no las creerán aunque alguien se las explique.

Filipenses 1:6: Estoy convencido de esto: el que comenzó tan buena obra en ustedes la irá perfeccionando hasta el día de Cristo Jesús.

1 Pedro 4:11: El que habla, hágalo como quien expresa las palabras mismas de Dios; el que presta algún servicio, hágalo como quien tiene el poder de Dios.

4. Liderazgo nativo (modele, ayude, observe y deje)

2 Timoteo 2:2: Lo que me has oído decir en presencia de muchos testigos, encomiéndalo a creyentes dignos de confianza, que a su vez estén capacitados para enseñar a otros.

Tito 1:5: ...Y en cada pueblo nombrarás ancianos de la iglesia, de acuerdo con las instrucciones que te di.

5. Liderazgo múltiple

1 Corintios 12:7: A cada uno se le da una manifestación especial del Espíritu para el bien de los demás.

1 Corintios 14:26: ...Cada uno puede tener un himno, una enseñanza, una revelación...

Efesios 4:11: Él mismo constituyó a unos, apóstoles; a otros, profetas; a otros, evangelistas; y a otros, pastores y maestros,...

1 Pedro 4:10: Cada uno ponga al servicio de los demás el don que haya recibido, administrando fielmente la gracia de Dios en sus diversas formas.

6. Patrones de conversión basados en la familia

Hechos 16:15: Cuando fue bautizada con su familia...

Hechos 16:31: Cree en el Señor Jesús; así tú y tu familia serán salvos..

7. Cambio de paradigma

Jonás 1—4: el misionero renuente.

Habacuc 1:5: ...Que no las creerán aunque alguien se las explique.

Mateo 9:17: ...Ni tampoco se echa vino nuevo en odres viejos. Romanos 12:2: No se amolden al mundo actual, sino sean transformados mediante la renovación de su mente.

8. Persecución y sufrimiento

Mateo 10:17-25: ...Los entregrán en los tribunales y los azotarán en las sinagogas...

2 Corintios 11:23-29: ...He sido encarcelado más veces, he recibido los azotes más severos, he estado en peligro de muerte repetidas veces...

1 Pedro 4:12, 13: ...No se extrañen del fuego de la prueba que están soportando, como si fuera algo insólito.

Apocalipsis 6:9-11: "¿Hasta cuándo, Soberano Señor, santo y veraz, seguirás sin juzgar a los habitantes de la tierra y sin vengar nuestra muerte?".

Apocalipsis 12:10-12: El diablo, lleno de furor, ha descendido a ustedes, porque sabe que le queda poco tiempo.

9. Extensión rápida del evangelio

Hechos 2:47: Y cada día el Señor añadía al grupo los que iban siendo salvos.

Hechos 19:20: Así la palabra del Señor crecía y se difundía con poder arrollador.

10. Asimilación rápida de nuevos creyentes

Hechos 2:41: ...Y aquel día se unieron a la iglesia unas tres mil personas.

Hechos 8:26-39: Mire usted, aquí hay agua. ¿Qué impide que yo sea bautizado?

Hechos 16:5: Y así las iglesias se fortalecían en la fe y crecían en número día tras día.

11. Obstáculos superados

Mateo 13:44: El reino de los cielos es como un tesoro escondido en un campo. Cuando un hombre lo descubrió, lo volvió a esconder, y lleno de alegría fue y vendió todo lo que tenía y compró ese campo.

Marcos 2:4, 5: Como no podían acercarlo a Jesús por causa de la multitud, quitaron parte del techo...

Lucas 3:4-6: Preparen el camino del Señor, háganle sendas derechas. Todo valle será rellenado, toda montaña y colina será allanada. Los caminos torcidos se enderezarán, las sendas escabrosas quedarán llanas.

12. El hombre de paz, cómo abrir una nueva obra

Mateo 10:5-15: En cualquier pueblo o aldea donde entren, busquen a alguien que merezca recibirlos, y quédense en su casa hasta que se vayan de ese lugar.

Lucas 10:1-18: ...Si hay allí alguien digno de paz, gozará de ella;...

Juan 4:7-42: En eso llegó a sacar agua una mujer de Samaria, y Jesús le dijo...

Hechos 10:1-31: Vivía en Cesarea un centurión llamado Cornelio... Él y toda su familia eran devotos y temerosos de Dios.

Hechos 16:14-40: Una de ellas, que se llamaba Lidia, adoraba a Dios... el Señor le abrió el corazón para que respondiera al mensaje...

13. Grupos étnicos no alcanzados

Mateo 18:12, 13: ...¿No dejará las noventa y nueve en las colinas para ir en busca de la extraviada?

Hechos 1:8: ...Y serán mis testigos... hasta los confines de la tierra.

Romanos 15:20-23: ...Mi propósito ha sido predicar el evangelio donde Cristo no sea conocido.

Glosario

Bhojpuri: idioma hablado por varios grupos étnicos que residen principalmente en los estados de Uttar Pradesh y Bihar en el norte de la India, y en el sur de Nepal.

Centros rurales de entrenamiento de liderazgo: desarrollados y usados para entrenar a los líderes y a los plantadores de iglesias en el movimiento de plantación de iglesias de Camboya.

Contextualización: esfuerzos misioneros de eliminar el formato cristiano de la cultura occidental, para adaptar la fe a las culturas que no son cristianas.

Coordinador de estrategia: un misionero que toma la responsabilidad de desarrollar e implementar la estrategia de un movimiento de plantación de iglesias para un determinado grupo étnico, o para un segmento de la población.

Entrenamiento "camello": es el entrenamiento de evangelismo entre los musulmanes, que utiliza el Corán como un puente. Enfatiza la elección, la anunciación, los milagros y la vida eterna. Se concentra en recordar los versículos del Corán que hablan de Jesús.

Entrenamiento para entrenadores: este programa desarrollado por John Chen llevó al movimiento de plantación de iglesias más grande de la historia.

Evangelizados: los que escucharon el evangelio de una manera inteligible, como para dar lugar a una respuesta.

Golosinas del diablo: algo que al principio parece positivo, pero que a la larga resulta destructivo. En el caso de los movimientos de plantación de iglesias, la golosina del diablo puede ser cualquier virtud cristiana que consume la energía de una persona a costa de lograr la multiplicación de iglesias locales.

Grupo étnico: más específicamente un grupo *etnolingüístico*. Se refiere a las personas que comparten un sentido de identidad étnica y un idioma en común.

Grupo étnico no alcanzado: un grupo de personas en el que menos de un 2% de la población es cristiana, y que carece de un impulso de evangelización interno para alcanzar al 98% que está perdido. Aquí se necesita la ayuda misionera.

Historias bíblicas cronológicas: cómo relacionar los grandes temas de la Biblia a través de historias que culminan con el evangelio.

Iglesias célula: iglesias pequeñas que se reúnen en las casas, pero que entre ellas están unidas bajo el liderazgo del pastor de una sola iglesia.

Iglesia digna de ser imitada: es el tipo de iglesia que se encuentra frecuentemente dentro del movimiento de plantación de iglesias. Sus características son: 1) participación en conjunto de estudio bíblico y oración, 2) obediencia a la Palabra de Dios como signo de una vida y una creencia fructífera, 3) líderes de la iglesia que no reciben remuneración, y 4) pequeños grupos de células que 5) se reúnen en las casas o en otros ambientes no religiosos.

Iglesias en las casas: iglesias que se reúnen en las casas, generalmente con menos de 30 miembros, y dirigidas por líderes laicos que no reciben ninguna remuneración.

Khmer: el grupo mayoritario de Camboya.

Khmer Rouge: literalmente "Khmer Rojo", o sea los comunistas de Camboya bajo el régimen de Pol Pot en la década de 1970.

Kui: tribu localizada en las colinas Khond de Orissa, India.

Modele, ayude, observe y deje: el mandato del que participa en un movimiento de plantación de iglesias. Modele o ejemplifique el evangelismo y la iglesia, ayude a los creyentes locales a hacer lo mismo, observe para asegurarse de que son capaces de hacerlo, y luego deje este trabajo para comenzar de nuevo el ciclo en otro lugar.

Movimiento de crecimiento de iglesias: escuela de misiología y crecimiento de iglesias que comenzó en la década de 1970 en el Seminario Teológico Fuller con el doctor Donald McGavran, y cuya meta era hacer crecer más iglesias dinámicas.

Movimiento de plantación de iglesias: rápida multiplicación de iglesias locales que a su vez plantan nuevas iglesias, y que se extiende a través de un grupo étnico o un segmento de la población.

Movimientos étnicos: un movimiento entre un grupo etnolingüístico hacia la fe cristiana.

Narración de historias bíblicas: usar historias de la Biblia, sin un texto escrito, para evangelismo, discipulado y capacitación de líderes. Iniciado como método de evangelismo entre los pueblos analfabetos, se ha extendido subsecuentemente a audiencias más amplias.

Nativos: significa literalmente algo que se genera desde adentro. Se refiere a iglesias o movimientos cuya fuerza motora viene desde adentro del mismo grupo, en lugar de depender de fondos o instrucciones de afuera.

Precisión en la cosecha: un proceso de evangelismo que comienza con la proclamación del evangelio, siguiendo luego cuidadosamente a aquellos que respondieron positivamente al mensaje.

Principio 222: es el principio de desarrollo de liderazgo que ejemplifica y mentorea uno-a-uno. Está basado en 2 Timoteo 2:2, y de allí sale su nombre.

Puente coránico: usar el Corán como puente para presentar a Cristo entre los musulmanes.

¿Qué hay que hacer?: esta es la cuestión clave que desafía al cristiano a preguntarle a Dios qué es necesario para que todo un pueblo llegue a conocer a Cristo.

Secuestro foráneo: cuando los extranjeros dominan el cristianismo en medio de un grupo étnico, minando la iniciativa local para un movimiento de plantación de iglesias.

Segmento de la población: una subdivisión de un movimiento etnolingüístico, como la subdivisión de jóvenes o una subdivisión urbana dentro de un determinado grupo.

Bibliografía selecta

Adeney, David. "Springtime for the Church in China?". *Christianity Today* (18 de junio, 1982), pp. 28-31.

Allen, Donald R. *Barefoot in the Church*. Richmond: John Knox, 1972.

Allen, Roland. *Missionary Methods: St. Paul's or Ours?* Grand Rapids: Eerdmans, 1962.

Alexander, Gary. "House Churches: Your Hope for the Future". *Christian Life*, vol. 43:9 (enero 1982), 32.

Anderson, Philip, y Phoebe Anderson. *The House Church*. Nashville: Abingdon, 1975.

Armstrong, Heyward, ed. *Church Planting Movements Workbook*. Richmond: ICEL, 2001.

"Around 25,000 Gypsies gather in France". Agencia France Presse (14 de agosto, 2000).

Baker, Robert A. *The Southern Baptist Convention and Its People*. Nashville: Broadman Press, 1974.

Banks, Robert. *Paul's Idea of Community: The Early House Churches in Their Historical Setting*. Grand Rapids: Eerdmans, 1980.

Barrett, David. *Schism & Renewal in Africa, an analysis of six thousand contemporary religious movements*. Nairobi, Oxford University Press, 1968.

Barrett, David. *World Christian Encyclopedia, 2nd Edition, Vol. 1.* London: Oxford University Press, 2001.

Barrett, Lois. *Building the House Church*. Scottdale: Herald Press, 1986.

Benko, S., y J. I. O'Rourke, eds. *Early Church History: The Roman Empire as the Setting of Primitive Christianity*. London: Oliphants, 1971.

Berger, Peter L. *A Rumor of Angels: Modern Society and the Rediscovery of the Supernatural*. Garden City: Doubleday, 1967.

Bird, Warren. "The Great Small-Group Takeover". *Christianity Today*, vol. 38:2 (7 de febrero, 1994), pp. 25-29.

Branick, V. *The House Church in the Writings of Paul*. Wilmington, Del.: Michael Glazier, 1989.

Campenhausen, H. von. *Tradition and Life in the Church*. London: Collins, 1968.

Carlton, Bruce. *Acts 29, practical training in facilitating church-planting movements among the neglected harvest fields*. Singapore: Radical Obedience Publishing, 2003.

Carlton, Bruce. *Amazing Grace, lessons on Church Planting Movements from Cambodia*. Chennai: Mission Educational Books, 2000.s

Cho, David Yonggi. *Grupos familiares y crecimiento de las iglesias*. Miami: Editorial Vida.

Choudhrie, Victor. "House Church: A Bible Study". *House2House* (marzo, 2001). En Internet: *www.house2house.net*

Creswell, Mike. "The Netherlands: Providing an anchor". *The Commission* (noviembre, 1997).

Collins, Travis. *The Baptist Mission of Nigeria, 1850-1993*. Ibadan, Nigeria: Associated Book-Makers Nigeria Limited, 1993.

Comiskey, Joel. *Home Cell Group Explosion*. Houston: Touch Publications, 1999.

Comiskey, Joel. *Groups of 12*. Houston: Touch Publications, 1999.

Cosby, Gordon. *Handbook for Mission Groups*. Waco: Word, 1975.

Crider, Stephanie P. "The Evangelical Movement Among Spanish Gypsies". Tesis de honor presentada al cuerpo docente del Departamento de Historia y el Concilio de honor en la Universidad Sanford, Birmingham, Alabama (1989).

Cullmann, O. *Early Christian Worship*. London: SCM, 1953.

Darnton, John. "Europe's Gypsies Hear the Call of the Evangelicals". *The New York Times*, edición final, sección A (25 de agosto, 1983), p. 2.

Diamond, Jared. *Guns, Germs and Steel: the fates of human societies*. New York: WW Norton & Co., 1999.

Dulles, Avery. *Models of the Church*. Garden City: Doubleday, 1978.

Dumbaugh, Donald F. *The Believers' Church: The History and Character of Radical Protestantism*. New York: Macmillan, 1968; Scottdale, Pa.: Herald Press, 1985.

Eller, Vernard. *The Outward Bound: Caravaning as the Style of the Church*. Grand Rapids: Eerdmans, 1980.

"Evangelical Leaders Asses Home Churches". *Christian Life* vol. 43:9 (enero, 1982), pp. 32-44.

Filson, Floyd V. "The Significance of the Early House Churches". *Journal of Biblical Literature* 58 (1939): 109-l 12.

Foster, Arthur L., ed. *The House Church Evolving*. Chicago: Exploration, 1976.

Gager, I. G. *Kingdom and Community: The Social World of Early Christianity*. Englewood Cliffs, N.J.: Prentice-Hall, 1975.

Garmo, John. *Lifestyle Worship*. Nashville: Nelson, 1993.

Garrison, David. *Movimientos de plantación de iglesias*. Richmond: International Mission Board.

Gerber, Michael. *The E-Myth Revisited: why small businesses don't work*. London: HarperBusiness, 1995.

Getz, Gene. *Edificándoos los unos a los otros*. Editorial Clie.

Getz, Gene. *Sharpening the Focus of the Church*. Chicago: Moody, 1974.

Gillmor, Verla. "Community is Their Middle Name". *Christianity Today* (23 de noviembre, 2000), p. 50.

Gladwell, Malcom. *The Tipping Point: how little things can make a big difference*. London: Little Brown and Co., 2000.

Green, M. *Evangelism in the Early Church*. London: Hodder & Stoughton, 1970.

Griffin, E. *Getting Together: A Guide for Good Groups*. Downers Grove: InterVarsity Press, 1982.

Grimes, Barbara. *Ethnologue, 14th Edition Vol. 1: Languages of the World*. Dallas: Summer Institute of Linguistics, 2002.

Hinton, Keith. *Growing Churches Singapore Style*. Singapore: OMF, 1985.

Hobbs, Andrew. "Gypsies take to highway to heaven". *The Observer* (1 de agosto, 1993), p. 20.

Icenogle, Gareth Weldon. *Biblical Foundations for Small Group Ministry, An Integrational Approach*. Downers Grove: Intervarsity Press, 1994.

"India: 3,000 House Churches Planted in Madhya Pradesh Since 1994". En Internet: www.youthrise.com/news/14feb2000/story8.htm

Johnston, Patrick. *Operación Mundo*. Miami: Editorial Unilit.

Judge, E. A. *The Social Pattern of Christian Groups in the First Century*. London: Tyndale Press, 1960.

Kraus, C. Norman, ed. *Evangelicalism and Anabaptism.* Scottdale: Herald Press, 1979.

Kreider, Larry. *House to House*. Houston: TOUCH Publications, 1995.

Lambert, Tony. *China's Christian Millions: the costly revival.* Singapore: OMF, 1999.

Latourette, Kenneth Scott. *A History of the Expansion of Christianity.* New York: Harper, 1937-1945.

Leatherwood, Rick. "Mongolia: As a People Movement to Christ Emerges, What Lessons Can We Learn?". *Mission Frontiers* (julio/agosto, 1998).

L'Engle, Madeline. *A Wrinkle in Time*. New York: Bantam, 1976.

Lewis, Bernard. *Race and Slavery in the Middle East, an historical enquiry*. London: Oxford University Press, 1990.

Liégeois, Jean-Pierre. *Roma, Gypsies, Travellers*. Trad. por Sinéad ní Shuinéar. Strasbourg: Council of Europe, 1994. Publicado originalmente en francés como *Roma, Tsiganes, Voyageurs*, en 1992.

Lindner, Eileen W., ed. *Yearbook of American and Canadian Churches, 2001*. Nashville: Abingdon Press, 2001.

Martin, Ralph P. *The Family and the Fellowship*. Grand Rapids: Eerdmans, 1979.

Martin, Ralph P. *Worship in the Early Church*. Grand Rapids: Eerdmans, 1964.

McGavran, Donald. "House Churches: A Key Factor for Growth". *South Korea Global Church Growth Bulletin* 29:5-6, enero, 1992.

McGavran, Donald. *Understanding Church Growth*. Grand Rapids: Eerdmans, 1970.

Minear, Paul S. *Images of the Church in the New Testament*. Philadelphia: Westminster, 1960.

Mir, Tariq. "It's Conversion Time in the Valley". In *The Indian Expresss*. Srinagar, India, 5 de abril, 2003.

Morey, Robert A. *Worship is all of Life*. Camp Hill: Christian Publications, 1984.

Neill, Stephen. *A History of Christian Missions*. New York: Penguin, 1984.

Parshall, Phil. *New Paths in Muslim Evangelism: evangelical approaches to Contextualization*. Grand Rapids: Baker Books, 1981.

Perry, Tobin. "Reaching a city, reaching a world". *The Commission*. Richmond: International Mission Board, septiembre, 1999.

Peterson, Jim. *Church without Walls, Moving Beyond Traditional Boundaries*. Colorado Springs: Navpress, 1992.

"Revival in Inner Mongolia-500,000 Saved in Past 12 Months". *Voice of China*, vocero oficial de las iglesias en las casas en China. Vol. 1:1 (edición de verano).

Sauder, Brian, y Larry Kreider. *Helping you build Cell Churches*. Ephrata: House to House Publications, 1998.

Schaller, Lyle E. *Assimilating New Members*. Nashville: Abingdon, 1978.

Shurden, Walter. "The Southern Baptist Synthesis: Is it Cracking?". En *Baptist History and Heritage*, vol. 16:2 (abril, 1981).

Simson, Wolfgang. *Houses that Change the World*. Carlisle, U.K.: Paternoster Publishing, 2001.

Singh, Manpreet. "Harassed Kashmiri Christians Reach out to Discrete Muslims". *Christianity Today*, vol. 46:10 (9 de septiembre, 2002).

Skoglund, John E. *Worship in the Free Churches*. Valley Forge: Judson, 1965.

Smith, Elliott. *The Advance of Baptist Associations Across America*. Nashville: Broadman Press, 1979.

Sng, Bobby E. K. *In His Good Time: the story of the church in Singapore, 1819-1992, 2nd edition*. Singapore: Graduates' Christian Fellowship, 1993.

Snowden, Mark, ed. *Toward Church Planting Movements*. Richmond: International Mission Board, 1997.

Snyder, Graydon F. *Ante Pacem: Archaeological Evidence of Church Life Before Constantine*. Macon: Mercer University, 1985.

Snyder, Howard A. *Liberating the Church. The Ecology of Church and the Kingdom*. Downers Grove: InterVarsity Press, 1983.

Snyder, Howard A. *The Radical Wesley and Patterns for Church Renewal*. Downers Grove: InterVarsity Press, 1980.

Snyder, Howard A. *The Problem of Wineskins*. Downers Grove: InterVarsity Press, 1977.

Sprinkle, Randy. *Ore mientras camina*. El Paso: Editorial Mundo Hispano, 2002.

Trueblood, Elton. *The Company of the Comitted*. New York: Harper and Row, 1961.

Trueblood, Elton. *The Incendiary Fellowship*. New York: Harper and Row, 1967.

Viola, Frank. *Rethinking the Wineskin: The Practice of the New Testament Church*. Jacksonville: Present Testimony Ministry, 1998.

Warren, Rick. *Iglesia con propósito*. Miami: Editorial Vida, 1997.

Weber, Hans-Ruedi. "The Church in the House". *Concern* (junio, 1958), pp. 7-28.

Webster, Justin. "Gypsies for Jesus". *The Independent*. London (11 de febrero, 1995), p. 30.

Wuthnow, Robert. "How Small Groups are Transforming Our Lives". *Christianity Today* vol. 38:2 (7 de febrero, 1994), pp. 20-24.

Zdero, Rad. *The House Church Manifesto: a guidebook for the global house church movement*. Pasadena: William Carey Library, 2003.

Zoba, Wendy Murray. "The Gypsy Reformation". *Christianity Today* (8 de febrero, 1999), pp. 50-54.